한길 김승곤 전집
14

문법적으로 쉽게 풀어 쓴 대학 중용 향가

저자 **김승곤**

- 한글학회 회장 및 재단이사 역임
- 건국대학교 문과대학 국어국문학과, 대학원 졸업
- 건국대학교 인문과학대학장, 문과대학장, 총무처장, 부총장 역임
- 문화체육부 국어심의회 한글분과위원 역임
- 주요저서:『관형격조사 '의'의 통어적 의미분석』(2007),『21세기 우리말 때매김 연구』
(2008),『21세기 국어 토씨 연구』(2009),『국어통어론』(2010),『문법적으로
쉽게 풀어 쓴 논어』(2010),『문법적으로 쉽게 풀어 쓴 향가』(2013),『국어
조사의 어원과 변천 연구』(2014),『21세기 국어형태론』(2015),『국어 부사
분류』(2017),『국어 형용사 분류』(2018) 등

한길 김승곤 전집 **14**

문법적으로 쉽게 풀어 쓴 대학 중용 향가

© 김승곤, 2018

1판 1쇄 인쇄_2018년 09월 10일
1판 1쇄 발행_2018년 09월 20일

지은이_김승곤
펴낸이_홍정표

펴낸곳_글로벌콘텐츠
　　　등 록_제25100-2008-24호

공급처_(주)글로벌콘텐츠출판그룹
　　　대표_홍정표　　이사_양정섭　　편집디자인_김미미　　기획·마케팅_노경민
　　　주소_서울특별시 강동구 풍성로 87-6(성내동) 글로벌콘텐츠
　　　전화_02) 488-3280　팩스_02) 488-3281
　　　홈페이지_http://www.gcbook.co.kr
　　　이메일_edit@gcbook.co.kr

값 28,500원

ISBN 979-11-5852-208-7 93150

간행사

글쓴이는 이번에 문집을 내기로 했다. 그 까닭은 다음과 같다.

재직 시에 낸 책은 ① 한국어 조사의 통시적 연구, ② 음성학, ③ 21세기 국어형태론(이것은 재직 시에 낸 '나라말본'을 개정하여 2015년에 간행하였음), ④ 한국어의 기원 등 네 권이었으나, 정년 후에 더 연구하여 보니까 여러 가지로 미흡한 데가 많아 다음과 같은 저서를 간행하게 되었다.

1. 국어형태론
2. 국어통어론
3. 국어 조사 연구
4. 국어 조사의 어원과 변천 연구
5. 조사 '이/가'와 '은/는' 연구
6. 관형격조사 '의'의 통어적 의미 분석
7. 국어 부사 분류
8. 국어 형용사 분류
9. 국어굴곡법(국어 연결어미 연구, 국어 의향법 연구, 국어 때매김 연구)
10. 국어의 의존명사 대명사 관형사 감탄사 연구(국어 의존명사

연구, 국어의 대명사 관형사 감탄사 연구)

11. 음성학

12. 한국어의 기원

13. 문법적으로 쉽게 풀어 쓴 논어

14. 문법적으로 쉽게 풀어 쓴 대학 중용 향가(문법적으로 쉽게 풀어 쓴 대학 중용, 문법적으로 쉽게 풀어 쓴 향가)

15. 새롭게 연구한 국어학 연구논문집

등 도합 19권이다.

이 모든 책 중 『문법적으로 쉽게 풀어 쓴 논어』, 『문법적으로 쉽게 풀러 쓴 대학 중용』, 『문법적으로 쉽게 풀어 쓴 향가』를 제외한 16권은 국어의 모든 분야에 걸친 연구 서적이므로 이들을 한데 묶어 놓으면 국어 연구에 편람서 구실을 할 것 같아 모두 엮어서 문집으로 한 것이다. 다만 동사는 빠졌는데 양이 너무 많고 분류도 쉽지 않기 때문이다.

미흡할지 모르겠으나, 나의 일생을 통한 국어학 연구서 묶음이니 읽어 보면 연구하는 데 도움이 될 것이다.

2018년 08월

지은이 김승곤 씀

한길 김승곤 전집

문법적으로 쉽게 풀어 쓴
대학·중용

나랏말ㅆㆍ미
異ᅌᅵᆼ乎ᅘᅩᆼ中듀ᇰ國귁에達닫ᄒᆞ야文문字ᄍᆞᆼ와로서르ᄉᆞᄆᆞᆺ디아니ᄒᆞᆯᄊᆡ
이런젼ᄎᆞ로어린百ᄇᆡᆨ姓ᄉᆡᆼ이니르고져홇배이셔도ᄆᆞᄎᆞᆷ내제ᄠᅳ들시러펴디몯ᄒᆞᇙ노미하니라
내이ᄅᆞᆯ爲윙ᄒᆞ야어엿비너겨새로스믈여듧字ᄍᆞᆼᄅᆞᆯᄆᆡᇰᄀᆞ노니

문법적으로 쉽게 풀어 쓴

대학·중용

김 승 곤 엮음

글모아출판

이 책의 엮은이는 2010년 10월 30일자로『문법적으로 쉽게 풀어
쓴 논어』를 간행한 일이 있는데 몇몇 독자로부터 문법적으로 설명
이 잘 되어 있어서 좋다는 말을 들었다. 특히 허사에 대한 설명이
좋았다고 하였다. 그래서『논어』와 같은 방법으로『大學』과『中庸』
을 번역하고 풀이하기로 하였다. 이번에 이 책을 엮을 때는 김학주
교수와 김영수 선생, 홍승직 박사, 가나야 오사무(金谷治) 선생의
저서를 많이 참고하였다. 특히 인물이나 역사적 사실 등의 풀이에
있어서 많이 참고 내지는 그대로 옮긴 데도 있다. 왜냐하면 엮은이
는 국어학자이지 이 방면의 전문가가 아니기 때문이다. 특히『大學』
과『中庸』의 저자, 내력, 사상 등에 관한 것은 주로 가나야 선생과
김학주 교수의 책을 많이 인용하였다. 그리고 원문의 구성도 저자
마다 다 다른데 엮은이는 김학주 교수의 저서를 중심으로 하여 김
영수 선생, 홍승직 박사의 원문을 알맞게 짜맞추어 여러 단락으로
나누어 풀이하였다. 또 한자 어휘의 풀이는 주로 김학주 교수와
가나야 선생의 것을 많이 참조하면서 모로바시 선생의『대한화사
전』과 민중서관의『한한대자전』을 일일이 찾아서 풀이하였기 때
문에 위의 두 분 선생의 풀이와 다소 다른 데도 있을 것이다. 더구
나, 번역은 철저한 직역으로 하였다. 지금까지의 책들은 너무 의역

을 하였기 때문에 한문 문법을 배울 수가 없었다. 그래서 문법적 풀이에 어휘의 본뜻을 살려서 의역과는 다소 거리가 있을 것이나, 직역을 하고 다시 뜻을 이해하여야 올바른 공부가 될 것으로 여겼기 때문이다. 한문문법은 여러 책을 참고하였으나, 그 중에도 박지홍 선생의 『새로운 漢文入門』과 아베요시오(阿部吉雄) 교수의 『漢文の硏究』를 많이 참고하였다. 사서를 공부함에 있어서는 제일 먼저 『大學』을 읽어 규모를 정하고 다음에 『論語』를 읽어 근본을 세우고 다음에 『孟子』를 읽어 교양을 닦고 마지막으로 『中庸』을 읽어 심오한 철리를 구하게 된다고 김영수 선생은 설명하고 있다. 따라서 사서를 공부하고자 하는 분은 이 차례를 지키는 것이 좋을 것이다. 끝으로 밝혀 둘 것은 엮은이는 한문 풀이에 중점을 두었으므로 철학적인 내용 풀이는 하지 않기로 하였다. 그에 대하여는 읽은이 여러분이 각자 풀이하여 주기 바란다. 그리고 이 책의 출판을 맡아 준 글모아출판 여러분께 감사한다.

2018년 5월
엮은이 삼가 씀.

2부 문법적으로 쉽게 풀어 쓴 중용 —— 99

『중용(中庸)』의 해설 —— 101

1부 문법적으로 쉽게 풀어 쓴 대학

『대학(大學)』에 대한 해설

　유교는 수기치인(修己治人)에 관한 가르침이라고 한다. "내 몸을 닦는다"고 하는 도덕설과 "남을 다스린다"고 하는 민중통치의 정치설을 겸한 교설(敎說)이 유교라고 할 수 있다. 『논어(論語)』나 『맹자(孟子)』를 불문하고 유학사상이란 현실의 사회적 인간을 제일의 문제로 하고 있으므로 도덕과 정치를 중심으로 하는 사상이다. 특히 『대학(大學)』은 그와 같은 사상을 단적이고 조직적으로 간결·평명한 문장으로 표현한 책이다. 그러므로 『대학』은 유교사상의 개요를 이해하는 데 가장 훌륭한 입문서이다. 그렇다면 『대학』에서 수기(修己)와 치인(治人)이 어떻게 풀이되어서, 어떻게 통일되어 있는지 보기로 하자.

1. 대학의 내용에 대한 개관

『대학』의 내용은 제일 먼저 『대학지도(大學之道)』라는 말로 시작되는데, "대학 교육의 이상적인 본연의 모습은 어떠해야 하는가" 하는 것이 권두에 제시되어 있다. 『대학』은 그 해답을 제1장에서 총괄적으로 나타내고 있으며, 제2장 이하에서는 그 제1장의 항목을 받은 해설로 되어 있다. 그러므로 『대학』의 요점은 제1장을 읽음으로써 거의 분명해지는데, 그것은 자기 일신의 수양을 기초로 하여 천하 국가를 통치하는 것을 목표로 하는 것이 바로 대학교육의 목표라는 것이다.

그것은 주자(朱子)에 의하여 삼강령(三綱領), 팔조목(八條目)이라고 명명된 항목에 의하여 분명해진다. 『대학지도(大學之道)』라고 시작되는 권두의 말은 『명명덕(明明德)』, 『친민(親民)』, 『지어지선(止於至善)』이라는 세 실천항목으로 대답하게 되는데, 이것이 소위 삼강령, 즉 대학교육의 세 중심목표인 것이다 『명명덕(明明德)』이라고 한 것은 훌륭한 덕, 성인의 덕으로서 전승되어 온 덕을 내가 배워서 한층 더 빛나게 발휘함으로써 자기의 수양을 이루어 낸다는 것이다. 그리함으로써 친민(親民)한다는 것은 통치의 대상인 민중을 서로 친하게 하여 평화로운 삶을 누리게 한다는 것이다. 『명명덕(明明德)』이 수기(修己)를 말하는 것이라면, 친민(親民)은 치인(治人)으로서, 즉 위정자로서 인애(仁愛)의 발휘를 목표로 하고 있다. 수기(修己)와 치인(治人)이 확실히 된 뒤에는 지어지선(止於至善)하여야 한다고 한다. 다시 말하면, 수기와 친민이 하나로 뭉쳐 같이 서로서로 최고의 선(善)의 경지에 멈추어야 한다는 절대적인 기준에 따라야 한다는 것이다. 이 명덕(明德)의 수기(修己)와 친민(親民)의

치인(治人)을 분석한 세목(細目)이 팔조목(八條目)이다. 즉 '평천하(平天下)', '치국(治國)', '제가(齊家)', '수신(修身)', '정심(正心)', '성의(誠意)', '치지(致知)', '격물(格物)'이 그것이다. 수신(修身), 정심, 성의, 치지, 격물의 다섯은 수기(修己)에 해당하고 그 앞의 셋은 치인(治人)에 해당한다. 평천하(平天下)를 하기 위해서는 일신의 수양, 즉 수기(修己)에 있다는 것을 조직적·단계적으로 풀이하고 있다.

2. 사서(四書)로 탄생한 대학

『예기』 49편 중의 42편으로 편입되어 있던 것을 뽑아내어 사서(四書)로서 존중한 것은 남송(南宋)의 주희(朱熹, 1130~1200)였다. 『대학』은 주자(朱子)에 의해서 비로소 유학의 경전이 되었다. 주자에 앞서 『대학』의 내용에 주목한 사람은 당의 한유(韓愈, 768~824)였다. 그는 배불숭유한 사람이었는데, 그 까닭은 유교는 일신의 수양도 국가사회를 위한 것이므로 거기에 유교의 우수한 본령이 있다고 생각하였기 때문이었다. 그 이전에는 별로 주의를 끌지 않았던 『대학』이 그의 대표적인 논문 「원도(原道)=도(道)란 무엇인가」에 인용된 이후에 중시되기에 이르렀다. 『대학』을 『예기』에서 뽑아내어 주석을 한 것은 북송(北宋)시대 사마광(司馬光)에 의해 쓰여진 『대학광의(大學廣義)』가 최초다. 그 뒤 정명도(程明道)·정이천(程伊川) 형제가 각각 『대학정본(大學定本)』을 저술하고, 그 문인의 여대림(呂大臨)이 『대학해(大學解)』를 저술하면서 『대학』은 갑자기 각광을 받게 되었다. 그것은 『대학』의 내용이 신유학의 이념에 알맞기 때문이었다. 신유학이란 당시의 신흥사대부 층의 의식을 대표하는 것으로서 이들은 유학적인 교양을 닦아 정치사회의 일선에서 활동하기를 염원하였던 것이다. 주자(朱子)는 신유학의 대성자(大成者)였는데,『중용』과『대학』을 위한 장구(章句)를 저술하여 사서(四書)의 교학체계(敎學體系)를 완성하였다. 유도(儒道)의 전통은 요순(堯舜)에서 공자·맹자로 이어져 한유(韓愈)의 도통론(道統論)을 통하여『논어』와『맹자』와의 중간에 자사(子思)의『중용』을 놓고,『대학』을 증자(曾子)의 저작으로 하여『중용』앞에 놓았다. 그 중에서도 주자가 가장 심혈을 기울인 것은『대학장구(大學章句)』였다. 그것은 거의 20년에 걸친 저작으로서 죽기 3일 전까지 가필을 하였다 한다. 그런데 주자(朱子)의『대학장구』를『예기』중의 구본(舊本)과 견주어 보면, 완전히 면목을 탈피하는 느낌이 든다. 그 해석이 주자(朱子) 자신의 철학에 의하여 심화되었는데, 구본의 본문 그 자체에 잘못이 있다 하며, 그것을 고쳐 문장의 차례를 대대적으로 뒤바꾸었을 뿐만 아니라 탈문(脫文)이 있다 하여 긴 문장을 보충하는 등이었다. 그 보충한 문장은 대학보전(大學補轉)이라 하는 것으로 팔조목(八條目)의 출발점이라는 치지(致知), 격물(格物)에 관한 특별한 해석서였다. 격물(格物)은 '사물에 이른다'로서 사물의 본질로서의 이치를 궁구함에 의하여 지식을 넓히는 것이 '지(知)에 이른다'라고 하였다. 이와 같은 풀이는 이학(理學)이라고 할 수 있는 주자(朱子) 자신의 철학에 의거한 주관적인 해석인데, 그것을『대학』본래의 탈문인 것처럼 삽입하였던 것이다.『대학』을 증자(曾子)에 관련지은 것도『도통(道通)』의 선양에 이끌린 것으로서 아무런 근거도 없다. 주자(朱子)의『대학장구』는 이와 같은 것이었으나『대학』은 이렇게 하여 깊이 있는 해석을 거쳐 공문(孔門)의 정통 사상을 전하는 유서 바른 경전으로서 성립되었다. 그러한 이후에, 주자학의 성행에 따라서 널리 수용되어 사서(四書)로서의 권위를 가지게 되었다. 그것이 바로 『대학』의 새로운 탄생이었다.

3. 원본의 성립

『대학』의 원본이 이루어진 경위는 다음과 같다. 사실 『대학』이 처음에 어떻게 성립되었는가 하는 문제에 관하여는 거의 알려져 있지 않다. 대체 『예기(禮記)』란 『오경(五經)』의 하나로 전한(前漢)의 선제(宣帝, B.C.74~B.C.50 재위) 때에 대성(戴聖)이라는 예학자(禮學者)가 편찬한 것이라 한다. 책 이름으로 보면, 옛날의 예의에 관한 문헌이라고 생각되나 정치·학술·윤리·종교 등 여러 가지 문제에 걸쳐 있어서 각 편의 내용은 잡다하다. 전한말(前漢末)의 유향(劉向)에 의하면 그 내용은 제도·제사·상복(喪服) 기타로 유별된다 하였으나, 거기에 통론(通論)이라는 부류가 있어서 '대학편'은 '중용편'과 함께 거기에 들어 있었다고 한다. 그 통론이란 것은 개론의 뜻으로 대체로 유가(儒家)의 교의(敎義)를 개략적으로 해설한 듯한 것이 많다. 그러나 그것도 대체로 형식적인 분류이다. 같은 통론에 속했다고 하더라도 각 편의 내용이나 성립한 사정(事情) 등에 어떤 연관이 있다고는 도저히 말할 수 없다. 『예기』 49편 전체는 분명한 표준에 의하여 편찬된 것은 아닐 것이다. 오히려 잡다한 것을 모았을 것이라는 느낌이 든다. 그러므로 각 편의 성질은 각각 그 편에 관하여 개별적으로 살피는 수밖에 달리 도리가 없을 것이다.

1) 『대학』의 체제

대학의 체제에 관하여도 그 내용·체제 등 각각에 관하여 알아보지 않으면 안 된다. 『대학』의 체제는 최초에 된 총론과 그에 따른 해설문으로 되어 있음에 주목하게 된다. 주자는 그것을 공자의 '경(經)'과 증자의 '전(傳)'이라고 간주하였으나, 그에 따르지 않더라도 이 구별은 분명하다. 청나라 왕중(汪中)은 『대학』의 체제에 관하여 먼저 항목을 제시하고 다음에 그것을 설명하는 식의 형식은 『일주서(逸周書)』, 『관자(管子)』 등에서 많이 볼 수 있는데, 『예기』 중에도 대학편(大學篇) 이외에 제통편(祭統篇)의 열편(十篇), 공자의 한거편(閒居篇)의 오지삼무(五至三無) 등이 다 그러하며, 어느 것이나 다 수미상응(首尾相應)한 동일인의 저작이라고 보아야 한다고 한다(『대학평의(大學評議)』). 그 중에는 옛 경문(經文)을 후에 해석했을 것이라는 것도 포함되어 있을 것이나, 대체적으로 그 말대로 이 체제는 오히려 하나의 표현 스타일이라고 할 만하다. 더구나 그것은 전국말(戰國末)에서 한나라 초의 자료에서 많이 볼 수 있는 듯한데 『논어』나 『맹자』에 비하여 그렇게 오래된 형식이라고는 생각되지 않는다. 청나라 최술(崔述)은 『대학』의 문장은 품위 있고 아름다우며, 알기 쉬우면서도 잘 정돈된 대구적(對句的)인 표현이 많으나 이것은 아마 전국(戰國) 이후의 문장일 것이라고 한다(『수사고신록(洙泗考信錄)』). 『시경』이나 『서경』 및 공자의 말 등을 인용하고 그 논설에 무게를 두는 것도 전국(戰國) 말에서 한대(漢代) 이후에 성행하였다. 어쨌든 체제상의 이러한 특색은 『대학』의 성립시대를 시사하고 있다 할 것이다.

2) 『대학』의 내용

대학의 내용은 『논어』나 『맹자』와 밀접한 관계에 있다. 즉 같은 어구나 비슷한 사상을 여기저기에서 찾아볼 수 있다. 그러나 그것으로써 같은 시대에 성립되었다는 것을 뜻하지 않는다. 예를 들면 '천하의 근본은 나라'요, '나라의 근본은 집'이며, '집의 근본은 일신이라'고 하여, '수신이 중심이다'라고 한 것은 『대학』의 중요한 골자인데, 그것을 『맹자』와 비교하면 『대학』쪽이 훨씬 깊이 있고 정비되어 있다는 사실이 분명하다. 『대학』은 『맹자』를 근거로 하여 볼 때, 후대에 만들어졌다고 보아야 할 것이다. 더구나 근대의 마우란(馮友蘭)에 의하면 『대학』은 순자(荀子)의 학문이라고 한다. 그의 주장하는 바를 보면 다음과 같다. 즉 수신(修身)을 중심으로 하는 것, 정성을 중시하는 것, 지성에 멈추는 것 등이 모두 순자(荀子)의 말에도 있고, 또 남을 이해하는 『혈구지도(潔矩之道: 자기를 척도로 하여 남을 헤아리는 동정의 도)』를 들어 위에서와 같이 말한다. 어쨌든 『대학』 전체를 순자(荀子)의 학문이라 하는 것은 문제가 있으나 부분적으로는 밀접한 관계가 있는 것은 틀림없을 것이다. 그리고 앞에서 말한 체제상의 문제도 이와 더불어 생각하면 『대학』은 순자의 시대나 그 이후에 이루어진 셈이 된다.

3) 『대학』이란 서명에 대하여

먼저 『대학』이라는 말의 출전(出典)을 보면, 비교적 시대가 분명한 것으로는 『여씨춘추(呂氏春秋)』존사편(尊師篇)이 가장 오래되었고 다음이 『상서대전(尚書大傳)』, 『순자(荀子)』 대략편(大略篇)이며,

한나라가 되어서 문제(文帝) 때의 가의(賈誼)의 상소, 무제(武帝) 때의 동중서(董仲舒)의 대책(對策) 등이 있으나, 기타의 것은 『예기』 중의 학기편(學記篇), 악기편(樂記篇), 제의편(祭儀篇), 왕제편(王制) 등과 대대례(大戴礼) 보부편(保傅篇)이 있다. 이 출전은 시대적으로 순자 이후로 보아진다. 그리고 그 각각의 내용을 보면 중복이 되는 데도 있으나, 특히 『여씨춘추』와 『동중서(董仲舒)』는 그 사이에 큰 차이가 있음을 볼 수 있다. 『여씨춘추』에서는 "천자(天子), 태학(太學)에 들어서 선제(先帝)를 제사한다"라고 할 만큼 천자를 중심으로 하는 의례(儀禮)의 장(場)으로서 형식적으로 "학(學)을 공경하고 스승을 존중한다"는 자세에 의하여 그 교화를 꾀하려고 하는 주지(主旨)가 강하다. 그 옛 주석에서 "태학(太學)은 명당(明堂)이다"라고 한 것은 옛 종교의례(宗教儀禮)를 전하는 면도 있었음을 상기시킨다. 실제로 교육이 이루어졌다 하더라도 왕제편(王制篇)이나 가의편(賈誼篇)에서 볼 수 있는 것과 같은, 특별한 귀족의 자제에 한정되었다. 그러나 『동중서(董仲舒)』의 『대학(大學)』은 다르다. 그것은 "태학을 일으켜 명사(明師)를 두고 천하의 선비를 기른다"라고 하는 것이었다. 대학은 "선비를 기르는 것이 큰일이었다". 물론 만민을 교화하는 것을 목적으로 하는 뜻은 예기에도 있으나, 그것은 실제로 '인·의·예'라는 유고의 가르침을 받는 대학의 선비를 통하여 스며들었던 것이다. 동중서(董仲舒)의 대책에 의하여 대학이 설치된 것은 유명한 일이나, 『여씨춘추』에서 『동중서』가 연 대학으로의 이행(移行)은 바로 대학설치 전사(前史)의 정세를 반영하고 있는 것처럼 생각된다. 『대학』이 목표로 하는 것은 위정자로서의 군주(君主)를 포함하여 널리 천하의 어진 선비를 구하고자 하는 데 있다. 그리고 무엇보다도 중요한 것은 위정자는 신분에 관계없이 자기

몸의 덕을 닦으라고 강조하고 있다. 그런데 『대학』에 관한 논의를 가나야 선생은 나름대로 정리하여 그것을 『대학』의 내용과 견주어 본 결과로서는 『대학』의 성립은 무제(武帝)의 대학 설치(B.C.136)에 가까운 시기가 될 것이라 하고, 그리고 이와 같은 서책이 만들어진 역사적 사정도 그것에 의하여 밝혀질 것이라고 했다. 사실 『대학』의 저자는 알 수 없으며 저작의 시대도 단언할 수 없다. 그러나 무제(武帝, B.C.141~B.C.88)의 치세(治世) 동안에 이루어진 것은 아닐까? 여하튼 『논어』에서 『맹자』, 『순자』 등 유학사상의 핵심을 수렴하여 그것을 당대의 대학교에 살아남을 수 있도록 정비한 『대학』은 걸작이었다라고 말하였다.

4. 주자학과 양명학파

『대학』은 『예기』에 편입됨으로써 망실(亡失)을 면하기는 하였으나, 그 후 오랫동안 주목된 흔적은 찾아볼 수 없다. 그러나 앞에서 이미 말한 바와 같이 주자(朱子)의 노력에 의하여 사서로서 살아나게 되었다. 주자학의 전파와 함께 『대학』은 그 입문서로서 특히 중시되어 널리 읽혀지게 되었으나, 그에 따라서 반주자학자 사이에서도 이것을 무시할 수는 없었다. 주자학파와 여기에 반대하는 사람들 사이에서 『대학』의 해석을 두고 논쟁이 이루어져서 새로운 해석이 나타나기도 하였다. 예를 들면, 주자학에 대항하여 양명학파를 일으킨 명나라의 왕양명(王陽明, 1472~1528)은 주자의 『장구(章句)』본을 물리치고 고본(古本)이 바르다고 하였으나, 그 해석은 그의 독자적인 철학을 바탕으로 한 것이었다. 그는 처음에 주자의 격물(格物)설에 의거하여 사물의 이(理)를 깊이 연구하려 하였으나, 이(理)를 대상으로 한 내 마음과 이(理)를 분리하게 된다고 생각하고, 드디어 사물의 이(理)는 그것이 바로 내 마음의 이(理)에 지나지 않는다고 깨달았다. 즉 '심즉이(心卽理)'라고 생각하였다. 그래서 '격물(格物)'은 '사물을 바로잡다(바르게 하다)'는 뜻으로 실천함에 있어서 그것을 바르게 하는 것, '치지(致知)'는 내 마음의 양지(良知)를 발휘하는 것이라고 해석하였다. 격물과 치지는 '성의(誠意)'와 '지지선(止至善)'을 위한 공부라고 생각하였다(『古本大學帝注』「大學問」). 양명학의 실천과 굳게 결부된 새로운 해석이었다. 양명학은 명나라 말에는 일세(一世)를 풍미할 정도의 세력을 가졌으나 주자학은 과거시험과의 관계도 있고 하여 청조(淸朝)에 들어서도 여전히 중시되었다.

大學

第一. 본론

大學之道

1 大學之道 在明明德 在親民 在止於至善 知止而后有定
定而后能靜 靜而后能安 安而后能慮 慮而后能得 物有
本末 事有始終 知所先後則近道矣.

〈풀이〉대학의 도는 밝은 덕을 밝히는 데 있고 백성과 친밀하게 하는 데 있으
며 최고의 선에서 멈추는 데 있다. 지어지선(止於至善)을 안 이후에 마
음이 안정함이 있고 마음이 일정한 후에 마음이 안정될 수 있으며 마음
이 안정된 후에 마음이 평화로워질 수 있다. 마음이 평화로워진 이후에
사물에 대하여 바르게 생각할 수 있고 사물을 바르게 생각할 수 있는
후에 지어지선의 목표를 달성할 수 있다. 사물에는 본말이 있고 일에는
처음(시작)과 끝이 있으니 무엇을 먼저 하고 무엇을 나중에 해야 할 바
를 알면 도에 가깝다.

大學之道(대학지도) ⇨ 之: 후치사로서 명사인 大學에 붙어 주어인 道를 꾸미는 관형어를 만든다. 뜻은 '의'이다. 여기서의 주어는 문맥으로 볼 때 大學之道 전체를 주어구로서 주어로 보아야 한다. 따라서 大學之道는 在明明德에서 在止於至善까지의 주어이다.

〈풀이〉 대학의 도는

在明明德(재명명덕) ⇨ 在: 이는 주어를 앞에 가지며 그 뒤에 부사어를 가진다. 따라서 뜻은 '~에 있다'로 된다. 앞의 明은 동사로서 '밝히다'이다. 뒤의 明은 형용사의 '밝은'으로서 德을 꾸민다. 德: 현명한 지덕(至德), 또는 각 사람에게 갖추어진 순수 고귀한 내면이 덕이라는 등 풀이가 다양하다.

〈풀이〉 밝은 덕을 밝힘에 있다.

在親民(재친민) ⇨ 서민이 친애의 정을 가지고 결합하게 하는 것. 정이천(程伊川)은 '新民(신민)'으로 고쳤는데 朱子는 이에 따른다. 民은 親의 목적어.

〈풀이〉 백성을 친애하는(친애하여 화목하게 하는) 데 있다. 의역을 하면 "백성이 서로 친애하여 화목하게 하는 데 있다"가 될 듯하다.

在止於至善(재지어지선) ⇨ 止: 멈추다. 於: 여기서는 처소를 나타내는 전치사로서 '~에'로 풀이한다. 至善: 최고의 선. 至: 지극하다. 즉 더할 나위 없이 지극하다임. 따라서 至善은 '최고의 선'인데 달리 말하면 '선악을 초월한 본연의 성(性)'을 뜻한다.

〈풀이〉 최고선의 경지에서 멈추는 데 있다.

知止而后有定(지지이후유정) ⇨ 知止: 知: 알다. 止: 멈추다. 곧 '멈춤을 알다'이다. 여기의 止는 최고의 선에서 멈추는 것, 즉 止於至善을 말한다. 知止에서 能得까지는 止於至善을 자세히 풀이한 것이다. 而后: 접속사로서 모로바시『대한화사전』의 '而'편에 따르면 而后는 而後

와 뜻이 같다 하고 '~ 이후에'로 뜻을 풀이하고 있다. 有定: 有는 특수 동사로 주어를 그 뒤에 가진다. 定은 마음이 일정하여 지는 것.

〈풀이〉 지성에서 머무는 것을 안 이후에 마음이 일정해진다.

定而后能靜(정이후능정) ⇨ 定: 위의 마음의 안정을 말함. 能: 조동사로서 '~할 수 있다'임. 靜: 마음이 안정되는 것.

〈풀이〉 마음이 일정해진 이후에 마음이 안정될 수 있다.

靜而后能安(정이후능안) ⇨ 安: 마음이 평화(평안)로워질 수 있다.

〈풀이〉 마음이 안정된 후에 마음이 평화로워질 수 있다.

安而后能慮(안이후능려) ⇨ 慮: '사유하다'인데 사물을 바르게 생각하는 것.

〈풀이〉 마음이 안정된 후에 사물에 대하여 바르게 생각할 수 있다.

慮而后能得(려이후능득) ⇨ 得: 얻다. 즉 최고의 선에서 멈춘다는 목표를 달성하는 것.

〈풀이〉 사물에 대하여 바르게 생각한 이후에 지어지선의 목표를 달성할 수 있다.

物有本末(물유본말) ⇨ 物: 사물. 有: 특수동사로서 주어를 뒤에 가진다. 本: 근본. 末: 말단, 끝. 本末: 근본과 말단.

〈풀이〉 사물에는 본말이 있다.

事有始終(사유시종) ⇨ 始終: 처음과 끝.

〈풀이〉 일에는 처음과 끝이 있다.

知所先後則近道矣(지소선후즉근도의) ⇨ 知: 알다. 所: 수식어를 뒤에 가지는 불완전명사 '바.' 先後: 먼저 하고 뒤에 하다. 則: 접속사로서 "~할 때(경우)에는 곧." 近: 가깝다. 道: 도. 矣: 어기가 센 뜻을 나타내는 종결사.

〈풀이〉 먼저하고 나중에 할 바를 알면 곧 도에 가깝다.

修己治人

2 古之慾明明德於天下者 先治其國 慾治其國者 先齊其
家 慾齊其家者 先修其身 慾修其身者 先正其心 慾正其
心者 先誠其意 慾誠其意者 先致其知 致知在格物 物格
而后知至 知至而后意誠 意誠而后心正 心正而后身修
身修而后家齊 家齊而后國治 國治而后平天下

〈풀이〉 옛날의 밝은 덕을 천하에 밝히기를 바라는 이는 먼저 그 나라를 다스렸
고 그 나라를 다스리기를 바라는 이는 먼저 그 집을 가지런히 하였으며
그 집을 가지런히 하기를 바라는 이는 먼저 그 몸을 닦았으며 그 몸을
닦기를 바라는 이는 먼저 그 마음을 바르게 하였고 그 마음을 바르게
하고자 하는 이는 그 뜻을 정성스럽게 하였고 그 뜻을 정성스럽게 하기
를 바라는 이는 먼저 그 앎에 이르고, 앎에 이르면 사물의 이치를 연구
함에 있다. 사물을 연구한 이후에 앎에 이르고 앎에 이른 이후에 뜻이
정성스레 되고 뜻이 정성스레 된 이후에 마음이 바르게 되었고 마음이
바르게 된 이후에 몸이 닦아지고 몸이 닦아진 이후에 집이 가지런해지
고 집이 가지런해진 이후에 나라가 다스려지고 나라가 다스려진 이후에
천하가 평화롭게 된다(평화로워진다).

古之慾明明德於天下者(고지욕명명덕어천하자) ⇨ 古之: 옛날의 之는
본래 후치사로서 '의'의 뜻임. 慾明: 慾은 소원을 나타내는 조동사.
즉 '바라다.' 明: 동사로서 밝히다. 慾明: 밝히기를 바라다. 明德: 밝은
덕(明은 형용사). 於: 본래 전치사로 뜻은 '에'이다. 者: 사람. '古之~天

下'까지는 者를 꾸미는 관형구. 於天下는 '천하에'.

〈풀이〉 옛날의 밝은 덕을 천하에 밝히기를 바라는 자(이)는.

先治其國(선치기국) ⇨ 先: 부사로서 '먼저'. 治: 다스리다.

〈풀이〉 먼저 그 나라를 다스리고

慾治其國者(욕치기국자) ⇨ 慾治: 다스리기를 바라다. 其國: 그 나라. 慾治其國까지는 者를 꾸미는 관형구이다.

〈풀이〉 그 나라를 다스리고자 하는 이는.

先齊其家(선제기가) ⇨ 齊: 가지런하게 하다. 정제하다.

〈풀이〉 먼저 그 집안을 가지런히 하다.

慾齊其家者(욕제기가자) ⇨ 慾齊: 가지런하게 하기를 바라다. 慾齊其家는 者를 꾸미는 관형구이다.

〈풀이〉 그 집을 가지런하게 하고자 하는 이는.

先修其身(선수기신) ⇨ 修: 닦다. 先: 먼저.

〈풀이〉 먼저 그 몸을 닦고.

慾修其身者(욕수기신자) ⇨ 慾修其身은 者를 꾸미는 관형사구.

〈풀이〉 그 몸을 닦고자 하는 이는

先正其心(선정기심) ⇨ 正: 바르다.

〈풀이〉 먼저 그 마음을 바르게 하고.

慾正其心者(욕정기신자) ⇨ 慾正其心은 者를 꾸미는 관형사구.

〈풀이〉 그 마음을 바르게 하기를 바라는 이는.

先誠其意(선성기의) ⇨ 誠: 정성스레하다. 참되게 하다. 意: 뜻.

〈풀이〉 먼저 그 뜻을 정성스레 하고(참되게 하고).

慾誠其意者(욕성기의자) ⇨ 慾誠其意는 者를 꾸미는 관형사구.

〈풀이〉 그 뜻을 정성스레 하고자 하는 이는.

先致其知(선치기지) ⇨ 知: 앎. 지식. 致: 이르다.

〈풀이〉먼저 그 앎에 이르다.

致知在格物(치지재격물) ⇨ 致知: 앎에 이르다. 在: ~에 있다. 格物: 사물의 이치를 연구함.

〈풀이〉앎에 이르면 사물의 이치를 연구함에 있다.

物格而后知至(물격이후지지) ⇨ 物: 사물. 格: 연구하다, 궁구하다. 而后: 이후에. 知至: 앎에 이르다.

〈풀이〉사물을 연구한 이후에 앎에 이르다.

知至而后意誠(지지이후의성) ⇨ 知至: 앎에 이르다.

〈풀이〉앎에 이른 이후에 뜻이 정성스레 된다.

意誠而后心正(의성이후심정)

〈풀이〉뜻이 정성스레 된 이후에 마음이 바르게 된다(발라진다).

心正而后身修(심정이후신수)

〈풀이〉마음이 발라진 이후에 몸이 닦아진다.

身修而后家齊(신수이후제가)

〈풀이〉몸이 닦아진 이후에 집을 가지런하게 한다.

家齊而后國治(가제이후국치)

〈풀이〉집이 가지런해진 이후에 나라가 다스려진다.

國治而后平天下(국치이후평천하)

〈풀이〉나라가 다스려진 이후에 천하가 평화롭게 된다(평화롭다).

3 自天子以至於庶人 壹是皆以修身爲本 其本亂而末治者
否矣 其所厚者薄而其所薄者厚 未之有也 此謂知本 此
謂知之至也

〈풀이〉 천자로부터 같이(함께) 서민에 이르기까지 한결같이 모두 몸을 닦는 것으로써 근본을 삼는다. 그 근본이 어지러운데 끝이 다스려지는 일은 없다. 그 두텁게 하여야 할 바의 것이 얇게 되면서 그 얇게 하여야 할 바의 것을 두텁게 하는 것은 아직 있지 아니하다. 이것은 근본을 앎이라 하고 이것을 앎의 지극함이라 말하는 것이다.

自天子以至於庶人(자천자이지어서인) ⇨ 自: ~으로부터, 自~至: ~로부터 ~이르기까지. 以: '으로써'로도 푸나 여기서는 '같이', '미쳐'로 풀 수 있다. 於: 본래전치사. 에, 에게. 庶人: 평민, 서민.

〈풀이〉 천자로부터 같이(함께) 서민에 이르기까지.

壹是皆以修身爲本(일시개이수신위본) ⇨ 壹是: 모두, 한결같이, 일체. 皆: 모두. 以: 본래전치사. 으로써. 爲: 삼다. 本: 근본.

〈풀이〉 한결같이 모두 몸을 닦는 것으로써 근본을 삼는다.

其本亂而末治者否矣(기본란이말치자부의) ⇨ 亂: 문란하다, 어지럽다. 而: 순접의 접속사. ~하고서. 末: 끝. 否: 그러한 일은 없다. 矣: 뜻 없이 끝을 단정하는 종결사. 者: 것, 자. 일을 가리켜 이름.

〈풀이〉 그 근본이 어지러운데(어지럽고서) 끝이 다스려지는 일은 없다.

其所厚者薄(기소후자박) ⇨ 其: 그. 所는 그것을 꾸미는 말을 뒤에 가진다. '~할 바.' 厚: 두터이하다. 여기서는 동사임. 者: 것. 사물. 薄: 동사로써 '얇게 되다'임.

〈풀이〉 그 두텁게 하여야 할 바의 것이 얇게 된다.

而其所薄者厚(이기소박자후) ⇨ 而: 순접의 접속사. 그리고 薄과 厚는 앞에서와 같이 동사임.

〈풀이〉 그리고 그 얇게 하여야 할 바의 것이 두텁게 된다.

未之有也(미지유야) ⇨ 未: '아직은 ~아니하다'로 두 번 읽고서 그 다음 말을, 즉 有를 미연적으로 부정한다. 之: 대용대명사로서 앞 말을 받는다. '이것.' 有: 특수동사로서 주어를 그 앞이나 뒤에 가진다. 也: 어세를 강하게 나타내는 종결사.

〈풀이〉이것은 아직 있지 아니하다.

此謂知本(차위지본) ⇨ 此: 이것. 謂: 말하다. 知: 알다. 本: 근본.

〈풀이〉이것은 근본을 앎이라 한다(말하는 것이다).

此謂知之至也(차위지지지야) ⇨ 此: 이것을. 知: 앎. 之: 의. 至: 지극함.

〈풀이〉이것을 앎의 지극함이라 말하는 것이다.

第二. 각론

一. 誠意

所謂誠其意者 毋自欺也 如惡惡臭 如好好色 此之謂自
謙 故君子必愼其獨也 小人閒居爲不善 無所不至 見君
子而后 厭然揜其不善 而著其善 人之視己 如見其肺肝
然 則何益矣 此謂誠於中形於外 故君子必愼其獨也 曾
子曰 "十目所視 十手所指 其嚴乎" 富潤屋 德潤身 心廣
體胖 故君子必誠其意

〈풀이〉 이른 바(소위) 그 뜻을 정성스레 한다는 것은 스스로를 속이지 않는 것
이다. 나쁜 냄새를 싫어함과 같으며, 좋은 색을 좋아함과 같으니, 이것
을 일컬어 스스로 마음에 기뻐함이라 한다. 고로 군자는 반드시 그 홀
로를 삼가는 것이다. 소인이 혼자 살면(지내면) 불선을 행하여 이르지
아니하는 바가 없다. 군자를 본 이후에 슬며시 그 착하지 아니함을 가
리고 그리하여 그 착함을 나타낸다. 사람이 (남이) 자기를 보는 것이 그

폐와 간을 보는 것과 같다. 그런즉 어찌 이롭겠는가(무슨 이로움이 있겠느냐?) 이는 가운데서 정성스러우면 밖에 나타난다고 일컫느니라(하느니라). 고로 군자는 반드시 그 홀로를 삼가는 것이다. 증자가 말씀하셨다. 열 눈이 보는 바이며 열 손이 가리키는 바이니 그 엄격함이여! 부는 집을 윤택하게 하고 덕은 몸을 윤택하게 하니 마음은 넓고 몸은 살찐다. 고로 군자는 반드시 그 뜻을 정성스레 하는 것이다(하여야 한다).

所謂誠其意者(소위성기의자) ⇨ 所는 그 꾸미는 말을 뒤에 가진다. 고로 所謂: 이르는바 또는 소위. 者: 것.

〈풀이〉 이른 바(소위) 그 뜻을 정성스럽게 한다는 것은

毋自欺也(무자기야) ⇨ 毋: 없다, 말다. 自: 스스로. 여기서는 목적어. 欺: 속이다. 也: 어세를 강하게 하는 종결사.

〈풀이〉 스스로를 속이지 않는(마는) 것이다.

如惡惡臭(여오악취) ⇨ 如: ~과 같다. 惡: 싫어하다. 惡臭: 惡의 목적어로 나쁜 냄새(臭는 냄새).

〈풀이〉 나쁜 냄새를 싫어함과 같으며.

如好好色(여호호색) ⇨ 如: ~와 같다. 好: 동사로서 좋아하다. 好色: 여기서의 色은 온화한 안색 또는 아름다운 경색. 好色은 '좋은 색'으로 好는 형용사.

〈풀이〉 좋은 색을 좋아함과 같다.

此之謂自謙(차지위자겸) ⇨ 之: 목적격조사. 此之: 이것을. 謂: 이르다. 말하다. 일컫다. 自: 스스로. 謙: 겸손하다, 마음이 가볍다.

〈풀이〉 이것을 스스로 마음이 가벼움(마음에 기뻐함)이라고 한다.

故君子必愼其獨也(고군자필신기독야) ⇨ 故: 고로. 君子: 심성이 어질고 학덕과 덕행이 높은 사람. 남의 사표가 될 만한 사람. 必: 반드시.

愼:삼가다. 其: 지사의 말, '그.' 獨: 홀로를. 여기서는 愼의 목적어.
也: 어세를 강하게 하는 종결사.

〈풀이〉 고로 군자는 반드시 그 홀로를 삼가는 것이다(삼간다).

小人閑居爲不善(소인한거위불선) ⇨ 小人: 간사하고 도량이 좁은 사람,
덕이 없는 사람. 閑居: 한가하게 삶. 즉 혼자 사는 것. 爲: 하다, 행하다.
不善: 선하지 못한 것.

〈풀이〉 소인이 혼자 살면 불선을 행한다.

無所不至(무소부지) ⇨ 無: 주어를 뒤에 가지는 특수형용사. 不至: '이르
지 아니하는.' 所: 수식어를 뒤에 가지는 불완전명사. 바.

〈풀이〉 이르지 아니하는 바가 없다.

見君子而后(견군자이후) ⇨ 見: 보다. 而后: 이후에.

〈풀이〉 군자를 본 이후에.

厭然揜其不善(염연엄기불선) ⇨ 厭然: 가리는 모양, 감추는 모양. 즉 슬
며시. 揜: 가리다.

〈풀이〉 슬며시 그 착하지 아니함을 가리고.

而著其善(이저기선) ⇨ 而: 순접의 접속사. 그리고. 著: 나타내다.

〈풀이〉 그리하여 그 착함을 나타낸다.

人之視己(인지시기) ⇨ 之: 주격 조사. 己: 자기.

〈풀이〉 사람이 자기를 보는 것이.

如見其肺肝然(여견기폐간연) ⇨ 如: ~와 같다. 如~然과 호응하여 '~하
는 것 같다'로 풀이된다.

〈풀이〉 그 폐와 간을 보는 것과 같다.

則何益矣(즉하익의) ⇨ 則: 문장과 문장을 이어주는 인과관계를 나타내
는 접속사. '~한즉.' 何: 의문부사로 '어찌.' 益: 이로움, 이익. 矣: 也보
다 어기가 센 종미사.

〈풀이〉 그런즉 어찌 이롭겠느냐?(무슨 이로움이 있겠느냐.)

此謂誠於中形於外(차위성어중형어외) ⇨ 此謂: 이를 일컫는다. 誠於中: 가운데서 정성스러우면. 形於外: 形: 나타내다, 들어나다, 밖에 나타나다. 於外: 밖에.

〈풀이〉 이는 가운데서 정성스러우면 밖에 나타낸다고 일컫느니라.

故君子必愼其獨也(고군자필신기독야)

〈풀이〉 고로(그러므로) 군자는 반드시 그 홀로를 삼가는 것이다.

曾子曰 "十目所視 十手所指 其嚴乎"(증자왈 "십목소시 십수소지 기엄호") ⇨ 曾子曰: 증자가 말하였다. 曾子는 공자의 제자로 이름을 '삼(參),' 자는 자여(子輿). 효행으로 유명함. 十目所視: 열 눈이 보는 바(이며). 十手所指: 열 손이 가리키는 바(이니). 其: 그. 嚴: 엄함. 乎: 감탄을 나타내는 종결사. 뜻은 '그 엄함이여!'

〈풀이〉 증자가 말씀하셨다. 열 눈이 보는 바이며 열 손가락이 가리키는 바이니 그 엄함이여!

富潤屋(부윤옥) ⇨ 富: 부. 潤: 윤택하게 하다. 屋: 집.

〈풀이〉 부는 집을 윤택하게 하고.

德潤身(덕윤신)

〈풀이〉 덕은 몸을 윤택하게 하니.

心廣體胖(심광체반)

〈풀이〉 마음은 넓고 몸은 살찌다.

故君子必誠其意(고군자필성기의)

〈풀이〉 고로 군자는 반드시 그 뜻을 정성스레 하는 것이다.

二. 至善

詩云 瞻彼淇澳 菜竹猗猗 有斐君子 如切如磋 如琢如磨
瑟兮僩兮 赫兮喧兮 有斐君子 終不可諠兮 如切如磋者
道學也 如琢如磨者 自修也 瑟兮僩兮者 恂慄也 赫兮喧
兮者 威儀也 有斐君子 終不可諠兮者 道盛德至善 民之
不能忘也 詩云 於戲 前王不忘 君子賢其賢而親其親 小
人樂其樂而利其利 此以沒世不忘也

〈풀이〉 시경에 말하되 저 기수의 물굽이를 바라보니 푸른 대가 아름답고 무성
하다. 문체가 있어 화려한 군자여, 벤 듯하고 닦은 듯하며 쪼은 듯하고
간 듯하네. 엄숙하고 굳세며 빛나고도 떠들썩하니, 화려한 군자여 끝내
잊을 수 없구나. 벤 듯하고 닦은 듯한 것은 배움을 말하고 쪼은 듯하고
간 듯한 것은 스스로를 닦음이요, 엄숙하고도 굳센 것은 엄하고도 두려
워함이며, 빛나고도 떠들썩함은 예의에 맞아 위엄이 있는 것이다. 문체
가 있어 화려한 군자를 끝내 잊을 수 없는 것은 성대한 덕과 최고의 선
을 백성이 잊을 수 없음을 말하는 것이다. 시경에 "아아, 전왕을 잊지
못한다" 하였다. 군자는 그 어진 이를 어진 이답게 대우하고 그 착한
이를 친하게 한다(가까이 한다). 소인은 그 즐거움을 즐기고 그 이로움
을 이익되게 한다. 이래서 세상이 끝남으로써도 잊지 못한다.

詩云(시운)

〈풀이〉 시경에 말했다.

瞻彼淇澳(첨피기오) ⇨ 瞻: 우러러보다, 쳐다보다, 바라보다. 彼: 저. 淇:

淇水澳로 하남성 임현에서 발원하여 위나라 수도가 있던 기현 부근을 흘러가는 황하의 지류. 澳: 물 깊을 오. 굽이 욱. 물이 육지로 만입한 곳.

〈풀이〉 저 기수의 물굽이를 바라보다.

菉竹猗猗(록죽의의) ⇨ 菉竹: 푸른 대. 猗猗: 아름답고 무성한 모양, 긴 모양.

〈풀이〉 푸른 대가 아름답고 무성하다.

有斐君子(유비군자) ⇨ 斐: 문체가 있어 화려함. 有: 특수동사로 주어를 뒤에 가진다.

〈풀이〉 문체가 있어 화려한 군자여.

如切如磋(여절여차) ⇨ 切: 베다. 如: ~와 같다. 磋: 갈다, 닦다, 연마하다.

〈풀이〉 벤듯하고 닦은 듯하다.

如琢如磨(여탁여마) ⇨ 琢: 쪼다. 磨: 갈다.

〈풀이〉 쪼은 것 같고 간 듯하다.

瑟兮僩兮(슬혜한혜) ⇨ 瑟: 엄숙하다, 장엄하고 정숙한 모양. 근엄하고 장중한 모습. 僩: 굳세다, 무용이 있는 모양. 일설에는 관대한 모양. 兮: 어조사 혜.

〈풀이〉 엄숙하고 굳세도다(근엄하고 장중한 모습 또 얌전하고 우아한 모습).

赫兮喧兮(혁혜훤혜) ⇨ 赫: 빛나다. 喧: 떠들썩하다. 赫喧: 매우 성대한 모양, 근엄하고 장중한 모습.

〈풀이〉 빛나고도 떠들썩하다.

有斐君子(유비군자)

〈풀이〉 문체가 있어 화려한 군자여.

終不可諠兮(종불가훤혜) ⇨ 終: 끝내, 마침내. 不可: ~할 수 없다. 諠:

잊다.

〈풀이〉 끝내 잊을 수 없구나.

如切如磋者(여절여차자) ▷ 者: 사물을 가리키는 불완전명사.

〈풀이〉 벤 듯하고 닦은 듯한 것은.

道學也(도학야) ▷ 道: 말하다. 學: 배움. 也: 어세를 강하게 나타내는
종결사.

〈풀이〉 베움을 말하는 것이다.

如琢如磨者(여탁여마자) ▷ 者: 사물을 나타내는 불완전명사.

〈풀이〉 쪼은 듯 하고 간 듯한 것은.

自修也(자수야) ▷ 自: 스스로. 修: 닦다.

〈풀이〉 스스로 닦음이요.

瑟兮僩兮者(슬혜한혜자)

〈풀이〉 엄숙하고 굳센 것은(근엄하고 장중한 것은 또 얌전하고 우아한 것은)

恂慄也(순율야) ▷ 恂: 미쁘다, 엄하다. 恂慄: 외구(무서워서 두려워하
다). 慄: 두려워하다.

〈풀이〉 엄하고 또 두려워하다(위엄이 있다).

赫兮喧兮者(혁혜훤혜자)

〈풀이〉 빛나고도 떠들썩한 것은.

威儀也(위의야) ▷ 威儀: 예의에 맞아 위엄이 있는 것. 也: 종결사.

〈풀이〉 예의에 맞아 위엄이 있는 것이다.

有斐君子終不可諠兮者(유비군자종불가훤혜자)

〈풀이〉 문제가 있어 화려한 군자를 끝내 잊을 수 없다는 것은.

道盛德至善民之不能忘也(도성덕지선민지불능망야) ▷ 道: 말하다. 盛
德: 성대한 덕. 至善: 최고의 선, 회상의 선. 之: 주격조사. 忘: 잊다.
也: 종결사. 不可: ~할 수 없다.

〈풀이〉 성대한 덕과 최고의 선을 백성이 잊을 수 없음을 말하는 것이다.

詩云(시운)

〈풀이〉 시경에 말하다.

於戱前王不忘(어희전왕불망) ⇨ 於戱: 於乎와 같은데 감탄사로 뜻은 '오호' 또는 '아아'이다. 前王: 앞 임금으로 不忘의 목적어이다.

〈풀이〉 아아, 전왕을 잊지 못한다(고 시경에서 말하였다) 하였다.

君子賢其賢而親其親(군자현기현이친기친) ⇨ 賢: 동사로서 '어진 이에게 어진이 대우를 하다, 존중하다.' 其: 그. 賢: 어진 이, 어진 사람. 而: 순접의 접속사. 親: 가까이 함, 친하게 하다. 가까이 사귐. 其: 그. 親: 친한 사람, 친한 이.

〈풀이〉 군자는 그 어진 이를 어진 이답게 대우하고, 그 친한 이를 친하게 한다(가까이 한다).

小人樂其樂而利其利(소인낙기낙이이기이) ⇨ 樂: 즐기다. 其: 그. 樂: 즐거움. 而: 순접의 좁속사. 利: 이롭게 하다, 유리하게 하다. 其: 그. 利: 이익, 이로움.

〈풀이〉 소인은 그 즐거움을 즐기고 그 이로움을 이익되게 한다.

此以沒世不忘也(차이몰세불망야) ⇨ 此: 발어사로서 '이에' 또는 '이래서' 임. 以: 전치사로서 沒世에 걸려서 이유를 설명한다. 沒世: 죽다, 끝나다. 다시 풀면 '세상이 끝나다'임. 以沒世는 세상이 끝남으로써도. 不忘也: 잊지 못한다.

〈풀이〉 이래서 세상이 끝남으로써도 잊지 못한다.

三. 明德

康誥曰 '克明德' 大甲曰 '顧諟天之明命' 帝典曰 '克明峻
德 皆自明也' 湯之盤銘曰 '苟日新 日日新 又日新' 康誥
曰 '作新民' 詩曰 '周雖舊邦 其命惟新' 是故君子無所不
用其極 詩云 '邦畿千里 惟民所止' 詩云 '緡蠻黃鳥 止于
丘隅' 子曰 '於止知其所止 可以人而不如鳥乎' 詩云 '穆
穆文王 於緝熙敬止' 爲人君 止於仁 爲人臣 止於敬 爲人
子 止於孝 爲人父 止於慈 與國人交 止於信

〈풀이〉 강고에 말하되, 덕을 잘 밝혔다 하고, 대갑에 이르기를 하늘의 밝은 명
을 돌아보고 밝혔다 하였으며 제전에 말하기를 큰 덕을 잘 밝히었다 하
였으니, 모두 스스로를 밝히는 것이다. 은나라 탕왕의 반명에 말하기를
진실로 날로 새로워지면 날로 날로 새로워지며, 또 날로 새로워진다 하
였다. 강고에 말하기를 새로운 백성을 일으키셨다 하였으며, 시경에 말
하되 주나라는 비록 옛 나라이나 그 천명은 오직 새롭다 하였으니, 이
런 때문에 군자는 그 극을 쓰지 않는 바가 없다. 시경에 말하기를 왕도
천리는 오직 백성이 머무는 곳이라 하였으며, 시경에 이르되 아름다운
꾀꼬리는 언덕의 모퉁이에 머물었다고 하였는데 공자가 말씀하시되 머
물음에 있어서 그 머무는 곳을 아는데 그럼에도 불구하고 사람이면서
새와 같지 못하겠느냐 하였다. 시경에 말하기를 아름다운 문왕이시여,
아아 오래 빛나시니 공경하지 않을 수 없다 하였으니, 남의 임금이 되
어서는 인에 머무셨고, 남의 신하가 되어서는 경에 머무셨으며, 남의 자
식이 되어서는 효에 머무셨으며, 남의 아버지가 되어서는 자애에 머무

셨고 나라 사람과 더불어 사귐에서는 믿음에 머무셨다.

康誥曰(강고왈) ⇨ 강고는 서경의 편명(篇名)으로 주나라 성황의 섭정 주공단(周公旦)이 강숙(康叔)을 위나라에 봉할 때 준 훈계. 여기의 한 귀는 주공(周公) 아버지의 문왕의 덕을 칭송한 것이다.

〈풀이〉 강고에 말하되.

克明德(극명덕) ⇨ 克: 능하다, 능히, 잘. 明: 밝히다.

〈풀이〉 덕을 잘 밝혔다.

大甲曰(대갑왈) ⇨ 大甲: 太甲과 같다. 시경의 편명(篇名). 다만 지금의 『서경』의 「大甲」편은 후대의 위작. 은나라 탕왕의 손자 태갑(太甲)을 공신의 이윤(伊尹)이 경계한 것으로 여기의 글귀는 탕왕을 칭송한 말임.

〈풀이〉 대갑에 말하기를

顧諟天之明命(고시천지명명) ⇨ 顧: 돌아보다. 諟: 이. 바를 시, 바로잡다, 밝히다, 시정하다. 天之: '하늘의' 之는 후치사로서 '의.' 明命: 明은 형용사로 '밝은.' 命: 명령.

〈풀이〉 하늘의 명명을 돌아보고 밝히다(바르게 하다).

帝典曰(제전왈) ⇨ 帝典: 『서경』「요전」편. 요제의 덕을 칭송하다.

〈풀이〉 제전에 말하기를.

克明峻德 皆自明也(극명준덕 개자명야) ⇨ 克: 잘. 明: 밝히다. 峻德: 큰 덕. 峻: 크다, 높고 크다.

〈풀이〉 큰 덕을 잘 밝히었다.

皆自明也(개자명야) ⇨ 自: 스스로. 明: 밝히다. 也: 종결사.

〈풀이〉 모두 스스로 밝히는 것이다.

湯之盤銘曰(탕지반명왈) ⇨ 湯之: 은나라 탕왕의. 之는 후치사로 관형

격 '의.' 盤: 제사 때 강신 전에 손을 씨는 세숫대야(제기임). 銘: 옛
사람들이 그릇에 교훈이 될 글을 새겨 놓은 것. 고로 盤銘은 제기에
새겨 놓은 글. 曰: 말하다, 가로다.

〈풀이〉 은나라 탕왕의 반명에 말하되.

苟日新 日日新 又日新(구일신 일일신 우일신) ⇨ 苟: 진실로. 日新: 날마
다 새로워지다. 日日新又日新:skfakek 자꾸 진보함. 나날이 새로워지
고 또 날로 새로워진다.

〈풀이〉 진실로 날로 새로워지면 날로날로 새로워지고 또 날로 새로워진다.

康誥曰(강고왈)

〈풀이〉 강고에 말하되

作新民(작신민) ⇨ 作新: 백성을 분발시켜 도덕적으로 훌륭하게 하다.
民: 백성. 作: 일으키다.

〈풀이〉 백성을 분발시켜 도덕적으로 훌륭하게 하다(직역하면, 새로운 백성을 일으
키다).

詩曰(시왈)

〈풀이〉 시경에 말하되.

周雖舊邦 其命惟新(주수구방 기명유신) ⇨ 周: 주나라. 雖: 비록. 舊邦:
옛나라. 其: 그. 命: '운명'이나, 여기서는 천명(天命)을 뜻함. 惟: 오직.
新: 새롭게 하다, 새롭다.

〈풀이〉 주나라는 비록 옛 나라이나 그 천명은 오직 새롭다.

是故 君子無所不用其極(시고군자무소불용기극) ⇨ 是故: 이런 때문에,
君子: 심성이 어질고 덕행이 높은 사람. 無: 없다. 주어 所를 그 뒤에
가지는 특수형용사. 所: 수식어를 그 뒤에 가지는 불완전명사. 뜻은
'쓰지 않는 바.' 不用: 쓰지 아니하다. 無所不用의 뜻은 "쓰지 않는
바가 없다"이다. 其: 그. 極: 지극, 또는 최고의 선, 사물의 지극히

미묘한 곳.

〈풀이〉 이런 때문에 군자는 그 극을 쓰지 않는 바가 없다.

詩云(시운)

〈풀이〉 시경에 말하되.

邦畿千里 惟民所止(방기천리 유민소지) ⇨ 邦畿: 기내. 서울을 중심으로 한 지역. 畿: 왕도, 경기. 千里: 천리. 惟: 오직. 民: 백성으로 주어임. 所: 수식어를 뒤에 가지는 불완전명사. 止: 멈추다, 머물다. 즉 머물러 살다의 뜻.

〈풀이〉 왕도 천리는 오직 백성이 머무는 바라(곳이라).

詩云(시운)

〈풀이〉 시경에 이르되.

緡蠻黃鳥 止于丘隅(민만황조 지우구우) ⇨ 緡蠻: 새 우는 소리, 아름다운 모습. 黃鳥: 꾀꼬리. 止: 멈추다, 머물다. 于: 전치사로 그 뒤의 명사와 더불어 부사어로서 그 앞의 止를 꾸민다. 뜻은 '에.' 丘隅: 언덕의 모퉁이. 丘: 언덕. 隅: 모퉁이.

〈풀이〉 아름다운 꾀꼬리는 언덕의 모퉁이에 머물었다.

子曰(자왈)

〈풀이〉 공자가 말씀하셨다.

於止知其所止　可以人而不如鳥乎(어지지기소지　가이인이불여조호): 於止: 於는 전치사로 뜻은 '~함에 있어'. 止: 머물음. 이것은 명사로 보아야 한다. 於止: 머물음에 있어. 知: 알다. 其: 그. 所: 뜻은 '곳'으로 수식어 止를 그 뒤에 가지는 불완전명사. 곧 所止: 머무는 곳. 可以: ~에도 불구하고, ~이면서도. 而: 접속사로 '그리하고.' 人而: 사람이면서로 풀어야 할 것 같다. 不如: 비교형으로 '~에 미치지 못하다, ~와 같지 못하다(아니하다).' 乎: 의문의 종결사.

〈풀이〉 머물음에 있어서 그 머무는 곳을 아는데, 그럼에도 불구하고 사람이면서 새와 같지 못하겠느냐?

詩云(시운)

〈풀이〉 시에 말하되.

穆穆文王 於緝熙敬止(목목문왕 오즙희경지) ⇨ 穆穆: 아름답다. 穆穆文王: 아름다운 문왕. 文王: 주나라 무왕의 아버지, 성은 희(姬), 이름은 창(昌). 은나라 주왕(紂王) 때 서백(西伯)이 되어 인자로써 백성을 다스렸다. 주왕이 폭역하므로 제후들이 서백을 좇아 군주로 받들었다. 뒤에 그의 아들 무왕이 은나라를 멸망시키고 즉위하자, 문왕(文王)이라 시호를 추증하였다. 於: 감탄사로 음은 '오'이다. 뜻은 '아아!' 緝熙: 빛남. 이것을 김학주 교수는 '끊임없이'로 붙이하였고, 가나야 선생은 '빛나다'로 풀이하였다. 민중서관의 『한한대자전』에는 '빛나다, 인격을 계승하여 오래 빛나다'로 풀이하였다. 따라서 여기서도 '오래 빛나다'로 풀이하겠다. 敬: 공경하다. 경계하여 조심하다. 근신하다. 止: 일본 紀伊國 屋書店의 『漢文法基礎』의 371쪽의 '止' 조에 따르면 이것은 조사로서 '이 이외에는 없다'는 강한 느낌을 나타낸다 하였다.

〈풀이〉 아름다운 문왕이여 아아, 오래 빛나시니 공경하지 않을 수 없다.

爲人君止於仁(위인군지어인) ⇨ 爲: 되다. 人: 남. 君: 임금. 止: 머물다. 於: 전치사로서 '~에.' 仁: 어짊, 즉 인.

〈풀이〉 남의 임금이 되어서는 인에 머물렀다.

爲人臣止於敬(위인신지어경) ⇨ 臣: 신하.

〈풀이〉 남의 신하가 되어서는 경에 머물렀다.

爲人子止於孝(위인자지어효)

〈풀이〉 남의 자식이 되어서는 효에 머물렀다.

爲人父止於慈(위인부지어자)

〈풀이〉 남의 아버지가 되어서는 자애에 머물렀다.

與國人交止於信(여국인교지어신) ⇨ 與: 더불다.

〈풀이〉 나라 사람과 더불어 사귐에는 믿음(신의)에 머물렀다.

四. 本末

子曰 聽訟吾猶人也 必也使無訟乎 無情者不得盡其辭
大畏民志 此謂知本

〈풀이〉 공자가 말씀하셨다. 송사를 듣는 것은 나도 남과 같다. 반드시 소송을
없게 하여야 한다. 정이 없는 자로 그 말을 다하지 못하게 하는 것은
크게 백성의 뜻을 두려워함이니 이것은 근본을 안다는 것을 말하는 것
이다.

子曰(자왈)

〈풀이〉 공자가 말씀하셨다.

聽訟吾猶人也(청송오유인야) ⇨ 聽: 듣다, 단정함, 재판함. 訟: 송사. 聽
訟: 송사를 심리하다(처리하다?). 吾: 나. 猶: 같다. 人: 남. 也: 종결사.

〈풀이〉 송사를 들음은 나도 남과 같다.

必也使無訟乎(필야사무송호) ⇨ 必也: 也는 어세를 강하게 하기 위하여
쓴다. 고로 必也는 '반드시'이다. 使: 사동사. 고로 使無는 '없게 하다'
이다. 訟: 송사. 乎: 뜻을 강조하는 종결사.

〈풀이〉 반드시 소송을 없게 하여야 한다.

無情者不得盡其辭(무정자부득진기사) ⇨ 無는 주어를 뒤에 가지는 특수형용사. 고로 無情은 '정이 없다'가 되는데, 이것은 者를 꾸미는 수식절이 된다. 곧 뜻은 '정이 없는 사람(자)은'이 된다. 不得: 이루지 못하다, 성취하지 아니하다. 得: 이루다, 성취하다. 盡: 다하다, 남김 없이 말하다. 其: 그. 辭: 말.

〈풀이〉 정이 없는 자로 그 말을 다 하지 못하게 하는 것(은)

大畏民志(대외민지) ⇨ 大: 크게. 畏: 두려워하다. 民: 백성. 志: 뜻.

〈풀이〉 백성의 뜻을 크게 두려워하는 것이다.

此謂知本(차위지본) ⇨ 此: 이것은. 謂: 말하다. 知: 알다. 本: 근본.

〈풀이〉 이것은 근본을 안다는 것을 말하는 것이다.

五. 正心修己

所謂修身在正其心者 身有於忿懥則不得其正 有所恐懼
則不得其正 有所好樂則不得其正 有所憂患則不得其正
心不在焉 視而不見 聽而不聞 食而不知其味 此謂修身
在正其心

〈풀이〉 이른바 몸을 닦음이 그 마음을 바르게 함에 있다는 것은 몸에 화를 내는 바가 있으면, 곧 그 바름을 얻지 못하고 두려워하는 바가 있으면, 곧 그 바름을 얻지 못하고 좋아하고 즐기는 바가 있으며, 곧 그 바름을 얻지 못하고 근심하는 바가 있으면 곧 그 바름을 얻지 못한다. 마음이 있지 아니하면 보아도 보이지 아니하며 들어도 들리지 아니하고 먹어도 그 맛을 알지 못한다. 이것은 몸을 닦음은 그 마음을 바르게 함에 있음을 말하는 것이다.

所謂修身在正其心者(소위수신재정기심자) ⇨ 所謂: 所는 그 수식어를 뒤에 가지는 불완전명사. 謂: 말하다, 즉 이른다. 修: 닦다. 身: 몸. 在: 부사어를 그 뒤에 가지는 동사. '~에 있다'. 正: '바르게 하다'는 전성동사로 볼 수 있다. 其心: 그 마음. 者: 수식어를 앞에 가지는 불완전명사. 뜻은 '이것'.
〈풀이〉 이른바 몸을 닦음이 그 마음을 바르게 함에 있다는 것은.

身有所忿懥則不得其正(신유소분치즉부득기정) ⇨ 身: 몸에. 有: 주어를 뒤에 가지는 특수동사. 所: '바'로 수식어를 뒤에 가지는 불완전명사. 忿懥: 화를 냄. 懥: 성내다. 忿: 성내다. 則: 즉, 곧. 인과관계를 나타내는 접속사. 不得: 얻지 못하다. 其正: 그 바름을. 여기의 正은 전성명사로 '바름, 바른 것'.
〈풀이〉 몸에 화를 내는 바가 있으면, 곧 그 바름을 얻지 못한다.

有所恐懼則不得其正(유소공구즉부득기정) ⇨ 恐懼: 두려워하다. 恐과 懼는 다 '두려워하다'임. 기타는 바로 앞에서 풀이한 바와 같다.
〈풀이〉 두려워하는 바가 있으면 곧 그 바름을 얻지 못한다.

有所好樂則不得其正(유소호요즉부득기정) ⇨ 好: 좋아하다. 樂: 즐기다. 기타는 앞에서 풀이한 바와 같다.
〈풀이〉 좋아하고 즐기는 바가 있으면 곧 그 바름을 얻지 못한다.

有所憂患則不得其正(유소우환즉부득기정) ⇨ 憂患: 근심, 걱정. 다른 것은 앞에서 설명한 바와 같다.
〈풀이〉 근심하는 바가 있으면 곧 그 바름을 얻지 못한다.

心不在焉(심부재언) ⇨ 不在: 있지 아니하다. 焉: 단정의 종결사.

〈풀이〉 마음이 있지 아니하면.

視而不見(시이불견) ⇨ 視: 보다. 而: 역접의 접속사. 不見: 보이지 아니하다. 見: 보이다.

〈풀이〉 보아도 보이지 아니한다.

聽而不聞(청이불문) ⇨ 聽: 듣다. 不聞: 들리지 아니하다.

〈풀이〉 들어도 들리지 않는다.

食而不知其味(식이부지기미)

〈풀이〉 먹어도 그 맛을 알지 못한다.

此謂修身在正其心(차위수신재정기심)

〈풀이〉 이것은 몸을 닦음은 그 마음을 바르게 함에 있음을 말하는 것이다.

六. 修身齊家

所謂齊其家在修其身者 人之其所親愛而辟焉 之其所賤
惡而辟焉 之其所畏敬而辟焉 之其所哀矜而辟焉 之其所
敖惰而辟焉 故好而知其惡 惡而知其美者 天下鮮矣 故
諺有之曰 人莫知其子之惡 莫知其苗之碩 此謂身不修
不可以齊其家

〈풀이〉 이른바 그 집안을 가지런히 함이 그 몸을 닦음에 있다는 것은 사람이란 그 친하고 사랑하는 바인데 편벽되고 그 천시하고 미워하는 바에 있어서 편벽되며 그 두려워하고 공경하는 바에 있어서 편벽하며 그 불쌍히 여기는 바에 있어서 편벽되며 그 교만하고 게으른 바에 있어서 편벽된다. 그러므로 좋아하면서 그 악함을 알고 미워하면서 그 아름다움을 아는 사람은 천하에 드물다. 그러므로 속담에 이와 같은 말이 있다 하였다. 사람은 그 아들의 악함을 알지 못하며 그 곡식의 싹이 큰 것을 알지 못한다. 이것은 몸을 닦지 않으면 그 집안을 가지런히 할 수 없음을 말하는 것이다.

所謂齊其家在修其身者(소위제기가재수기신자) ⇨ 所謂: 이른바. 齊: 가지런히 하다. 者: 수식어를 앞에 가지는 불완전명사 '이것'.

〈풀이〉 이른바, 그 집안을 가지런히 함이 그 몸(자기자신)을 닦음에 있다는 것은

人之其所親愛而辟焉(인지기소친애이벽언) ⇨ 人: 사람. 之: 주격조사로도 볼 수 있고, 어세를 강하게 하는 후치사로도 볼 수 있다. 뜻은 '~이란, ~이'(加地伸行 著,『한문법기초』에 의함). 而: ~일지라도, ~이고서, ~인데 등의 뜻이 있다. 즉 역접의 뜻이다. 辟: 僻(벽)에 통함(모로바시,『대한화사전』권10, 600쪽에 의함). 뜻은 '편벽되다'임. 焉: 단정을 나타내는 종결사.

〈풀이〉 사람이란 그 친하고 사랑하는 바인데도 편벽되다.

之其所賤惡而辟焉(지기소천오이비언) ⇨ 之: ~에 있어서(모로바시,『대한화사전』권1, 344쪽에 의함). 賤: 천시하다. 惡: 미워하다. 所는 그 수식어를 뒤에 가지는 불완전명사.

〈풀이〉 그 천시하고 미워하는 바에 있어서 편벽되다.

之其所畏敬而辟焉(지기소외경이비언) ⇨ 畏: 두려워하다. 敬: 공경하다.

〈풀이〉 그 두려워하고 공경하는 바에 있어서 편벽되다.

之其哀矜而辟焉(지기애긍이비언) ⇨ 哀: 슬퍼하다, 서러워하다. 矜: 불쌍히 여기다. 고로 哀矜은 '불쌍하게 여기다'.

〈풀이〉 그 불쌍히 여기는 바에 있어서 편벽되다.

之其所敖惰而譬焉(지기소오타이비언) ⇨ 敖: 거만하다, 교만하다. 惰: 게을리하다. 고로 '敖惰'는 교만하고 게으르다.

〈풀이〉 그 교만하고 게으른 바에 있어서도 편벽하다.

故好而知其惡(고호이지기악) ⇨ 故: 고로. 而: 순접. ~하면서. 惡: 전성 명사로 '나쁨, 악함'.

〈풀이〉 고로 좋아하면서 그 악함을 알다.

惡而知其美者(오이지기기미자) ⇨ 惡: 미워하다. 而: 순접의 접속사. 美: 전성명사. '아름다움'. 者: 사람.

〈풀이〉 미워하면서 그 아름다움을 아는 사람은

天下鮮矣(천하선의) ⇨ 天下: 천하에서. 鮮: 드물다. 矣: 어세를 강화하는 종결사.

〈풀이〉 천하에서 드물다.

故諺有之曰(고언유지왈) ⇨ 諺: 속담. 有: 주어를 뒤에 가지는 특수동사. 之: 지시대명사로서 앞에서 한 말을 가리킨다.

〈풀이〉 그러므로 속담에 이와 같은 말이 있다고 하였다.

人莫知其子之惡(인막지기자지악) ⇨ 莫: 없다. 無와 같은 뜻을 가진다.

〈풀이〉 사람은 그 아들의 나쁨(악함)을 알지 못한다.

莫知其苗之碩(막지기묘지석) ⇨ 苗: 곡식 묘. 碩: 크다. 之: 주격조사.

〈풀이〉 그 곡식의 싹이 큰 것을 알지 못한다.

此謂身不修 不可以齊其家(차위신불수 불가이제기가) ⇨ 此: 근칭사물 대명사로서 위에서 말한 내용을 가리키고 있다. '이와 같은 것은'. 謂: 그 다음 글귀에 걸려서 '~할 수 없음을 말한다'로 풀어야 한다. 可以: 가능조동사. 할 수 있다. 고로 不可以: 할 수 없다.

〈풀이〉 이와 같은 것은 몸을 닦지 않으면 그 집안은 가지런히 할 수 없음을 말하는 것이다.

七. 齊家治國

1 所謂治國必先齊其家者 其家不可敎而能敎人者無之 故
君子不出家而成敎於國 孝者所以事君也 弟者所以事長
也 慈者所以使衆也 康誥曰 如保赤子 心誠求之 雖不中
不遠矣 未有學養子而後嫁者也 一家仁 一國興仁 一家
讓 一國興讓 一人貪戾 一國作亂 其機如此 此謂一言僨
事 一人定國

〈풀이〉: 이른바 나라를 다스림에 반드시 먼저 그 집안을 가지런히 하여야 한다
는 것은 한 집안을 가르치지 못하면서 능이 남을 가르치는 사람은 없
다. 그러므로 군자는 집에서 나서지 아니하고도 나를 가르침을 이루니,
효라는 것은 일국을 섬기는 까닭이요 존장(어른)을 공경하는 것은 어른
을 섬기는 까닭이며 사랑이란 무리(백성)를 부리는 까닭인 것이다. 경고
에 말하기를 갓난아기를 보호하듯 함과 같다 하였으니 마음에서 정성스
레 아기를 구하면 비록 들어맞지는 않으나 멀지 아니하다. 아기를 기르
는 법을 배운 이후에 시집가는 여자는 아직 있지 아니하다. 한 집안이
어질면 한 나라에 어짊이 일어나고, 한 집안이 사양하면 한 나라에 사
양함이 일어나며, 한 사람이 욕심이 많고 포악하면 한 나라가 난리를
일으키니 그 실마리가 이와 같다. 이래서 한 마디 말이 일을 그르치고
한 사람이 나라를 안정시킨다고 하는 것이다.

所謂治國必先齊其家者(소위치국필선제기가자) ⇨ 必: 반드시. 先: 먼
저. 者: 불완전명사. 뜻은 '이것'.

〈풀이〉 이른바 나라를 다스림에 반드시 먼저 그 집안을 가지런히 하여야 한다는 것은.

其家不可教而能教人者無之(기가불가교이능교인자무지) ⇨ 不可: ~할 수 없다. 而: 순접의 접속사 '~면서'. 能: 능히 하다. 능히. 者: 사람. 無之: 없다. 여기의 之는 어조를 고르기 위하여 無 밑에 쓰인 후치사.

〈풀이〉 그 집안을 가르치지 못하면서 능히 남을 가르치는 사람은 없다.

故君子不出家而成教於國(고군자불출가이성교어국) ⇨ 不出: 나오지 아니하다. 而: 순접의 즙속사. 於: 장소를 나타내는 전치사 '~에'임. 教: 가르침. 成: 이루다.

〈풀이〉 그러므로 군자는 집에서 나서지 아니하고도 나라에 가르침을 이룬다.

孝者所以事君也(효자소이사군야) ⇨ 孝者: 효라는 것은. 者: 불완전명사로 '것'. 所以: 하는 바, 소행, 가닭. 事: 섬기다. 君: 임금. 也: 사실(사물)을 지정, 결정할 때 쓰는 종결사.

〈풀이〉 효라는 것은 임금을 섬기는 까닭이다.

弟者所以事長者也(제자소이사장자야) ⇨ 弟: 형, 존장을 공손히 잘 섬김, 공경함. 長者: 어른, 연장자. 也: 종결사.

〈풀이〉 존장을 공경하는 것은 어른을 섬기는 까닭이다.

慈者所以使衆也(자자소이사중야) ⇨ 慈: 사랑. 者: 것. 使: 부리다. 衆: 무리, 백성. 也: 종결사.

〈풀이〉 사랑이란 것은 무리(백성)를 부리는 까닭이다.

康誥曰 如保赤子 心誠求之 雖不中 不遠矣(강고왈 여보적자 심성구지 수부중 불원의) ⇨ 康誥曰: 강고에 말하기를. 如保赤子: 如: ~와 같다. 保: 보전하다. 보호하다. 赤子: 갓난 아이. 心: 마음으로. 誠: 정성. 求: 구하다. 之: 동사 밑에 쓰이는 종결사로 볼 수도 있고, 대용대명사로 赤子를 가리킨다고 불 수 있다. 여기서는 대용대명사로 본다. 雖:

비록. 中: 맞다, 적중하다, 들어맞다. 不遠: 멀지 아니하다. 矣: 종결사.

〈풀이〉강고에 말하기를 갓난아이를 보호하듯 함과 같다 하였으니, 마음에서 정성스레 이를 구하면 비록 들어맞지는 않으나 멀지 아니하다.

未有學養子而後嫁者也(미유학양자이후가자야) ⇨ 未有: 아직 있지 아니하다. 養: 기르다. 여기서는 기르는 법. 子: 아들. 而後: ~이후에. 嫁: 시집가다, 시집보내다. 者: 사람. 여기서는 여자. 也: 어세를 강화하는 종결사.

〈풀이〉아이를 기르는 법을 배운 이후에 시집가는 여자는 아직 있지 아니하다.

一家仁一國興仁(일가인일국흥인) ⇨ 一家: 한 집안. 仁: 어질다. 一國: 한 나라. 興仁: 인이 일어나와.

〈풀이〉한 집안이 어질면 한 나라에 어짊이 일어나고.

一家讓一國興讓(일가양일국흥양) ⇨ 讓: 사양하다, 겸손하다.

〈풀이〉한 집안이 사양하면, 한 나라에 사양함이 일어난다.

一人貪戾一國作亂(일인탐려일국작란) ⇨ 貪: 탐욕을 하다(내다), 탐내다. 貪戾: 욕심이 많고 포악함. 戾: 어그러지다, 사납다. 作: 일으키다. 亂: 어지러움, 난리.

〈풀이〉한 사람이 욕심이 많고 포악하면 한 나라가 난리를 일으킨다.

其機如此(기기여차) ⇨ 機: 실마리.

〈풀이〉그 실마리가 이와 같다.

此謂一言債事一人定國(차위일언분사일인정국) ⇨ 此: 발어사. 이에서, 이래서. 債: 그르치다. 定: 안정시키다, 평정하다.

〈풀이〉이래서 한 마디 말이 일을 그르치고, 한 사람이 나라를 안정시킨다(평정한다).

2 堯舜率天下以仁 而民縱之 桀紂率天下以暴 而民縱之
其所令 反其所好 而民不縱 是故 君子 有諸己 而後求諸
人 無諸己 而後非諸人 所藏乎身不恕 而能喻諸人者 未
之有也 故 治國在齊其家

〈풀이〉 요임금과 순임금은 인으로써 천하를 거느렸는데, 백성이 그것(仁)을 따
랐고, 걸임금과 주임금은 횡포로써 천하를 거느렸으나 백성이 그것(정
치)을 따랐다. 그 명령하는 바가 그가 좋아하는 바에 반대가 되면 백성
은 따르지 않는다. 이런 까닭으로 군자는 자기에게서 그것이 있은 후에
남에게 그것을 구하며 자기에게 그것이 없은 후에 남에게 그것을 비방
한다. 몸에 간직하고 있는 바가 용서하는 마음이 아닌데도 남에게 그것
을 깨우칠 수 있는 사람은 아직 있지 아니하다. 고로 치국은 그 집을
가지런히 함에 있다.

堯舜率天下以仁(요순솔천하이인) ⇨ 堯: 요임금(고대 제왕의 이름). 舜:
순임금. 요임금의 선양을 받은 2대의 성군. 率: 거느리다. 以: 동작의
방법. 재료를 나타내는 전치사. '~으로써'. 以仁: 인으로써.
〈풀이〉 요임금과 순임금은 인으로써 천하를 거느렸는데

而民縱之(이민종지) ⇨ 而: 순접의 접속사. '~는데'. 縱: 따르다. 之: 앞
말을 받는 대용대명사. '~그것', 즉 정치.
〈풀이〉 백성이 그것(정치)을 따랐다.

桀紂率天下以暴(걸주솔천하이포) ⇨ 桀: 夏나라의 마지막 임금. 紂: 商
나라의 마지막 임금. 暴: 횡포. 以: 전치사로 '~으로써'.
〈풀이〉 걸임금과 주임금은 횡포로써 천하를 거느렸다.

而民縱之(이민종지) ⇨ 之는 대용대명사. 而: 역접의 접속사.

〈풀이〉 그러나 백성이 이를 따랐다.

其所令反其所好而民不縱(기소령반기소호이민부종) ⇨ 其: 그. 所: 수식어를 뒤에 가지는 불완전명사. 令: 명령하다. 反: 반대되다. 其: 대용대명사. '그가'. 好: 좋아하다. 而: 순접의 접속사. '~하면'.

〈풀이〉 그 명령하는 바가 그가 좋아하는 바에 반대가 되면 백성은 따르지 않는다.

是故君子(시고군자)

〈풀이〉 이런 까닭으로 군자는.

有諸己而後求諸人(유제기이후구제인) ⇨ 有: 주어를 뒤에 가지는 특수동사. 諸: 조사로 之於임. 而後: 이후에. 諸己: 之於己. '나에게서 그것이'임. 人: 남, 사람.

〈풀이〉 나(자기)에게서 그것이 있은 이후에 사람(남)에게서 그것을 구한다.

無諸己而後非諸人(무제기이후비제인) ⇨ 無: 없다. 非: 헐뜯다, 비방하다.

〈풀이〉 자기에게서 그것이 없은 이후에 남에게 그것을 비방한다.

所藏乎身不恕(소장호신불서) ⇨ 所: 수식어를 뒤에 가지는 불완전명사. 藏: 감추다, 간직하다. 乎: 장소를 나타내는 전치사. 乎身: 몸에. 恕: 어질다, 어진 마음, 용서하다. 不: 아니다.

〈풀이〉 몸에 간직하고 있는 바가 용서하는 마음이 아닌데도(아니면서).

而能喩諸人者未之有也(이능유제인자미지유야) ⇨ 而: 순접의 접속사. '~면서'. 能: 능히, 능하다. 喩: 깨우치다, 깨닫다. 人: 남에게. 者: 사람. 未之有也: 이것은 있지 아니하다. 之: 어세를 강하게 나타내는 가시대명사.

〈풀이〉 남에게 그것을 깨우칠 수 있는 사람은 아직 있지 아니하다.

故治國在齊其家(고치국재제기가)

〈풀이〉 고로 치국은 그 집안을 가지런히 함에 있다.

3 詩云 桃之夭夭 其葉蓁蓁 之子于歸 宜其家人 宜其家人
以后 可以敎國人 詩云 宜兄宜弟 宜兄宜弟以后 可以敎
國人 詩云 其儀不忒 正是四國 其爲父子兄弟足法以后
民法之也 此謂治國在齊其家

〈풀이〉시경에 말하되 복숭아의 잘 자람이여 그 잎이 무성하구나. 이 아가씨
시집을 가니 그 집안 사람이 화목하리로다. 그 집안 사람이 화목한 이
후 그 나라 사람을 가르칠 수 있다. 시경에 말하기를 그 언행의 범절이
변하지 않으면 이 사방의 나라를 바르게 한다. 그 부모와 형제가 족히
본받게 된 이후에 백성은 그것을 본받는다. 이래서 치국은 그 집안을
가지런히 함에 있다고 하는 것이다.

詩云(시운)

〈풀이〉시경에 말하기를.

桃之夭夭 其葉蓁蓁 之子于歸 宜其家人(도지요요 기엽진진 지자우귀
의기가인) ⇨ 桃之: 복숭아의. 之는 후치사로 '의.' 夭夭: 예쁜 모양,
무성하게 잘 자라는 모양, 무성한 모양. 其葉: 그 잎은. 蓁蓁: 초목이
무성한 모양. 蓁: 우거지다, 숲. 之: 이. 是와 뜻이 같음. 之子: 여기서
는 于歸가 있으므로 '이 아가씨'임. 于: 가다. 于歸: 시집가다. 宜:
화목하다. 其家人: 그 집안사람.

〈풀이〉복숭아의 잘 자람이여 그 잎이 무성하구나. 이 아가씨 시집을 가니 그
집안 사람이 화목하리로다.

宜其家人以后 可以敎國人(의기가인이후 가이교국인) ⇨ 以后: 후에. 可
以: 가능조동사. 敎: 가르치다. 國人: 나라 사람.

〈풀이〉그 집안사람이 화목한 이후에 그 나라 사람을 가르칠 수 있다.

詩云(시운)

〈풀이〉시경에 말하기를.

宜兄宜弟 宜兄宜弟以后 可以敎國人(의형의제 의형의제이후 가이교국
  인) ➪ 可以: 가능조동사.

〈풀이〉형과 화목하고 아우와 화목하게 한다 하였으니, 형과 아우가 화목한 뒤에
      나라 사람을 가르칠 수 있다.

詩云(시운)

〈풀이〉시경에 말하기를.

其儀不忒 正是四國(기의불특 정시사국) ➪ 儀: 언행의 범절. 忒: 변하다,
  변경하다. 四: 사방.

〈풀이〉그 언행의 범절이 변하지 않으면 이 사방의 나라를 바르게 한다.

其爲父子兄弟足法以后民法之也(기위부자형제족법이후민법지야) ➪
  其: 그. 爲: 되다, 하다. 피동조동사. 父子: 부자와. 兄弟: 형제가. 足:
  족하게 함. 충분함. 法: 본받다. 之: 가시대명사로 목적격. '이것을'.
  也: 단정의 종결사.

〈풀이〉그 부자와 형제가 족히 본받게 된 이후에 백성은 그것을 본받는다.

此謂治國在齊其家(차위치국재제기가) ➪ 此: 발어사로 '이래서, 이에
  서'임.

〈풀이〉이래서 치국은 그 집안을 가지런히 함에 있다고 하는 것이다.

八. 治國平天下

1 所謂平天下在治其國者 上老老而民興孝 上長長而民興
弟 上恤孤而民不倍 是以 君子有絜 矩之道也 所惡於上
毋以使下 所惡於下 毋以事上 所惡於前 毋以先後 所惡
於後 毋以從前 所惡於右 毋以交於左 所惡於左 毋以交
於右 此之謂絜矩之道也

〈풀이〉 이른바 천하를 편안히 함은 그 나라를 다스림에 있다는 것은 위가 노인
을 노인 대접을 하면 백성이 효도를 일으키고 위가 어른을 어른으로 섬
기면 백성이 윗사람을 공경함을 일으키며 위가 외로운 이를 구휼하면
백성이 배반하지 아니한다. 이런 까닭으로 군자는 남을 헤아리는 동정
의 도가 있는 것이다. 위에서 싫어하는 바가 있으면 그런 방법으로써는
아래를 부리지 말 것이며 아래서 싫어하는 바로써 위를 섬기지 말 것이
며 앞에서 싫어하는 바로써 뒤에 먼저 하지 말 것이며 뒤에서 싫어하는
바로써 앞에 따라하지 말 것이며 오른편에서 싫어하는 바로써 왼편에
주고받지 말 것이며 왼편에서 싫어하는 바로써 오른편에 주고받지 말
것이다. 이런 것을 혈구지도라고 한다.

所謂平天下在治其國者(소위평천하재치기국자) ⇨ 所謂: 이른바. 平: 평
안하다, 태평함. 者: 불완전명사로 '것'. 在에서 國까지는 者의 수식어.
〈풀이〉 이른바, 천하를 편안히 함은 그 나라를 다스림에 있다는 것은.
上老老而民興孝(상노노이민흥효) ⇨ 上: 위, 높은 계급. 老老: 앞의 老는
동사로 '노인 대접하다', 뒤의 老는 명사로 '늙은이'. 而: 순접의 접속

사. 興: 일으키다.

〈풀이〉위가 노인을 노인 대접을 하면 백성이 효도를 일으키며.

上長長而民興弟(상장장이민흥제) ⇨ 長: 늙은이, 어른. 長: 양육하다. 교도하다. 弟: 공경하다.

〈풀이〉위가 어른을 어른으로 섬기면 백성이 윗사람을 공경함을 일으키며.

上恤孤而民不倍(상휼고이민불배) ⇨ 恤: 구휼하다, 사랑하다. 孤: 고아, 홀로, 외롭다. 즉 외로운 사람. 倍: 배반하다.

〈풀이〉위가 외로운 이를 구휼하면 백성이 배반하지 아니한다.

是以君子有絜矩之道也(시이군자유혈구지도야) ⇨ 是以: 이런 이유로 (모로바시, 『대한화사전』 권5, 844쪽). 絜矩之道: 자기를 척도로 하여 남을 헤아리는 동정의 도. 絜: 재다, 헤아리다. 矩: 법도, 법칙. 也: 종결사.

〈풀이〉이런 까닭으로 군자는 남을 헤아리는 동정의 도가 있는 것이다.

所惡於上毋以使下(소오어상무이사하) ⇨ 所: 수식어를 뒤에 가지는 불완전명사. 惡: 싫어하다. 於: 장소의 전치사. 上: 위. 毋: 없다. 금지하는 말. 使: 부리다. 下: 아래. 以: ~으로써, 所에 걸리는데, 위에서 싫어하는 바가 있으며 그런 방법으로써 아래를 부리지 말라는 뜻을 지니고 있다.

〈풀이〉위에서 싫어하는 바가 있으면 그런 방법으로써는 아래를 부리지 말 것이며.

所惡於下毋以使上(소오어하무이사상) ⇨ 事上: 위를 섬기다. 以는 위에서와 같이 풀어야 한다.

〈풀이〉아래서 싫어하는 바로서(그런 방법으로) 위를 섬기지 말 것이며.

所惡於前毋以先後(소오어전무이선후) ⇨ 先: 먼저. 後: 뒤. 先의 대.

〈풀이〉앞에서 싫어하는 바로써 뒤에 먼저 하지 말 것이며.

所惡於後毋以從前(소오어후무이종전) ⇨ 從: 따르다.

〈풀이〉 뒤에서 싫어하는 바로써 앞에 따르지(따라하지) 말 것이며.

所惡於右毋以交於左(소오어우무이교어좌) ⇨ 交: 주고 받다, 왕래하다, 섞다.

〈풀이〉 오른편에서 싫어하는 바로써 왼편에 주고받지(섞이지) 말 것이며.

所惡於左毋以交於右(소오어좌무이교어우)

〈풀이〉 왼편에서 싫어하는 바로써 오른편에 주고받지 말 것이다.

此之謂絜矩之道也(차지위혈구지도야) ⇨ 此: 이것, 즉 이러한 것. 之: 후치사로 목적격조사.

〈풀이〉 이러한 것을 혈구지도라고 한다.

詩云 樂只君子 民之父母 民之所好 好之 民之所惡 惡之
此之謂民之父母 詩云 節彼南山 維石巖巖 赫赫師尹 民
具爾瞻 有國者不可以不愼 辟則爲天下僇矣

〈풀이〉 시경에 말하기를 즐거워라 군자는 백성의 부모로다. 백성이 좋아하는
바 그것을 좋아하며 백성이 미워하는 바 그것을 미워한다. 이러한 것을
백성의 부모라고 말한다. 높은 저 남산은 오직 바위가 중첩하여 험하구
나. 빛나는 태사인 윤씨는 백성이 모두 같이 우러러본다. 나라를 다스리
는 사람은 삼가지 않을 수 없다. 편벽되면, 즉 천하가 욕될 것이다.

詩云(시운)

〈풀이〉 시경에 이르기를.

樂只君子民之父母(낙지군자민지부모) ⇨ 樂:즐겁다. 只: 어조를 고르
기 위하여 어미에 붙이거나 구 중에 쓰는 말. 고로 樂只: 즐겁구나,
즐거워라. 君子: 군자는 民之父母 백성의 부모이다.

〈풀이〉 즐거워라 군자는 백성의 부모이다.

民之所好好之 民之所惡惡之(민지소호호지 민지소오오지) ⇨ 之: 후치사로 주격조사 '이'. 所: 수식어를 뒤에 가지는 불완전명사. 好: 좋아하다. 好之: 之는 가시대명사. '그것'. 惡: 미워하다.

〈풀이〉 백성이 좋아하는바 그것을 좋아하며, 백성이 미워하는바 그것을 미워한다.

此之謂民之父母(차지위민지부모) ⇨ 此之: 이것을(이런 것을). 之: 후치사로 목적격조사.

〈풀이〉 이러한 것을 백성의 부모라고 말한다.

詩云(시운)

〈풀이〉 시경에 말하기를.

節彼南山 維石巖巖 赫赫師尹 民具爾瞻(절피남산 유석암암 혁혁사윤 민구이첨) ⇨ 節: 높다. 彼: 저. 維: 오직. 石巖: 바위, 암석. 巖: 험준한 모양. 巖巖: 돌이 중첩하여 험한 모양. 赫赫: 빛나는 모양. 환한 모양. 師尹: 周代의 太史인 윤씨(尹氏). 民: 백성. 具: 모두. 爾: 같이 瞻: 우러러보다.

〈풀이〉 높은 저 남산은 오직 바위가 중첩하여 험하구나. 빛나는 태사인 윤씨는 백성이 모두 같이 우러러본다.

有國者不可以不愼(유국자불가이불신) ⇨ 有國者: 나라를 다스리는 사람은. 不~不: 긍정이 된다. 可以: 가능조동사. 愼: 삼가다. 不可以不愼: 삼가지 아니할 수 없다.

〈풀이〉 나라를 다스리는 사람은 삼가지 아니할 수 없다.

辟則爲天下僇矣(벽즉위천하륙의) ⇨ 辟: 편벽되다. 則: 접속사로 '~한 즉'. 僇: 죽이다, 치욕. 矣: '也'보다 어기가 센 종결사.

〈풀이〉 편벽되면 즉 천하가 욕될 것이다.

詩云 殷之未喪師 克配上帝 儀監于殷 峻命不易 道得衆
則得國 失衆則失國 是故 君子 先愼乎德 有德此有人
有人此有土 有土此有財 有財此有用

〈풀이〉 은나라가 민중을 잃지 않았음에 상제에게 짝이 될 수 있었으니 은나라
를 본보기로 삼을 것이다. 중한 명령(천자의 명령)은 쉽지 아니하다. 민
중을 얻으면 곧 나라를 얻고 민중을 잃으면 나라를 잃음을 말한 것이
다. 이런 고로 군자는 먼저 덕을 중히 여긴다(여겨야 한다). 덕이 있으
면 이에 사람이 있고 사람이 있으면 이에 땅이 있다. 땅이 있으면 이에
재물이 있고 재물이 있으면 쓰임이 있다.

詩云(시운)

〈풀이〉 시경에 말하기를.

殷之未喪師(은지미상사) ⇨ 殷之: 은이(은나라가). 之: 후치사로서 주격
조사 未: 아니다. 부정하는 말. 喪: 잃다. 師: 뭇사람, 민중, 대중.

〈풀이〉 은나라가 민중을 잃지 아니하였음에

克配上帝(극배상제) ⇨ 克: 충분히 할 수 있음. 配: 짝짓다, 짝이 되게
하다.

〈풀이〉 상제에게 짝이 될 수 있었으니.

儀監于殷(의감우은) ⇨ 儀: 본보기, 모범. 監: 본보기로 삼다. 儀監: 본보
기로 삼다. 于: 장소를 나타내는 전치사, 또는 동작의 목적 대상을
강하게 나타내기 위하여 간접목적어 앞에 슨다. 여기서는 후자임.

〈풀이〉 은나라를 본보기로 삼을 것이다.

峻命不易(준명불이) ⇨ 峻: 크다, 높고 크다. 峻命: 중한 명령, 천자의
명령. 易: 쉽다.

〈풀이〉 중한 명령(천자의 명령)은 쉽지 아니하다.

道得衆則得國失衆則失國(도득중즉득국실중즉실국) ⇨ 道: 말하다. 得: 얻다. 衆: 민중. 則: 접속사로 '즉, 곧'.

〈풀이〉 민중을 얻으면 곧 나라를 얻고 민중을 잃으면 나라를 잃음을 말한 것이다.

是故君子先愼乎德(시고군자선신호덕) ⇨ 愼: 삼가다, 중히 여기사. 乎: 전치사로 목적격을 나타냄. 先: 먼저.

〈풀이〉 이런 고로 군자는 먼저 덕을 중히 여겨야 한다.

有德此有人有人此有土(유덕차유인유인차유토) ⇨ 有: 주어를 뒤에 가지는 특수동사. 此: 발어사로 '이에'.

〈풀이〉 덕이 있으면 이에 사람이 있고 사람이 있으면 이에 땅이 있다.

有土此有財有財此有用(유토차유재유재차유용) ⇨ 用: 쓰임, 씀씀이, 경비 財: 재물.

〈풀이〉 땅이 있으면 이에 재물이 있고 재물이 있으면 쓰임이 있다.

2 德者本也財者末也 外本內末爭民施奪 是故財聚則民散 財散則民聚 是故言悖而出者亦悖而入 貨悖而入者亦悖 而出

〈풀이〉 덕이란 것은 근본이요, 재물이란 것은 중요하지 아니하다. 근본을 멀리 하고(밖으로 하고) 중하지 아니한 것을 중히 여기면(안으로 하면) 백성 은 다투어 약탈을 하게 된다(베풀게 된다).
이런 고로 재물을 모으면 곧 백성은 흩어지고 재물이 흩어지면 곧 백성 은 모인다. 이런 고로 말이 도리에 거슬리어 나간 것은 역시 도리에 거 슬리어 들어온다. 재물이 도리에 거슬리어 들어온 것은 역시 거슬리어서 나간다.

德者本也 財者末也(덕자본야 재자말야) ⇨ 者: 사물을 나타내는 불완전
명사. '것'. 本: 근본. 也: 감동 또는 뜻 없는 종결사. 末: 중요하지
아니한 부분.

〈풀이〉 덕이란 것은 근본이요, 재물이란 것은 중요하지 아니하다.

外本內末爭民施奪(외본내말쟁민시탈) ⇨ 外: 멀리하다. 本: 근본. 內:
안으로 하다, 중히 여기다, 가까이 하다. 末: 중하지 아니한 것. 施:
베풀다. 奪: 빼앗다, 쳐 빼앗다, 약탈.

〈풀이〉 근본을 멀리하고(밖으로 하고) 중하지 아니한 것을 안으로 하면(중히 여기
다) 백성은 다투어 약탈을 하게 된다(베풀게 된다).

是故財聚則民散財散則民聚(시고재취즉민산재산즉민취) ⇨ 是故: 이런
고로. 聚: 모이다, 모으다. 則: 문장과 문장을 이어주는 접속사.

〈풀이〉 이런고로 재물을 모으면 즉(곧) 백성은 흩어지고 재물이 흩어지면 곧
백성은 모인다.

是故言悖而出者亦悖而入(시고언패이출자역패이입) ⇨ 言: 말. 悖: 도
리에 거스르다. 而: 순접의 접속사. 者: 불완전명사. '것'. 亦: 역시.
또한 入: 들어온다.

〈풀이〉 이런 고로 말이 도리에 거슬려 나간 것은 역시 도리에 거슬려 들어온다.

貨悖而入者亦悖而出(화패이입자역패이출) ⇨ 貨: 재물, 而: 순접의 접
속사. '~면 곧'. 者: 불완전명사. '것'.

〈풀이〉 재물이 도리에 거슬리어 들어온 것은 역시 도리에 거슬리어 나간다.

3 康誥曰 惟命不于常 道善則得之 不善則失之矣 楚書曰
楚國無以爲寶 惟善以爲寶 舅犯曰 亡人無以爲寶 仁親
以爲寶

〈풀이〉 강고에 말하기를 오직 천명은 영구하지 아니하다. 착한즉 그것을 얻고
선하지 아니한즉 그것을 잃음을 말한 것이다. 초서에 말하기를 초나라
는 생각하건대 보물이 없다. 오직 선으로써 보배로 삼는다 하였다. 구범
이 말하기를 망명한 사람은 생각하건대 보물로 삼을 것이 없고 어짊
(仁)과 친밀함(親)으로써 보물로 삼는다 하였다.

康誥曰(강고왈)
〈풀이〉 강고에 말하기를.

惟命不于常(유명불우상) ⇨ 惟: 오직. 命: 명, 천명. 于: 전치사. 여기서
는 시간을 나타냄. 常: 항상, 영구, 불변, 항구. 不于常: 영구하지 않다.
불변하지 않다. 직역하면 영구함에 있지 않다.
〈풀이〉 오직 천명은 영구하지 아니하다.

道善則得之不善則失之矣(도선즉득지불선즉실지의) ⇨ 道: 말하다. 之:
가시대명사로 앞의 천명을 가리킴. 矣: 也보다 강한 종결사.
〈풀이〉 착한즉 그것을 얻고 선하지 아니한즉 그것을 잃음을 말한 것이다.

楚書曰(초서왈)
〈풀이〉 초서에 말하기를.

楚國無以爲(초국무이위보) ⇨ 楚國: 초나라. 無以: '할 수 없다'(모로바
시, 『대한화사전』 권7 '無'조)도 있고, '以爲, 즉 생각하건대'도 있는데
(모로바시, 『대한화사전』 권1 '以'조) 여기서는 후자로 하는 것이 의
미상 좋을 듯하다.

〈풀이〉 초나라는 생각하건대 보물이 없다.

惟善以爲寶(유선이위보) ⇨ 以: 후치사로 '~으로써'.

〈풀이〉 오직 선으로써 보배(보물)로 삼는다 하였다.

舅犯曰 亡人無以爲寶 仁親以爲寶(구범왈 망인무이위보 인친이위보)

⇨ 舅犯: 성이 호(狐), 이름은 구(偃), 자는 자범(子犯). 진나라 공자(公子) 중이(重耳)의 외삼촌이 되므로 구범(舅犯)이라 불렀다(김학주 교수의 『大學』, 96쪽에 의함). 구범이 말하기를. 亡人: 망명한 사람. 以爲: 생각건대.

〈풀이〉 구범이 말하기를 망명한 사람은 생각건대 보물로 삼을 것이 없고 어짊(仁)과 친밀함(親)으로써 보물로 삼는다 하였다.

4 秦誓曰 若有一个臣 斷斷兮無他技 其心休休焉 其如有容焉 人之有技 若己有之 人之彦聖 其心好之 不啻若自其口出 寔能容之 以能保我子孫黎民 尙亦有利哉 人之有技 媢嫉以惡之 人之彦聖 而違之俾不通 寔不能容 以不能保我子孫黎民 亦曰殆哉

〈풀이〉 만약 한 사람의 신하가 있어서 진실로 다른 재주는 없으나 그 마음이 착하고 아름다우면 그와 같은 이는 받아들임이 있고 남이 재주가 있음을 자기가 그것이 있는 것처럼 하며, 남이 뛰어나서 총명함을 그 마음에서 그것을 좋아하여 그 입에서 나오는 것처럼 할 뿐 아니라, 진실로 능히 그것을 받아들여서 이 때문에(이로 인하여) 능히 우리 자손과 백성을 보전할 수 있으면 오히려 또한 이로움이 있지 않으랴! 남의 재주 있음을 시기하여 미워함으로써 이것을 싫어하면 남이 뛰어나서 총명한데 이것을 어기어 통하지 않게 한다면 진실로 받아들일 수 없으니, 그러므로 나의 자손과 백성을 보전할 수 없으며 또한 위태롭다 할 것이다.

秦誓曰(진서왈)

〈풀이〉 진서에 말하기를.

若有一个臣(약유일개신) ⇨ 若: 만약. 가정법. 个: 낱, 한 사람. 고로 一个臣: 한 사람의 신하. 有: 주어를 뒤에 가지는 특수동사.

〈풀이〉 만약 한 사람의 신하가 있어서.

斷斷兮無他技(단단혜무타기) ⇨ 斷斷: 성실하고 전일한 모양, 변하지 않는 모양. 誠也: 참으로, 진실로(모로바시,『대한화사전』'斷'조). 兮: 형용사. 부사에 붙는 조사. 無: 주어를 뒤에 갖는 특수형용사. 他技: 다른 기술.

〈풀이〉 진실로 다른 재주는 없으나.

其心休休焉(기심휴휴언) ⇨ 休休: 선미하다, 참하고 아름답다. 焉: 확인을 나타내는 종결사.

〈풀이〉 그 마음이 착하고 아름다우면.

其如有容焉(기여유용언) ⇨ 其如: 그와 같으면(같은 이는). 容: 받아들이다. 有容: 받아들임이 있다. 有는 특수동사.

〈풀이〉 그와 같은 이는 받아들임이 있고.

人之有技若己有之(인지유기약기유지) ⇨ 人: 남. 之: 후치사로 주격을 나타냄. 有: 특수동사(주어를 뒤에 가짐). 若: 같다. 己: 자기. 之: 가시대명사로 기술을 가리킴.

〈풀이〉 남이 재주가 있음을 자기가 그것을 있는 것처럼 하며.

人之彦聖其心好之(인지언성기심호지) ⇨ 人: 남. 之: 후치사로 주격조사. 彦聖: 뛰어나서 사리에 통달한 사람. 가나야 선생은 '뛰어나서 총명한 것'이라 함. 彦: 뛰어난 사람. 聖: 성스럽다. 其心: 그 마음에서. 之: 지시대명사로 彦聖을 가리킴.

〈풀이〉남이 뛰어나서 총명함을 그 마음에서 그것을 좋아하여.

不啻若自其口出(불시약자기구출) ⇨ 不啻: 그뿐만이 아니라. 啻: 뿐. 若: 같다. 自:으로부터. 其口出: 그 입에서 나오다.

〈풀이〉그 입으로부터 나오는 것 같이 할 뿐 아니라.

寔能容之(식능용지) ⇨ 寔: 진실로. 容: 받아들이다. 之: 가시대명사, 그 것을. 能: 능히.

〈풀이〉진실로 능히 그것을 받아들여서.

以能保我子孫黎民(이능보아자손려민) ⇨ 以: 때문에, 까닭에. 能: 능히. 保: 보전하다. 我子孫: 우리 자손. 黎民: 백성.

〈풀이〉그러므로(이 때문에) 능히 우리 자손과 백성을 보존할 수 있으면.

尙亦有利哉(상역유리재) ⇨ 尙: 오히려. 亦: 역시, 또한. 哉: 감탄의 종결사.

〈풀이〉오히려 또한 이로움이 있지 않으랴!

人之有技媢嫉以惡之(인지유기모질이오지) ⇨ 人之: 후치사로 '의', '사람의'. 媢: 시새우다. 질투하다. 嫉: 시새우다, 시기하다. 媢嫉: 시기하여 미워하다. 之: 가시대명사로 '이것'.

〈풀이〉사람의 재주 있음을 시기하여 미워함으로써 이것을 싫어하면.

人之彦聖而違之俾不通(인지언성이위지비불통) ⇨ 之: 후치사로 주격 조사. 彦聖: 뛰어나서, 총명하다. 而: 그러한데. 違: 어기다. 之: 가시대 명사. '이것'. 俾: ~로 하여금 ~하게 함. 시킴. 不通: 통하지 아니하다.

〈풀이〉남이 뛰어나서 총명한데 이것을 어기어 통하지 않게 하면.

寔不能容(식불능용) ⇨ 寔: 진실로.

〈풀이〉진실로 받아들일 수 없으니.

以不能保我子孫黎民(이불능보아자손려민)

〈풀이〉 그러므로 나의 자손과 백성을 보전할 수 없으며.

亦曰殆哉(역왈태재) ⇨ 殆: 위태롭다.

〈풀이〉 또한 위태롭다 할 것이다.

5 唯仁人放流之 迸諸四夷 不與同中國 此謂唯仁人爲能
愛人 能惡人 見賢而不能擧 擧而不能先 命也 見不善而
不能退 退而不能遠 過也 好人之所惡 惡人之所好 是謂
拂人之性 菑必逮夫身 是故 君子有大道 必忠信以得之
驕泰以失之

〈풀이〉 오직 어진 사람만이 이들을 추방하여 이들을 사방의 오랑캐 땅으로 흩
어지게 하여 중국과 함께 같이 못하게 한다. 이래서 오직 어진 사람만
이 사람을 사랑할 수 있게 되고, 사람을 미워할 수 있다고 말하는 것이
다. 어진이를 보고서 기용하지 못하며, 기용하되 먼저 하지 못함은 태만
함이요, 착하지 못한 것을 보고도 물리치지 못하고 물리치고서 멀리하
지 못함은 허물이다. 남이 싫어하는 바를 좋아하고 남의 좋아하는 바를
싫어하는 것, 이것을 사람의 본성을 어기는 것이라 말하는 것이니, 재앙
이 반드시 저 몸에 미칠 것이다. 이런 고로 군자에게는 큰 도가 있으니
반드시 충성과 믿음으로써 그것을 얻고 교만으로써 그것을 잃게 된다.

唯仁人放流之(유인인방류지) ⇨ 放流: 추방당하여 유랑함. 귀양 보냄.
放: 추방하다. 流: 귀양보내다. 추방하다. 내치다. 之: 가시대명사로
앞에 나온 사람들을 가리킴.

〈풀이〉오직 어진 사람만이 이들을 추방하여.

迸諸四夷(병저사이) ⇨ 迸: 흩어지다, 달아나다, 흩어져 달아나다. 諸: 之於. 之는 이것(이들). 四: 사방. 夷: 오랑캐.

〈풀이〉이들을 사방의 오랑캐 땅으로 흩어지게 하여.

不與同中國(불여동중국) ⇨ 與: 함께. 同: 같이하다, 함께하다.

〈풀이〉중국과 함께 같이하지 못하게 한다.

此謂唯仁人爲能愛人 能惡人(차위유인인위능애인 능오인) ⇨ 此: 발어사, 이리하여. 謂: 말한다. 唯: 오직. 爲: 되다. 惡: 미워하다.

〈풀이〉이래서 오직 어진 사람만이 사람을 사랑할 수 있게 되고 사람을 미워할 수 있다고 말하는 것이다.

見賢而不能擧(견현이불능거) ⇨ 見賢: 어진 이를 보고. 而: 순접의 접속사. 擧: 기용하다.

〈풀이〉어진 이를 보고서 기용하지 못하며

擧而不能先 命也(거이불능선 명야) ⇨ 而: 역접의 접속사. 先: 먼저 하다. 命: 古注에 따라 慢으로 본다. '게으르다, 태만하다'.

〈풀이〉기용하되 먼저 하지 못함은 태만함이요.

見不善而不能退(견불선이불능퇴) ⇨ 而: 순접. 退: 물리치다.

〈풀이〉착하지 못한 것을 보고도 물리치지 못하고.

退而不能遠 過也(퇴이불능원 과야) ⇨ 遠: 멀리 하다. 過: 허물. 也: 종결사.

〈풀이〉물리치고서 멀리하지 못함은 허물이다.

好人之所惡惡人之所好(호인지소오오인지소호) ⇨ 之: 후치사로 '의'. 惡: 싫어하다. 所: 수식어를 뒤에 가지는 불완전명사.

〈풀이〉남이 싫어하는 바를 좋아하고 남의 좋아하는 바를 싫어하는 것.

是謂拂人之性(시위불인지성) ⇨ 拂: 거스리다, 어기다.

〈풀이〉이것을 사람의 본성을 어기는 것이라 말하는 것이니.

菑必逮夫身(재필태부신) ⇨ 菑: 재앙. 逮: 미치다. 夫: 저.

〈풀이〉 재앙이 반드시 저 몸에 미칠 것이다.

是故君子有大道(시고군자유대도) ⇨ 大道: 큰 도.

〈풀이〉 이런 고로 군자에게는 큰 도가 있으니.

必忠信以得之 驕泰以失之(필충신이득지 교태이실지) ⇨ 忠信: 충성과 믿음. 以: 후치사로서 '~으로써'. 之: 가시대명사. 大道를 가리킨다. 驕泰: 교만.

〈풀이〉 반드시 충성과 믿음으로써 그것을 얻고 교만으로써 그것을 잃는다(잃게 된다).

6 生財有大道 生之者衆 食之者寡 爲之者疾 用之者舒 則 財恒足矣

〈풀이〉 재산을 불리는 데는 대도가 있는데 그것을 불리는 사람은 많고 먹는 사람은 적고 만드는 사람은 애써 노력하고 그것을 쓰는 자가 더디면 곧 재물은 항상 넉넉하다.

生財有大道 生之者衆(생재유대도 생지자중) ⇨ 生: 불리다. 衆: 많다. 之: 가시대명사, 재산을 가리킴.

〈풀이〉 재산을 불리는 데는 대도가 있는데 그것을 불리는 사람이 많고.

食之者寡 爲之者疾(식지자과 위지자질) ⇨ 食: 먹다. 之: 재물을 가리킴. 寡: 적다. 爲: 만들다. 疾: 빠르다, 노력하여 힘쓰다.

〈풀이〉 먹는 사람은 적고 만드는 사람은 빠르고(애써 노력하고의 뜻).

用之者舒則財恒足矣(용지자서즉재항족의) ⇨ 恒: 항상, 언제나. 舒: 느리다, 더디다. 矣: 也보다 강함을 나타내는 종결사.

〈풀이〉 그것을 쓰는 자가 더디면 곧 재물을 항상 넉넉하다.

7 仁者以財發身 不仁者 以身發財 未有上好仁而下不好義 者也 未有好義 其事不終者也 未有府庫財 非其財者也

〈풀이〉 어진 사람은 재물로써 몸을 일으키고 어질지 않은 사람은 몸으로 재산
을 일으킨다. 위에서 인(仁)을 좋아하는 데도 아래서 의를 좋아하지 않
는 일은 아직 있지 아니하다. 의를 좋아하는 데도 그 일이 끝마쳐지지
아니하는 일은 아직 있지 아니하며 재화를 보관하는 창고의 재물이 그
의 재물이 아닌 일은(되지 않는) 아직 있지 아니하다.

仁者 以財發身(인자이재발신) ⇨ 以: 전치사로 '~으로써'. 發: 일으키다,
입신하다.

〈풀이〉 어진 사람은 재물로써 몸을 일으키고

不仁者以身發財(불인자이신발재)

〈풀이〉 어질지 않은 사람은 몸으로 재물을 일으킨다.

未有上好仁而下不好義者也(미유상호인이하불호의자야) ⇨ 而: 역접
의 접속사. 者: 불완전명사 '~것이'. 未有: 아직 있지 아니하다.

〈풀이〉 위에서 인을 좋아하는 데도 아래서 의를 좋아하지 않는 일은 아직 있지
아니하다.

未有好義其事不終者也(미유호의기사부종자야) ⇨ 未有: 이것은 전체
에 걸린다. 終: 끝마치다. 者: 불완전명사. '이, 것'. 也: 종결사.

〈풀이〉 의를 좋아하는 데도 그 일이 끝마쳐지지 아니하는 일은 아직 있지 아니하다.

未有府庫財非其財者也(미유부고재비기재자야) ⇨ 府庫: 문서나 재화를 넣어 두는 창고. 者: 불완전명사. '것, 이'. 未有: 전체에 걸림.
〈풀이〉 재화를 보관하는 창고의 재물이 그의 재물이 아닌 일은 아직 있지 아니하다.

8 孟獻子曰 畜馬乘 不察於鷄豚 伐氷之家 不畜牛羊 百乘之家 不畜聚斂之臣 與其有聚斂之臣 寧有盜臣 此謂國不以利爲利 以義爲利也

〈풀이〉 맹헌자가 말하기를, 마승을 기르며 닭과 돼지를 살피지 아니하고 얼음을 베어 가는 집은 소와 양을 기르지 아니하고 백승지가에서는 세금을 가혹하게 징수하는 신하는 기르지 아니한다. 오히려 세금을 가혹하게 징수하는 신하를 가지는 것보다는 도적질하는 신하를 가지겠다. 이래서 나라는 이로써 이로움을 삼지 아니하고 의로써 이로움을 삼는다고 말하는 것이다.

孟獻子曰(맹헌자왈) ⇨ 孟獻子: 노나라의 대부 맹손멸(仲孫蔑).
〈풀이〉 맹헌자가 말하기를
畜馬乘不察於鷄豚(축마승불찰어계돈) ⇨ 畜: 기르다. 馬乘: 네 마리의 말. 乘은 四를 뜻함. 於: 동작의 목적 대상을 세게 나타내기 위하여 직접목적어 앞에 쓰인 전치사. 察: 살피다.
〈풀이〉 마승을 기르면서 닭과 돼지를 살피지 아니하고
伐氷之家不畜牛羊(벌빙지가불축우양) ⇨ 伐: 베다. 之는 후치사로 伐氷이 家를 꾸미는 구실을 함. 氷: 얼음.
〈풀이〉 얼음을 베어가는 집은 소와 양을 기르지 아니하고

百乘之家不畜聚斂之臣(백승지가불축취렴지신) ⇨ 百乘之家: 周代의 제도로서 전시에 수레 백 대를 내는 집, 곧 千乘의 나라의 大夫, 경대부. 聚斂: 세금을 가혹히 징수함.

〈풀이〉 백승지가에서는 세금을 가혹하게 징수하는 신하는 기르지 아니한다.

與其有聚斂之臣寧有盜臣(여기유취렴지신영유도신) ⇨ 與: ~보다는. 비교하는 말, 즉 與~寧은 비교법으로서 '오히려 ~보다는 ~하겠다'의 뜻임. 其: 그. 有: 가지다. 보유하다.

〈풀이〉 오히려 취렴지신을 가지는 것보다는 도적질하는 신하를 가지겠다.

此謂國不以利爲利 以義爲利也(차위국불이이위이 이의위이야) ⇨ 此: 발어사. 이래서. 謂: 말한다. 문장 맨 끝에 가서 풀이함. 以: ~로써(전치사). 爲: 삼다. 也: 종결사.

〈풀이〉 이래서 나라는 이로써 이(이로움)를 삼지 아니하고 의로써 이(이로움)를 삼는다고 말하는 것이다.

9 長國家而財務用者 必自小人矣 彼爲善之 小人之使爲國家 菑害並至 雖有善者 亦無如之何矣 此謂國不以利爲利 以義爲利也

〈풀이〉 나라의 어른으로서 재물을 씀에 힘쓰는 자는 반드시 소인으로 말미암을 것이다. 그가 그것을 잘 한다고 하여 소인으로 하여금 나라의 일을 하게 한다면 재해가 아울러 이를 것이다. 비록 잘 한 것이 있다 하더라도 또한 그것을 어떻게 할 것인가? 이리하여 나라는 이로써 이로움으로 삼을 것이 아니라 의로써 이로움을 삼을 것이라고 말하는 것이다.

長國家而財務用者(장국가이재무용자) ⇨ 長: 어른. 長國家: 나라의 어른. 而: 순접의 접속사. 務: 힘쓰다. 者: 사람.

〈풀이〉 나라의 어른으로서 재물을 씀에 힘쓰는 자는

必自小人矣(필자소인의) ⇨ 自: ~로부터 오다. 矣: 종결사.

〈풀이〉 반드시 소인으로부터 왔을 것이다(즉 '소인으로 말미암을 것이다'의 뜻).

彼爲善之小人之使爲國家　菑害並至(피위선지소인지사위국가　재해병지) ⇨ 彼: 3인칭대명사 '그'. 爲善: 잘 한다고 생각하다. 之: 가시대명사 '그것'. 小人之: 소인을. 之는 후치사로 목적격. 使: 사동사 '~하여금 ~하게 하다'. 菑害: 재해, 재앙과 해로움. 並: 나란히, 아울러. 至: 이르다.

〈풀이〉 그가 그것(그런 행위)을 잘한다고 하여 소인으로 하여금 나라의 일을 하게 한다면 재해가 아울러 이를 것이다.

雖有善者亦無如之何矣(수유선자역무여지하의) ⇨ 雖: 비록. 有善者: 잘한 것이 있다. 善: 잘하다. 者: 불완전명사, '이, 것'. 亦無: 또한 ~할 수 없다. 如之何: 이것을 어떻게 하겠는가. 矣: 也보다 어세가 강한 종결사.

〈풀이〉 비록 잘한 것이 있다 하더라도 또한 그것을 어떻게 할 것인가?

此謂國不以利爲利　以義爲利也(차위국불이이위이　이의위이야) ⇨ 此: 이래서. 謂: 말하다.

〈풀이〉 이리하여 나라는 이로써 이로움을 삼을 것이 아니고 의로써 이로움을 삼을 것이라고 말하는 것이다.

大學章句 序

1 大學之書 古之大學所以敎人之法也

〈풀이〉 대학이라는 책은 옛날의 대학에서 사람을 가르치는 바의 법이다(법을 다룬 것이다).

大學之書(대학지서) ⇨ 大學之는 書의 수식구.

古之大學所以敎人之法也(고지대학소이교인지법야) ⇨ 古之: 옛날의. 之는 후치사로 수식어를 만든다. 大學: 대학에서. 所以: ~하는바, 까닭. 敎人: 사람을 가르치다. 之: 후치사로 수식어를 만든다. 所以敎人이 法을 수식하게 한다. 也: 종결사.

2 盖自天降生民 則旣莫不與之以仁義禮智之性矣 然其氣質之稟 或不能齊 是以不能皆有以知其性之所有而全之也 一有聰明睿智能盡其性者 出於其間 則天必命之 以

爲億兆之君師 使之治而 敎之 以復其性

〈풀이〉 대저 하늘이 창생을 내림으로부터 곧 이미 창생에게 인·의·예·지의 본
성을 주지 않은 것이 없다. 그러나 그 기질의 바탕이 혹 같을 수는 없다
(같지 않을 수도 있다). 이로써 그 천성의 가진 바를 앎으로써 누구나가
그것을 온전히 가질 수는 없다(가진다고 할 수는 없다). 총명하고 슬기
가 뛰어나 그 천성을 다할 수 있는 자가 하나라도 있어서 그 사이에 나
오면(나타나면) 곧 하늘은 반드시 이에게 명하여 억조창생의 임금과 스
승으로 삼음으로써 이로 하여금 다스리게 하고 가르치게 하여 써 그 천
성을 회복하게 할 것이다.

盖自天降生民(개자천강생민) ⇨ 盖(蓋가 본자): 발어사로 무릇, 대저.
自: ~부터. 天降: 하늘이 내려주다. 하늘이 내린다. 生民: 백성, 창생.
〈풀이〉 대저(무릇) 하늘이 백성(창생)을 내림으로부터

則旣莫不與之以仁義禮智之性矣(칙기막불여지이인의예지지성의) ⇨
則: 곧, 즉. 旣: 이미, 원래. 莫: 없다, 말다. 莫不: 이중부정으로 '~하여
도 ~하는 일은 없다'의 뜻. 與: 주다. 之: 백성을 가리키는 가시대명사.
性: 본성. 뒤의 之는 후치사로서 性을 꾸미는 수식어의 구실을 함.
矣: 也보다 강한 종결사.
〈풀이〉 곧 이미 창생에게 인·의·예·지의 본성을 주지 않은 것이 없다.

然其氣質之稟 或不能齊(연기기질지품 혹불능제) ⇨ 然: 그러나, 그렇기
는 하나. 其: 그. 氣質之: 이것은. 稟을 꾸미는 수식구. 之는 '의'. 稟:
바탕, 천부의 성질. 或: 혹. 不能: ~할 수 없다. 齊: 같다, 같게 하다.
〈풀이〉 그러나 그 기질의 바탕이 혹 같을 수는 없다.

是以不能皆有以知其性之所有 而全之也(시이불능개유이지기성지소유

이전지야) ⇨ 是以: 이로써. 不能: ~할 수 없다. 皆: 모두, 다. 有: 가지다. 以知: 앎으로써. 其性之: 그 천성의. 之는 '의'. 所有: 가진 바. 所는 수식어를 그 뒤에 가지는 불완전명사. 而: 순접의 접속사. 全之: 之는 가시대명사로서 性을 받는다. 뜻은 그 성을 모두.

〈풀이〉 이로써 그 천성의 가진 바를 앎으로써 모두가(누구나 다) 그것을 온전히
　　　　 가질 수는 없다.

一有聰明睿智能盡其性者 出於其間則天必命之(일유총명예지능진기성
자 출어기간즉천필명지) ⇨ 一: 하나라도. 有: 있다. 聰明: 총명하다.
睿智: 예지하다. 能盡: 다할 수 있다. 其性: 그 성(천성)을. 者: 자.
사람. 出: 나오다. 於: 전치사로서 시간, 장소를 나타냄. 則: 즉, 곧.
天: 하늘은. 必: 반드시. 命: 명하다. 之: 이에게. 之는 뜻없는 후치사
로도 볼 수 있으나, 여기서는 가시대명사로 보기로 한다.

〈풀이〉 총명하고 슬기가 뛰어나 그 천성을 다할 수 있는 자가 하나라도 있어서
　　　　 그 사이에 나오면 곧 하늘은 반드시 이에게 명하여

以爲億兆之君師(이위억조지군사) ⇨ 以: ~으로써. 爲: 만들다. 以爲: 삼
음으로써. 億兆之: 억조창생의 君師: 임금과 스승.

〈풀이〉 억조창생의 군사를 삼음으로써

使之治而敎之以復其性(사지치이교지이복기성) ⇨ 使: 사역동사. '~로
하여금 ~하게 하다'. 之: 이로. 治: 다스리다. 而: 순접의 접속사. 敎:
가르치다. 之: 이로. 以: 으로써(후치사). 其: 그. 性: 천성. 復: 회복하
다, 돌아가다.

〈풀이〉 이로 하여금 다스리게 하고 이로 하여금 가르치게 함으로써 그 천성을
　　　　 회복하게 할 것이다.

3 此伏羲神農黄帝堯舜所以繼天立極 而司徒之職典樂之
官所由設也

〈풀이〉 이것이 복희·신농·황제·요임금·순임금 등이 하늘의 뜻을 이음으로써
극을 세우고 사도의 직책과 전악의 관직을 만든 까닭인 바이다.

此伏羲神農黄帝堯舜所以繼天立極(차복희신농황제요순소이계천입극)
⇨ 此: 이것(여기서는 주어). 伏羲: 상고시대의 제왕. 삼황 중의 한
사람으로서 백성에게 어렵, 농경, 목축을 가르쳤으며 처음으로 팔괘
와 문자를 만들었다 함. 神農: 중국 고전설 중의 제왕. 성은 강(姜).
백성에게 농경을 가르쳤으며 시장을 개설하여 교역의 길을 열었다
함. 농업의 신. 의약의 신. 역(易)의 신. 불의 신으로 숭앙됨. 염제
신농씨. 黄帝: 五帝의 첫째 분으로 宮室을 짓고 文字를 만들었으며
악률을 만들고 의, 수(數) 등 중국의 문물제도를 크게 만든 제왕. 堯:
요임금. 舜: 순임금. 所: 수식어를 뒤에 가지는 불완전명사. 以: ~으로
써. 繼天: 하늘을 잇다. 立: 세우다. 極: 도덕의 근본.
〈풀이〉 이것이 복희·신농·항제·요임금·순임금 등의 임금들이 하늘의 뜻을 이음
으로써 극(도덕의 근본)을 세우다.

而司徒之職典樂之官所由設也(이사도지직전악지관소유설야) ⇨ 而:
순접의 접속사. 司徒: 백성을 교화하는 직책을 맡은 사람. 之: ~의.
職: 직책. 典樂: 음악을 관장하는 사람. 所: 수식어를 뒤에 가지는
불완전명사. 由: 까닭. 設: 만들다. 也: 종결사.
〈풀이〉 그리고 사도의 직책과 전악의 관직을 만든 까닭인 바이다.

4 三代之隆 其法寖備 然後王宮國都以及閭巷 莫不育學

〈풀이〉삼대의 융성은 그 대학의 제도를 차츰 갖추어지게 한 연후에 왕궁, 국도
와 함께 민간에 이르러 대학을 육성하지 않는 데가 없었다.

三代之隆其法寖備(삼대지융기법침비) ⇨ 三代: 하(夏)·은(慇)·주(周)의
삼대. 之: 후치사로 '의'. 隆: 성대함, 융성. 其法: 그 제도, 즉 대학의
제도. 寖備: 차츰 갖추어지다. 寖: 점차. 備: 갖추어지다.
〈풀이〉삼대의 융성은 대학의 제도를 점차 갖추어지게 하였다.

然後王宮國都以及閭巷(연후왕궁국도이급려항) ⇨ 然後: 연후에. 國都:
한 나라의 서울. 閭巷: 마을, 민간. 以: 함께. 及: 이르다.
〈풀이〉연후에 한 나라의 왕궁과 국도 함께 민간에 이르러

莫不育學(막불유학) ⇨ 莫不: 이중부정으로 '~하지 않는 것이 없다'. 育:
양성하다. 學: '대학'을 말함.
〈풀이〉대학을 육성하지 않은 데가 없었다.

5 人生八歲則自王公以下至於庶人之子弟 皆入小學 而教
之以灑掃應對進退之節禮樂射御書數之文

〈풀이〉인생 팔세에 곧 왕공으로부터 이하 서민의 자제에 이르기까지 모두 소
학에 들어가서 이들에게 쇄소·응대·진퇴의 절도와 예법, 음악, 활쏘기,
말타기, 글쓰기, 수학의 글로써 이를 가르쳤다(가르치게 하였다).

人生八歲則自王公以下至於庶人之子弟(인생팔세즉자왕공이하지어서

인지자제) ➡ 則: 즉. 自~至: ~부터 ~이르기까지. 於: 소의 전치사.
庶人之子弟: 서민의 자제. 以下: 이하.

〈풀이〉 인생 팔세에, 즉 왕공이하 서민의 자제에 이르기까지

皆入小學(개입소학)

〈풀이〉 모두 소학에 들어가

而敎之以灑掃應對進退之節 禮樂射御書數之文(이교지이쇄소응대진퇴
지절 예악사어서수지문) ➡ 而: 순접의 접속사. 문장과 문장을 이어
줌. 敎之: 이들을 가르치다. 灑掃: 물을 뿌리고 먼지를 씀. 灑: 물을
뿌리다. 청소하다. 掃: 쓸다. 소제하다. 應: 당하다, 응하다. 對: 마주보
다, 응답하다. 應對: 응접. 進退: 나아감과 물러감. 벼슬을 함과 벼슬
을 물러남. 거취. 之: 후치사로 '의'. 節: 절도, 알맞음. 禮: 예법. 樂:
음악. 射: 활쏘기. 御: 말타기 書: 글쓰기. 數: 수학. 之: 후치사로
'의'. 文: 글. 以: 으로써. 敎之: 이를 가르쳤다. 敎: 가르치다, 알게
하다.

〈풀이〉 쇄소·응대·진퇴의 절도와 예법, 음악, 활쏘기, 말타기, 글쓰기, 수학의
글로써 이를 가르쳤다.

6 及其十有五年 則自天子之元子衆子 以至公卿大夫元士
之適子 與凡民之俊秀 皆入大衆 而敎之以窮理正心修
己治人之道 此又學校之敎大小之節所以分也

〈풀이〉 그들이 십오 세에 이르면 곧 천자의 맏아들과 여러 아들로부터 같이 공
경, 대부, 원사의 적자에 이르기까지 함께(더불어) 무릇 민중의 준수까
지 모두 대학에 들어가 궁리, 정심, 수신치인의 도로써 이들을 가르쳤

다. 이것이 또한 학교의 가르침의 크고 작은 절차를 갈라지게 한 까닭이다.

及其十有五年(급기십유오년) ⇨ 及: 이르다. 其: 앞 글에 나오는 명사를 받아서 그 명사 대신에 쓰이는 대명사. 고대용 대명사로 여기서는 왕공과 설민의 자제를 가리킴. 고로 '그들'이 된다.

〈풀이〉 그들이 십오 세에 이르면

則自天子之元子衆子(즉자천자지원자중자) ⇨ 則: 문장과 문장을 잇는 접속사. 自~至: ~부터 ~에 이르기까지 衆子: 여러(뭇) 아들. 元子: 맏아들.

〈풀이〉 곧(즉) 천자의 맏아들과 여러 아들로부터

以至公卿大夫元士之適子(이지공경대부원사지적자) ⇨ 以: 함께. 다같이. 公卿: 삼경과 구경, 고위 고관. 大夫: 주나라 때의 벼슬 지위. 士의 위이며 卿의 아래임. 벼슬자리에 있는 사람. 元士: 벼슬이름. 주대(周代)의 상사. 적사(敵士)라고도 함. 適子: 맏아들.

〈풀이〉 함께 공경, 대부, 원사의 맏아들에 이르러(이르기까지)

與凡民之俊秀皆入大學(여범민지준수개입대학) ⇨ 與: ~과 함께, 더불어. 凡: 무릇. 民之: 백성의 俊秀: 재주와 슬기가 뛰어난 사람.

〈풀이〉 함께 무릇 민중(백성)의 준수까지 모두 대학에 들어가

而教之以窮理正心修己治人之道(이교지이궁리정심수기치인지도) ⇨ 而: 순접의 접속사. 敎之: 이들을 가르치다. 之: 가시대명사로 앞에 나온 사람들을 가리킨다, 또는 후치사로서 敎 밑에 쓰여 어조를 고른다고도 볼 수 있다. 以: ~로써. 窮理: 사기를 깊이 연구함. 正心: 바른 마음(誠意正心과 같은 뜻). 修己治人: 대학의 修身으로부터 平天下를 요약한 말. 之道: ~의 도.

〈풀이〉 궁리, 정심, 수신치인의 도로써 이들을 가르쳤다.

此又學校之敎大小之節所以分也(차우학교지교대소지절소이분야) ⇨ 此: 이것은. 又: 또. 學校之敎: 학교의 가르침(의). 大小之節: 大小之는 節을 꾸미는 수식구. 뜻은 크고 작은. 之: ~의. 節: 단락, 절차. 所以: 까닭. 分: 갈라지다, 나누이다. 也: 종결사.

〈풀이〉 이것이 또한 학교의 가르침의 크고 작은 절차를 갈라지게 한 까닭이다.

7 夫以學校之設 其廣如此 敎之之術 其次第節目之詳又如此

〈풀이〉 무릇 학교를 세움으로써 그 넓이가 이와 같았으며 이들을 가르치는 방법, 그 차례 조목의 상세함이 또 이와 같았다.

夫以學校之設 其廣如此(부이학교지설 기광여차) ⇨ 夫: 대저. 以: ~으로써(전치사). 之: 후치사로 '~을'. 其: 그. 廣: 넓이. 如: ~와 같다. 此: 이.

〈풀이〉 무릇 학교를 세움으로써 그 넓이가 이와 같았으며

敎之之術其次第節目之詳又如此(교지지술기차제절목지상우여차) ⇨ 敎之: 之는 가시대명사로 앞에 나온 명사를 받은 고로 敎之는 '이들을 가르치다'. 뒤의 之는 후치사로 '~의'. 術: 방법, 수단. 敎之之術: 이들을 가르치는 방법. 其: 그. 次第: 순서, 차례. 節目: 조목, 세목. 之: 후치사로 '의'. 詳: 상세함. 又: 또.

〈풀이〉 이들을 가르치는 방법, 그 차례(순서) 조목의 상세함이 또 이와 같았다.

8 而其所以爲教 則又皆本之人君躬行心得之餘 不待求之 民生日用彝倫之外

〈풀이〉 그러나 그 교육으로 삼는 바는 곧 또 모든 근본은 임금이 몸소 마음에
　　　얻은 나머지여서 민생이 날마다 쓰는 불변의 인륜(늘 지켜야 할 도리)
　　　밖에서 그것을 구하기를 기대할 수 없다.

而其所以爲教(이기소이위교) ⇨ 而: 그러나(역접의 접속사). 其: 그. 所
以: 하는바, 까닭. 爲教: 교육으로 하는(삼는).

〈풀이〉 그러나 그 교육으로 삼는 바는.

則又皆本之人君躬行心得之餘(즉우개본지인군궁행심득지여) ⇨ 則:
문장과 문장을 잇는 접속사. '즉, 곧'. 又: 또. 皆: 모든. 本: 근본으로
삼다. 之: 후치사로 '이'. 人君: 임금. 躬行: 몸소 행함. 心得: 마음이
얻은, 마음에 얻은. 之: 후치사로 '~의'. 餘: 나머지.

〈풀이〉 곧 또 모든 근본(으로 삼은 것)은 임금이 몸소 행하여 마음이(에) 얻은
　　　나머지여서

不待求之民生日用彝倫之外(불대구지민생일용이륜지외) ⇨ 不待: 기대
하지 아니하다. 求之: 그것을 구하다. 또는 之는 동사 밑에 오는 후치
사로 보고 그저 '구하다'로 볼 수 있으나 여기서는 전자를 취한다.
日用: 날마다 쓴다. 彝倫: 불변의 인륜. 사람으로서 지켜야 할 도리.
彝(이): 떳떳하다. 外: 밖. 之: '의' 후치사.

〈풀이〉 민생이 날마다 쓰는 불변의 인륜(도리) 밖에서 그것을 구하기를 기대하지
　　　않는다.

82

❾ 是以 當世之人 無不學 其學焉者 無不有以知其性分之
所固有 職分之所當爲 而各俛焉以盡其力 此古昔盛時
所以治隆於上 俗美於下 而非後世之所能及也

〈풀이〉 이로써 당세의 사람은 배우지 않은 사람이 없었고 그 배운 자는 그 본
성의 고유한 바와 직분의 마땅히 하여야 할 바를 앎으로써 각각 부지런
히 힘써서 그 역량을 다하지 않은 이가 없었다. 이것이 옛날 성시에 위
에서는 융성히 다스리고 아래에서는 풍속이 아름다웠던 까닭이니 후세
의 능히 미칠 수 있는 바가 아니다.

是以 當世之人 無不學 其學焉者(시이 당세지인 무불학 기학언자) ⇨
是以: 이로써. 當世之人: 당세의 사람들은. 無不學: 배우지 아니하는
사람이 없었고. 無不: 이중부정으로 긍정의 뜻을 나타낸다. 無不學은
배우지 않는 사람이 없었다. 즉 모든 사람이 다 배웠다는 뜻이다.
其: 그. 學焉者: 焉: 어세를 강하게 하기 위하여. 구(句) 중에 쓰이는
일이 있다. 고로 學者를 강하게 나타내기 위하여 學焉者로 한 것이다.
뜻은 '배운자'.
〈풀이〉 이로써 당세 사람은 배우지 않은 사람이 없었고 그 배운 자는

無不有以知其性分之所固有 職分之所當爲 而各俛焉以盡其力(무불유
이지기성분지소고유 직분지소당위 이각면언이진기력) ⇨ 無不有: 있
지 아니한 사람이 없었다. 이 구절은 맨 끝의 而各俛焉以盡其力까지
걸린다. 以知: 앎으로써, 즉 알아서. 其: 그. 性分: 타고난 성질, 즉
본성. 之: 후치사로 '의'. 所: ~하는 바. 固有: 본디부터 가지고 있는,
고유한 것. 職分之所當爲: 직분의 마땅히 하여야 할 바. 而: 순접의
접속사. 各: 각각. 俛: 힘쓰다. 焉: 강세의 종결사. 俛焉: 부지런히

힘쓰다. 以: 으로써. 盡其力: 그 힘(역량을) 다하다.

〈풀이〉그 본성의 고유한 바와 직분이 마땅히 하여야 할 바를 앎으로써 각각 부지런히 힘써서 그 역량을 다하지 않는 이가 없었다.

此古昔盛時 所以治隆於上 俗美於下(차고석성시 소이치륭어상 속미어하) ⇨ 此: 이것이 古昔: 옛날. 盛時: 왕성한 때. 所以: 까닭. 그 뒤의 모든 구절의 수식을 받는다. 곧 '~한 까닭이니'. 治: 다스리다. 隆: 융성. 於上: 위에서는. 於는 전치사로 위치를 나타냄. 俗: 풍속. 於下: 아래에서는.

〈풀이〉이것이 옛날 성시에 위에서는 융성하게 다스리고 아래에서는 풍속이 아름다웠던 까닭이니

而非後世之所能及也(이비후세지소능급야) ⇨ 而: 순접의 접속사. 非: 아니다. 명사를 부정함. 後世之: 후세의. 之는 후치사로 '의'. 所: 수식어를 뒤에 가지는 불완전명사. 能及: 능히 미치다. 也: 종결사.

〈풀이〉후세의 능히 미칠 수 있는 바가 아니다.

10 及周之衰 賢聖之君不作 學校之政不修 敎化陵夷 風俗頹敗 時則有若孔子之聖 而不得君師之位以行其政敎 於是獨取先生之法 誦而傳之 以詔後世

〈풀이〉주나라의 쇠퇴기에 이르러서는 현성한 임금도 일어나지 아니하고 학교의 구실도 잘 다스려지지 않아서, 교화가 차차 쇠퇴하여지고 풍속이 퇴패하였다. 그때에 곧 공자와 같은 성인이 있었으나 군사의 지위를 얻음으로써(얻어가지고) 그 정치와 교육을 행하지 못하였다. 이에 홀로 선황의 법도를 취하여 그것을 입으로 말하여 전함으로써 후세에 알렸다.

及周之衰 賢聖之君不作 學校之政不修(급주지쇠 현성지군불작 학교지
정불수) ⇨ 及: 이르다, 미치다. 周之衰: 주나라의 쇠태(기)에. 賢聖之
君: 현성한 임금. 不作: 일어나지 아니하다. 作: 일어나다. 學校之政:
학교의 구실도(다스림도). 不修: 잘 처리되지 아니하다. 잘 다스려지
지도 아니하다. 修: 다스리다, 잘 처리하다.

〈풀이〉주나라의 쇠태기에 이르러서는 현성한 임금도 일어나지 아니하고 학교의
구실도(다스림)도 잘 처리되지 않았으니

敎化陵夷 風俗頹敗(교화릉이 풍속퇴패) ⇨ 陵夷: 사물이 차차 쇠퇴하여
지다. 頹敗: 쇠퇴하여 무너짐. 퇴패. 頹: 무너지다, 쇠하다.

〈풀이〉교화가 차차 쇠퇴하여지고 풍속이 퇴패하였다.

時則有若孔子之聖(시칙유약공자지성) ⇨ 時: 그때에. 則: 곧. 有: 주어.
聖을 뒤에 가지는 특별동사. 若: ~와 같다. 若孔子之는 聖을 수식하는
구(句). 聖: 성인.

〈풀이〉그때에 곧 공자와 같은 성인이 있었으나

而不得君師之位以行其政敎(이불득군사지위이행기정교) ⇨ 而: 역접
의 구실을 하며 문장과 문장을 잇는 첨가의 접속사. '그러나'. 不:
行을 부정한다. 得: 얻다. 君師之位: 군사의 지위. 以: 써. 其: 그. 政:
정치. 敎: 교육.

〈풀이〉군사의 지위를 얻음으로써 그 정치와 교육을 행하지 못하였다.

於是獨取先生之法 誦而傳之 以詔後世(어시독취선생지법 송이전지 이
조후세) ⇨ 於是: 이에 있어서. 獨: 홀로. 取: 취하다. 先生之法: 선왕
의 법도(法: 법도). 誦: 입으로 말하다. 외우다. 而: 순접의 접속사.
傳: 전하다. 之: 가시대명사로 '그것을'로 誦과 전(傳)에 다 걸린다.
以: ~으로써 誦而傳之에 걸림. 詔: 알리다, 가르치다. 가르쳐 알리다.

〈풀이〉이에 홀로 선황의 법도를 취하여 그것을 입으로 말하여 전함으로써 후세

에 알리었다.

11 若曲禮少儀內則弟子職諸篇 固小學之支流餘裔 而此篇者 則因小學之成功 以著大學之明法 外有以極其規模之大 而內有以盡其節目之詳者也

〈풀이〉 곡례·소의·내즉·제자직 등 여러 편과 같은 것은 본디부터 소학의 지류와 말류와 같은 것이고, 이 편은 곧 소학의 성공으로 인하여서 대학의 밝은 법도를 밝힌 것이니 밖으로 지극히 그 규모의 장대함을 가지고 있으면서 안으로는 그 절목의 상세함을 모두 가지고 있다.

若曲禮少儀內則弟子職諸篇(약곡례소의내즉제자직제편) ⇨ 若: 같다. 曲禮: 吉·凶·賓·軍·嘉의 五禮의 기거동작, 진퇴, 교제 등을 기술한 예기의 편명. 少儀: 相見, 음식, 잔치 등의 응대를 기술한 예기의 편명. 內則: 집안에서의 예법을 기술한 예기의 편명. 弟子職: 지금은 관자의 한 편으로 전하는데 漢書 藝文志에 따르면 본래 孝經에 붙어 있었다. 제자가 스승을 섬기는 예를 다룬 편명. 諸篇: 여러 편.
〈풀이〉 곡례·소의·내즉·제자직 등 여러 편과 같은 (것은)

固小學之支流餘裔(고소학지지류여예) ⇨ 固: 본디부터 小學之支流: 소학의 지류(와). 餘裔: 말류(혈통의 끝, 자손, 하류, 낮은 지위).
〈풀이〉 본디부터 소학의 지류와 말류와 같은 것이고

而此篇者則因小學之成功(이차편자즉인소학지성공) ⇨ 而: 문장과 문장을 이어주는 첨가의 접속사. 此篇者: 이 편은. 者: 어세를 강하게 하기 위한 후치사 또는 명사를 주어로 만드는 전성후치사. 則: 곧.

因: 말미암아, 인하여.

〈풀이〉이 편은 곧 소학의 성공으로 인하여('이 편'은 '大學'을 가리킴)

以著大學之明法(이저대학지명법) ⇨ 以: ~으로써. 著: 밝히다. 大學之
明法: 대학의 밝은 법도.

〈풀이〉써 대학의 밝은 법도를 밝힌 것이니

外有以極其規模之大(외유이극기규모지대) ⇨ 外: 밖으로는. 有: 있다.
전치사로 '가지다'. 極: 지극히. 其規模之: 그 규모의. 大: 크다, 장대하다.

〈풀이〉밖으로 지극히 그 규모의 장대함을 가지고 있으며

而內有以盡其節目之詳者也(이내유이진기절목지상자야) ⇨ 而: 문장
과 문장을 있는 첨가의 접속사. 內: 안으로, 앞. 外의 대(對). 以盡:
모두로써. 盡: 모두, 다. 其節目之: 그 절목의. 節目: 세목, 조목. 詳者:
상세함을. 者: 어세를 강하게 하는 후치사. 也: 종결사.

〈풀이〉안으로는 그 절목의 자세(상세)함을 다(모두) 가지고 있다.

12 三千之徒 蓋莫不聞其說 而曾氏之傳 獨得其宗 於是作
爲傳義 以發其意 及孟子沒 而其傳泯焉 則其書雖存 而
知者鮮矣

〈풀이〉삼천의 무리(문하생의 무리)가 대개 그 설명을 듣지 아니한 이가 없었으
나 증자의 전만이 홀로 그 정통(근본)을 이루었다. 이에 뜻의 해설을 지
음으로써 그 뜻을 들어내었다. 맹자가 돌아가심에 이르러 그 전승이 없
어진즉 그 책이 비록 있기는 하나, 아는 사람이 드물었다.

三千之徒 蓋莫不聞其說(삼천지도 개막불문기설) ⇨ 三千之徒: 무리.

蓋: 대개. 莫不: 이중부정으로 '~하지 않는 ~이 없다'. 聞: 듣다. 其說: 그 설명.

〈풀이〉삼천의 무리가 대개 그 설명을 듣지 아니한 이가 없었으나

而曾氏之傳獨得其宗(이증씨지전독득기종) ⇨ 而: 역접의 뜻으로 문장과 문장을 잇는 첨가의 접속사. 曾氏之傳: 曾氏. 증자. 이름은 삼(參), 자는 자여(子輿). 공자 학문의 정통을 이었다 하여 宗聖曾子라고 함. 之: '의'. 傳: 경문을 해석한 것. 獨: 홀로. 宗: 근본, 정통. 得: 이루다, 성취하다.

〈풀이〉증자의 전만이 홀로 그 정통(근본)을 이루었다.

於是作爲傳義以發其意(어시작위전의이발기의) ⇨ 於是: 이에. 作爲: 지음, 만듦. 傳義: 뜻을 해석한. 以: 전성후치사로서 '~으로써'. 發: 들어내다. 其意: 그 뜻, 공자의 뜻.

〈풀이〉이에 뜻의 해설을 지음으로써 그 뜻(공자의 뜻)을 들어내었다.

及孟子沒而其傳泯焉(급맹자몰이기전민언) ⇨ 及: 이르다. 沒: 돌아가시다. 而: 문장과 문장을 잇는 접속사로 역접의 첨가를 나타낸다. 傳: 전하여 이어짐. 즉 전승. 泯: 없어지다. 焉: 단정의 종결사.

〈풀이〉맹자의 돌아가심에 이르러 그 전승이 없어졌다.

則其書雖存而知者鮮矣(즉기서수존이지자선의) ⇨ 則: 곧, 즉. 雖: 비록. 存: 있다. 而: 문장과 문장을 잇는 첨가의 접속사. 鮮: 드물다. 矣: 단정의 종결사.

〈풀이〉즉 그 책이 비록 있기는 하나 아는 사람은 드물었다.

13 自是以來俗儒記誦詞章之習 其功倍於小學而無用 異端
虛無寂滅之敎 其高過於大學而無實

〈풀이〉 이로부터 이래로 속된 유생이 경전을 외우고 시문을 짓고 하는 습관은
그 공적은 소학에서보다 배였으나 소용이 없었고 유교에 반하는 도교나
불교의 가르침은 그 뛰어남이 대학보다 우월하였으나 실속이 없었다.

自是以來俗儒記誦詞章之習(자시이래속유기송사장지습) ⇨ 自是: 이로
부터. 自: ~으로부터. 以來: 이래. 俗儒: 속된 선비(유생). 記誦: 경전
을 많이 암기하는 것. 詞章: 시문(을 짓다). 習: 습관.
〈풀이〉 이로부터 이래로 속된 유생이 경전을 외우고 시문을 짓고 하는 습관은

其功倍於小學而無用(기공배어소학이무용) ⇨ 其功: 그 공적(보람). 倍:
배. 於: 비교를 나타내는 전치사. '에서보다'. 而: 역접의 접속사. 無用:
쓸데없다, 소용이 없다. 無: 주어를 뒤에 가지는 특수형용사.
〈풀이〉 그 공적(보람)은 소학에서보다 배였으나 소용이 없었다.

異端虛無寂滅之敎(이단허무적멸지교) ⇨ 異端: 유교에 반하는 도. 虛
無: 김학주 교수는 도교라 함. 寂滅: 불교(에서 번뇌의 경지를 벗어나
생사의 환루를 끊음).
〈풀이〉 유고에 반하는 도교나 불교의 가르침은

其高過於大學而無實(기고과어대학이무실) ⇨ 高: 속되지 아니함, 뛰어
남. 過: 우월한. 於: 비교의 전치사. '~에서 보다, 보다'. 而: 역접의
접속사 '그러나'. 無: 주어를 뒤에 가지는 특수형용사. 實: 실속.
〈풀이〉 그 뛰어남이 대학보다 우월하나 실속이 없다.

14 其他權謀術數一切以就功名之設 與夫百家衆技之流 所
以惑世誣民充塞仁義者 又紛然雜出乎其間

〈풀이〉기타 권모술수인 일체의 공적과 명예를 성취하려는 설과 함께 더불어
　　　대저 많은 학자와 여러 가지 재주로 살아가는 유파들은 소이 세상을 현
　　　혹케 하고 백성을 속여 인의를 막는다는 것은 또 그 사이에서 여러 군
　　　데 뒤섞여 나와

其他權謀術數一切以就功名之設(기타권모술수일체이취공명지설) ➩
　　一切: 일체의. 就: 이루다, 성취하다. 功名: 공적과 명예. 之: 후치사로
　　'의'. 設: 의견, 해석, 진술, 학설. 就~之까지는 設을 꾸미는 수식구.
　　以: ~와 함께(전치사).
　　〈풀이〉기타 권모술수인 일체의 공적과 명예를 성취하려는 설과 함께
與夫百家衆技之流(여부백가중기지류) ➩ 與: 주종관계를 나타내는 접
　　속사. 앞에 구가 주가 되고 與 밑의 구는 종(從)이 된다. '더불어, 함께'.
　　夫: 발어사로 '대저'. 百家: 많은 학자, 유가의 정통 이외에 일가의
　　설을 세운 많은 사람들. 衆技: 여러 가지 기술로 살아가는 사람. 之:
　　후치사로서 '의'. 流: 무리, 분파, 유파.
　　〈풀이〉더불어 대저 많은 학자와 여러 가지 재주로 살아가는 유파들은
所以惑世誣民充塞仁義者(소이혹세무민충색인의자) ➩ 惑世: 세상을
　　현혹하게 함. 誣民: 백성을 속이다. 充塞: 가득 채워 막음. 者: 전성후
　　치사로 사물을 나타내면서 앞말을 주어로 만든다.
　　〈풀이〉소이 세상을 현혹케하고 백성들을 속여 인의를 막는다는 것은
又紛然雜出乎其間(우분연잡출호기간) ➩ 又: 또. 紛然: 어지러운 모양,
　　뒤섞인 모양. 雜出: 여러 군데에 나옴, 여러 군데에 게재함. 乎: 전치

사로 간접목적어 앞에서 장소를 나타냄. '~에서'. 其間: 그 사이.

〈풀이〉또 그 사이에서 여러 군데 뒤섞여 나와

15 使其君子 不幸而不得聞大道之要 其小人 不幸而不得 蒙至治之澤 晦盲否塞 反覆沈痼 以及五季之衰 而壞亂 極矣

〈풀이〉그 군자로 하여금 불행하게 하고서 대도의 요점을 얻어들을 수 없게 하였다. 그 소인들은 불행하여 이상적인 정치의 혜택을 입을 수가 없게 하였다. 어둡고 막혀서 고질이 되풀이되어서 오계의 쇠퇴에 이르러서는 파괴와 혼란이 극악한 상태였다(극악하였다).

使其君子不幸而不得聞大道之要(사기군자불행이부득문대도지요) ⇨ 使: 사역동사로 '~로 하여금 ~하게 하다'임. 끝까지 다 걸림. 而: 순접의 접속사로 첨가의 뜻 '그리고'를 나타냄. 不得聞: 不 부정사. 들을 수 없다. 得: 할 수 있다. 얻어 듣다. 大道之要: 대도의 요점. 要: 중요함.

〈풀이〉그 군자로 하여금 불행하게 하고서 대도의 요점을 얻어들을 수 없게 한다.

其小人不幸而不得蒙至治之澤(기소인불행이부득몽지치지택) ⇨ 而: 순접의 접속사. 蒙: 입다, 받다. 至治: 이상적으로 잘 다스려진 정치. 之: 후치사로 至治가 꾸미는 수식구로 만듦. 澤: 혜택.

〈풀이〉그 소인들은 불행하여 이상적인 정치의 혜택을 입을 수 없게 하였다.

晦盲否塞反覆沈痼 以及五季之衰 而壞亂極矣(회맹비색반복침고 이급 오계지쇠 이괴란극의) ⇨ 晦盲: 캄캄하다, 어둡다, 세상이 어리석어

캄캄하다. 否塞: 운수가 좋지 못하여 막힘, 불운함. 反覆: 되풀이하다
(되다). 沈痼: 고질(병). 以: 위의 구(句)를 받는 말. '~서'. 及: 미치다,
이르다. 五季之衰: 오계의 쇠퇴. 五季: 서기 907~959년 사이의 후량
(後梁), 후당(後唐), 후진(後晉), 후한(後漢), 후주(後周)의 오대를 말
함. 而: 순접의 접속사. 壞亂: 무너져 어지러워지다. 極: 극악. 矣:
종결사로 야(也)보다 어세가 강하다.

〈풀이〉 어둡고 막혀서 고질이 되풀이되어서 오계의 쇠퇴에 이르러서는 무너져

어지러워짐(파괴와 혼란)이 극악한 상태였다.

16 天運循環無往不復 宋德隆盛治敎休明 於是河南程氏兩 夫子出 而有以接乎孟氏之傳 實始尊信此篇而表章之 旣又爲之次期簡編發其歸趣

〈풀이〉 하늘의 운수는 순환하는 것이어서 갔다가 되돌아오지 않는 것이 없다.
송나라의 덕업이 융성하여 정치와 교육이 훌륭하고 밝아서 이에 하남에
정씨의 두 선생이 나오셔서(程顥와 程頤) 맹자의 도통을 계승하여 써
있으니 실로 처음으로 이 대학을 높이고 믿으면서 그것을 명백하게 밝
히어 나타내었다. 이미 또 대학을 위하여 그 간책의 순서를 정하여(바로
잡아) 그 뜻을 밝히었으니

天運循環無往不復(천운순환무왕불복) ⇨ 天運: 하늘의 운수. 循環: 순
환하다. 無: 주어를 뒤에 가지는 특수형용사로 그 뒤의 구절을 부정
함. 往: 가다. 不復: 되돌아오지 아니하다.
〈풀이〉 하늘의 운수는 순환하는 것이어서 갔다가 되돌아오지 아니하는 것이 없다.

宋德隆盛治教休明(송덕릉성치교휴명)⇨宋德: 송나라의 덕업. 治教: 정치와 교육이. 休明: 훌륭하고 밝다. 休: 훌륭하다.

〈풀이〉송나라의 덕업이 융성하여 정치와 교육이 훌륭하고 밝아서

於是河南程氏兩夫子出(어시하남정씨양부자출)⇨於是: 이에. 於: 장소의 전치사. 河南: 하남에. 程氏: 정씨의. 兩: 두. 夫子: 스승의 존칭, 곧 선생. 정호(호는 明道), 정이(호는 伊川)의 두 선생. 出: 나오다.

〈풀이〉이에 하남에 정씨의 두 선생님이 나오셔서

而有以接乎孟氏之傳(이유이접호맹씨지전)⇨而: 구(句)와 句를 잇는 첨가의 순접의 접속사. 以: 전치사로서 '~써'. 接: 계승하다. 乎: 직접 목적어 앞에 쓰이어 '~을'. 孟氏: 맹자의. 傳: 유가의 전통을 계승을 뜻함. 以: ~함께. 有: 가지고 있다.

〈풀이〉그리고 맹자의 도통을 계승하여 써 있으니

實始尊信此篇而表章之(실시존신차편이표장지)⇨實: 실로. 始: 처음(으로). 尊: 높이다. 信: 믿다. 此篇: 이 편, 곧 大學을 말함. 而: 순접의 접속사. 첨가의 뜻이 있다. 表: 명백히 하다. 章: 밝히다. 나타내다. 之: 대학을 받는 가시대명사.

〈풀이〉실로 처음으로 이 대학을 높이고 믿으면서 그것을 명백하게 밝히어 나타내었다.

旣又爲之次期簡編發其歸趣(기우위지차기간편발기귀취)⇨旣: 이미. 又: 또. 爲之: 이를 위하여. 之는 대학을 가리키는 가시대명사. 次: 순서를 정하여. 簡編: 책, 간책. 發: 밝히다. 歸趣: 뜻. 歸도 '뜻', 趣도 '뜻'이므로 '뜻'으로 풀었다.

〈풀이〉이미 또 대학을 위하여 그 간책의 순서를 정하여 그 뜻을 밝혔으니

17 然後古者大學教人之法　聖經賢傳之指　燦然復明於世
雖以熹之不敏　亦幸私淑而與有聞焉

〈풀이〉 이 뒤에 옛날 대학에서 사람을 가르치는 법과 성인의 경전과 현인의 전
　　　문의 뜻이 찬연히 세상에 다시 밝히었다. 비록 희가 불민하면서도 역시
　　　다행히 사숙하여서 함께 들은 바가 있다.

然後古者大學教人之法(연후고자대학교인지법) ⇨ 然後: 이후로. 古者:
옛날에. 者는 전성후치사로 古로 하여금 부사어를 만든다. 大學: 대학
에서. 敎人之: 이것은 法을 꾸미는 수식구.
〈풀이〉 이 뒤에 옛날 대학에서 사람을 가르치는 법과

聖經賢傳之指(성경현전지지) ⇨ 聖: 성인. 經: 경문. 賢: 현인의 전문.
之: 의. 指: 지취, 곧 뜻.
〈풀이〉 성인의 경문과 현인의 전문의 뜻이

燦然復明於世(찬연부명어세) ⇨ 燦然: 찬연하게. 復明: 다시 밝히다.
復: 다시. 於世: 세상에. 於: 장소의 전치사.
〈풀이〉 찬연히 세상에 다시 밝히었다.

雖以熹之不敏(수이희지불민) ⇨ 雖: 비록. 以: ~이면서도. 熹: 주희, 즉
주자. 之: 후치사로서 주격조사.
〈풀이〉 비록 희가 불민하면서도

亦幸私淑而與有聞焉(역행사숙이여유문언) ⇨ 亦: 역시. 幸: 다행히. 私
淑: 경문하는 사람에게 배우지 못하고 단지 그 사람을 본받아서 도나
학문을 닦음. 而: 순접의 접속사. 與: 함께. 有聞: 들은 바가 있다.
焉: 확인의 뜻의 종결사.
〈풀이〉 또한 다행히 사숙하여서 함께 들은 바가 있다.

18 顧其爲書猶頗放失 是以忘其固陋采而輯之 間亦竊附己 意補其闕略以俟後之君子

〈풀이〉 그 책의 됨됨이를 돌아보면 오히려 매우 방실되었다. 그래서 그 고루함
을 잊고 선택하여 그것을 모았으며 간간이 또 외람되게 나의 의견을 붙
여 그 빠뜨리고 간략한 것을 보충하였기 때문에 후의 군자를 기다린다.

顧其爲書猶頗放失(고기위서유파방실) ⇨ 顧: 돌아보다. 爲書: 책의 됨
됨이. 爲: 되다, 삼다. 猶: 오히려. 頗: 자못, 매우, 많이. 放: 방종하다,
방자하다. 失: 그르치다, 잃다. 放失: 방종하고 그르치다.

〈풀이〉 그 책의 됨됨이를 돌아보면 오히려 매우 방실되었다.

是以忘其固陋采而輯之(시이망기고루채이집지) ⇨ 是以: 이러하므로,
그래서. 固陋: 고루함. 采: 선택하다. 而: 순접의 접속사. 輯: 모으다.
之: 가시대명사로서 '그것'. 여기서는 목적격.

〈풀이〉 그래서 그 고루함을 잊고 선택하여 그것을 모았으며

間亦竊附己意 補其闕略 以俟後之君子(간역절부기의 보기궐략 이사후
지군자) ⇨ 間: 간간이. 亦: 또. 竊: 외람되이 ~을 하다. 附: 붙이다.
己意: 자아의 뜻. 己: 몸, 자기 몸, 자아. 補: 보충하다. 闕略: 간략하다.
以: 때문에. 俟: 기다리다. 後之: 君子를 꾸미는 수식구.

〈풀이〉 간간이 또 외람되게 나의 의견을 붙여 그 빠뜨리고 간략한 것을 보충하였
기 때문에 후의 군자를 기다린다.

19 極知僭踰 無所逃罪 然於國家化民成俗之意 學者修己
治人之方 則未必無所補云 淳熙己酉二月甲子 新安朱
熹序

〈풀이〉 분수에 넘침을 지극히 알면서 죄를 피할 바가 없으나, 나라와 백성을
교화하여 좋은 풍속을 이루는 뜻과 학자가 자기 몸을 닦고 백성을 다스
리는 방도에 있어서 작은 도움이 되는 바가 없다고는 도저히 말할 수
없을 것이다(없을 것으로 믿는다). 순희 기유 이월 갑자 신안 주희서

極知僭踰 無所逃罪(극지참유 무소도죄) ⇨ 極知: 지극히 알다. 僭踰: 분
수에 넘치다. 僭: 참람하다. 자기 신분에 넘치다. 逃: 피하다. 회피하
다. 罪: 죄.
〈풀이〉 분수에 넘침을 지극히 알면서 죄를 피할 바가 없으나

然於國家化民成俗之意(연어국가화민성속지의) ⇨ 然: 그러하다. 於: ~
에 있다. 이것은 문장의 끝에 걸린다. 國家: 국가와. 化民: 백성을
교화하다. 成俗: 풍속을 이루다. 之: 후치사로 '의'. 意: 뜻.
〈풀이〉 그러하지만, 나라와 백성을 교화하여 좋은 풍속을 이루는 뜻과

學者修己治人之方 則未必無小補云(학자수기치인지방 즉미필무소보
운) ⇨ 方: 방법, 방도. 未: 부정사. 아니다. 必: 반드시 그렇게 될 줄로
믿는다. 補: 도우다, 보조함. 小補: 작은 도움. 云: 말하다.
〈풀이〉 학자가 자기 몸을 닦고 백성을 다스리는 방도에 있어서 작은 도움이 되지
않는다고는 반드시 말할 수 없을 것이다.

淳熙己酉二月甲子 新安朱熹序(순희기유이월갑자 신안주희서) ⇨ 淳熙
己酉: 순희 16년으로 서기 1189년. 이때 주희의 나이 60세였다. 주희
는 1167년 38세 때부터 대학장구의 저술에 착수하여, 1175년 45세

때 대학장구와 대학 或問(어떤 이가 묻는다는 뜻으로 전문가에게 대답하는 체제로 자기의 의견을 기술하는 문체)의 초고가 거의 완성되었다. 그 뒤로 계속 손을 대어 순의 16년에야 서(序)를 쓰게 되었다. 신안(新安)은 주희의 성향(姓鄕)이다(김학주 교수의 『대학』, 441쪽에 의함).

〈풀이〉 순희 기유 이월 갑자 신안 주희서

2부 문법적으로 쉽게 풀어 쓴
중용

『중용(中庸)』의 해설

1. 내용의 개관

　『중용』의 권두는 "하늘이 명하는 것은 곧 성(性)이라고 한다"는 말로 시작된다. 이 '성'이란 인간의 본성으로서 "본성에 따라가는 것이 도리인데 이 도리를 벗어나지 않도록 인도하는 것이 교육이라고 한다". '성(性)', '도(道)', '교(敎)'의 셋을 인간 본성의 중심으로 삼고 그것을 하늘에서 주어진 것이라 한다. 인간의 하늘에의 귀속이 이에 의하여 분명해진다. 그러나 그것은 개인에 내재하는 도덕적 본성의 자각을 재촉하여 인간본성의 본질적인 동일성과 그 존엄성과를 보증한 것으로 볼 수 있다. 그것은 성선(性善) 이상의 귀결이며 유가의 도덕설을 체계적으로 정비한 것이었다.

　중용의 제1장은 '중(中)'과 '화(和)'가 풀이되어 있는데, "중화의 실천이 철저하면 천지도 자리잡고 만물도 자란다"고 결론짓고 있다. 이 '中'은 권두의 '천명의 성'과 일치함과 동시에 '중화(中和)'로써 뒤에 나오는 '중용(中庸)'과도 일치한다고 생각하고 있다. 그리고 그 실천의 궁극적인 성과는 인간세계의 질서를 바르게 할 뿐 아니라 자연세계에 존재하는 방도와 운행을 도와서 그 전체를 순조롭게 활동하게 한다고 한다. 인간의 도덕활동이 드디어 우주만물의 생활활동에도 크게 영향을 끼친다고 한다. 도덕은 '천명의 성'이라는 강한 기반을 이루어 전 세계를 움직이게 하는 큰 실천활동을 기대하게 하고 있다. 이 제1장은 전체의 총론에 해당되는데, 제2장 이하는 구체적 실천적인 각론이 된다. 주자의 '장구(章句)'가 북송의 정자(程子)의 말을 인용하여 이 책은 처음에는 일리(一理)에 대하여 말하고, 중간에서는 여러 가지 만사(萬事)에 대하여 말하고, 끝에 가서 '일리'가 된다고 한 것은 전체의 흐름을 아주 잘 풀이하고 있다. 처음의 '일리'는 총론의 '천명의 성'을 말한 것이며, 중간쯤의 '만사'란 제2장 이하의 각론에 해당한다. 그리고 마지막의 '일리'라고 하는 것은 후반에 나타나는 '성(誠)'을 말하는 것으로, 그것을 '천도(天道)'라 하여 처음의 '일리'인 '천명의 성'과 상응시키고 있다. 이것이 그 내용의 흐름이다. 그러면 중간쯤의 만사(萬事)란 무엇인가? 그 첫 번째로 말할 수 있는 것이 '중용(中庸)'이다. 그것은 공자의 말을 인용하여 검소한 일상적인 실천윤리로서 설명되어 있다. 제2장에서는 '천명(天命)'이나 '성(性)'과의 관계를 풀이한 것은 볼 수 없다. 그에 따라서 '도(道)'는 사람에게서 멀지 않다는 주지가 강조하여 일상생활에서의 '충서(忠恕)'에 관하여 설명되어 있음과 동시에 가정의 화합이 중시되어 '효(孝)'의 덕목이 강조되어 있다. '孝'는 일전하여 천자(天子)에 대한 효(孝)가 되어 제사의 의례를 통하여 국가의 통치에 도움이 된다고 한다. 거기에서 또 문제는 정치로 전개되어 "천하 국가를 다스리는데 구경(九經)이 있다" 하고 정치상의 9개의 원칙이 풀이된다. 그러나 그것도 또한 '수신(修身)'을 근본으로 하는 것이었다. 군신·부자·부부·형제·붕우의 다섯 달도(達道)와 그것을 실천하기 위한 기본이 되는 지(知)·인(仁)·용(勇)의 세 달덕(達德)이 풀이되어 '선(善)이 밝혀지고' '몸을 정성스레 하는 것'이 중심적인 목표라고 하면서, 결국 후반(後半)의 '성(誠)'의 철학으로 들어가게 되는 것으로 되어 있다.

후반의 '성(誠)'의 문제이다. '성(誠)'이라는 것은 하늘의 도리이다. 정성스레 하는 것은 사람이 지켜야 할 도리이다. '맹자'를 받아들인 것으로 보이는 이 말은 다음에서 풀이되는 '성(誠)'의 철학의 중요한 기초가 되어 있다. '성(誠)'이란 하늘의 작용 그 자체로서 그것이 일신의 행동에 스스로(자연스레) 나타나서 실행할 수 있는 일은 성인만이 할 수 있을 뿐이다. 그리고 그 '성'을 이 지상세계에 구체적으로 실현하여야 하는 것이 사람의 도리로서 일반인이 노력하여야 하는 것이라 한다. 성(誠)을 '하늘의 도리'라고 함에 의하여 그것은 절대적 궁극적인 규범성을 얻게 되어 '인륜의 도리'를 기초로 삼는 것이 되었다. 이것을 제1장에 대응시키면 거기서의 '천명의 본성'이야말로 '성(誠)'에 상당하는 것은 명백하다. 본성(本性)을 발휘하여 '중화(中和)에 이르는 것이' 천지만물의 작용도 도운다고 함과 같이 '성'의 작용도 '천지만물의 화육을 도와서' 사람을 천지(天地)와 나란히 존함하게 하는 것이 된다고 하였다. 『중용』 후반의 '성(誠)'에 대한 설명은 이리하여 최고 절대의 덕목으로서 우주 만물의 존재에게까지도 영향을 미치는 그 궁극적인 근원성(根源性)을 강조하여 '성'의 실현을 향한 사람들의 노력 정진을 강조하는 것이다. 그것은 '하늘의 도(天道)', '성인의 도'로서의 '지성'의 경지와 '사람의 도', '군자의 도'로서의 '이것을 성(誠)으로 하는' 실천과 번갈아드는 형태로써 풀이되어 있다. '하늘의 도(天道)'는 사람의 머리 위에 있어서 어디까지든지 높고, 지상(至上)에서 그 실현을 목표로 하는 '사람의 도'는 현실적인 것으로 진지한 정열에 넘쳐나고 있다. 그리하여 인간적인 노력의 최고의 목표, 즉 범인이라도 성인과 같은 성과를 이루어낼 수 있다는 말은 성(誠)에 대한 강조가 지상의 정신주의에도 관련되지마는 또한 정성을 다하는 아주 중요한 일일 것이다.

2. 성립과 전승

중용(中庸)도 대학(大學)과 같이 본래 『예기(禮記)』 49편 중에 편입되어 그 제31편으로서 전해 오던 것이다. 그 성립에 관하여는 대학과는 달리 분명한 전승이 있다. 그것은 공자의 손자인 공급(孔伋), 자는 자사(子思, B.C.483?~B.C.402?)의 작이라고 전하며, 『사기(史記)』 「공자세천(孔子世泉)」에서 분명히 말하고 있다. 『예기(禮記)』의 주(注)를 쓴 정현(鄭玄)도 그것을 인정하고 있으나 『한서(漢書)』 「예문지」에서는 한대(漢代)의 도서목록으로서 「子思子二十三篇」과 「中庸說」 한 편을 기록하고 있다. 그리고 다른 전승에서는 현재의 『예기』 중의 중용(中庸)·표기(表記)·방기(坊記)·시의(緇衣)의 네 편은 그 자사자(子思子)에서 채용한 것이라고 한다. '中庸'은 이러하여 옛날부터 자사(子思)의 작으로 존중되어 왔다. '中庸'은 일찍부터 많은 독자를 가지고 있다. 육조시대가 되어 남조(南朝)의 송나라에서 대옹(戴顒)의 『예기중용전』이 나와 있고 양(梁)나라 무제의 『중용 강소(講所)』가 만들어지는 등 특별한 해설이 된 것은 그 증거이다. 그리고 내용적인 본문의 인용도 행하여지게 되었으나 당말(唐末)에 이르러서는 한유(韓愈)의 문인인 이고(李翱, 772~841)가 나타나 사상적인 찬성을 보이게까지 하였다. 그는 『중용설』과 함께 『복성서(復性書)』를 저술하여 '易'과 '中庸'의 사상을 바탕으로 인간본성의 철학적 기초를 이룩하게 하였다. 『중용』은 내용면으로나 사상면으로 특별히 중요시되었으므로 주자(朱子)에 의하여 대성된 송학(宋學)의 선구였다. 송나라가 되어서는 『중용』의 주석은 많아졌다. 북송기의 것만 보아도 사마광(司馬光), 반조우(范祖禹), 소동파(蘇東坡), 정호(程顥) 이외에 저명한 사람들의 전문적인 저서는 열권 정도나 된다. 그것을 모아서 편집한 것이 남송의 석돈(石塾)의 『중용집해(中庸集解)』이지만은 주자(朱子)의 『중용장구(中庸章句)』는 그것을 능가하여 독자의 철학적 해석을 한 것이었다. 『중용』과 『대학』과의 '장구(章句)'가 완성됨에 의하여 사서를 중심으로 한 주자의 교학체계는 완성하였다. 그리고 『대학』이 '초학의 입문서'인 데 대하여 『중용』은 학문의 '본원 극치인 곳'을 서술한 가장 심원한 것으로서 '사서' 중 최후에 배워야 하는 것으로 생각하게 되었다. 주자의 해석에 따르면 '中庸'은 요(堯)에서 순(舜)으로, 순(舜)에서 우(禹)로 역대 성인이 차례차례 전승한 도(道)의 정통이다. 공자의 손자인 자사(子思)는 그 도(道)의 전통이 미약하게 될 것을 두려워하여 『중용』을 저술하여 그것을 '천명(天命)의 성(性)'에 대한 기본으로 하여 정일부잡(精一不雜)한 '성(誠)'에 의하여 해명하였다 한다. 더구나 권두의 '천명(天命)의 성(性)'이란 주자의 '이기(理氣)' 철학에서 그 체계의 중심이 되는 '이(理)' 그 자체이고 『중용』의 전체가 주자의 철학에 의하여 완전히 지배하는 것으로 되었다. '중용장구'도 주자 자신의 철학을 풀이하는 데 급급하였다. 그러나 그러한 것에 의하여 고대의 유학이 철학적으로 깊이를 더하여 새로운 생명을 불어넣은 것은 틀림없다. 신유학으로서의 주자학의 완성인 것이다. 그리하여 주자학의 유행에 따라서 그 해석은 널리 큰 영향을 미치게 되었다. 그러면 옛날부터의 전승대로『중용』은 자사(子思)의 저작으로 인정하여 좋겠는가 하는 점이다. 왜냐하면 여러 가지 문제가 있기 때문이다. 자사(子思)의 시대는 B.C. 5세기 후반으로 공자와 맹자의 중간에 해당되지만,『중용』의 내용은 과연 그것이 맞는지 의문이 가기 때문이다. 예를 들면 권두의 '천명(天命)의 성(性)' 문제인데, '천명(天命)'이란『논어』중의 공장의 말에도 나와 있다. 그러나 공자나 맹자에서는 외부에서 조여 들어오는 운명으로서의 뜻이 강한 데 반하여『중용』에서는 그것을 인간 본성으로서 내재적으로 다루는 입장으로 나아가고 있다. 또『중용』을 읽어 보면 제1장과 제2장의 설명에 차이가 있다. 제1장에서는 '천명(天命)의 성(性)'을 풀이하고 있는 데 대하여, 제2장에서는 '중니왈(仲尼曰)', '자왈(子曰)'이라 하여『중용』을 풀이한 공자의 말을 인용하고 있는 것으로 되어 있으면서, 그 뒤에 가서는 아무런 언급도 없다. '仲尼'로 시작하여 '子'로써 받는 형태는 같은『예기』「중니연거편(仲尼燕居篇)」 등의 권두에도 나온다.『중용』의 제2장도 본래는 권두에 있었던 것은 아닌가 하는 의문이 간다. 더구나 의심스러운 것은 제2장을 중심으로 풀이한『중용』은 후반이 되면 앞에서 보이지 않았던 '성(誠)'이 주제로 되어 있다는 사실이다. 물론 먼저 풀이한 것과 같이 이어서 통일적으로 해석하는 것은 가능하다, 과연 자사(子思) 자신이 처음부터 의도한 구성이었겠는가 생각해 보면 의문이 되지 않을 수 없다.

주자 뒤에 나온 송나라의 왕백(王栢)은 이 의문에 답하여『중용』

이분설(二分說)을 주장하였다. 즉『중용』을 풀이한 앞부분만이 자사(子思)의『중용』이고, 후반은 해설서로서『한서(漢書)』에 기록된 '중용설'에 해당하는 것으로 보고 있다. 앞에 든 천하통일 후에 성립된 것으로 보이는 일단(一段)은 이 '설명서'에 속하는 셈이 된다.

그렇다면 지금의『중용』이란 책의 성립사정은 다음과 같은 것이될 것이다. 먼저 자사(子思)로부터 전승되었다고 보아지는 본래의『중용』이 생겨나고 그것은 '중니왈(仲尼曰)', '자왈(子曰)'로 시작되는 지금의 제2장 이하의 소박하면서도 일상적인『중용』의 실천을 강조한 것이다. 역사적으로는 확실히 공자를 이어 맹자로 연결되는 자사(子思)와 맹자(孟子) 학파의 사상이었다. 그러나 전국시대를 통하여 여러 학자의 활동이 왕성하게 되니까 유학도 또 다른 학의 좋은 점을 따서 그 충실을 기할 필요가 생겼다. 전국말의 대성자(大成者)가 순자(荀子, B.C.298~B.C.238)였다. 더구나 진나라에 의한 통일이 되니까 사상계의 전체도 통합되기를 목표로 하여 근원적, 통일적인 체계로 된 철학을 구하게 되었다. '천(天)의 도(道)'로서의 '성(誠)'의 철학은 그러한 기운(機運) 중에서 성장하였을 것이다.

3. 이 책의 짜임새

첫째, '대학'편에서도 말한 바와 같이『중용』의 본문의 틀은 김학주 교수에 따르되 너무 긴 것은 적절히 나누어 다룰 것이다.

둘째, 허사와 문법적 설명은 철저히 할 것이다. 따라서 직역을 목적으로 한다.

셋째, 직역이므로 철학적인 해석은 독자 여러분이 하기 바라며 엮은이는 어디까지나 풀이하는 데 목적을 두기로 한다.

넷째, 인물이나 기타 사항은 김학주 교수와 가나야 선생의 책에 의지하기로 하겠다. 왜냐하면 엮은이는 이 방면의 전문가가 아니고 그저 해석하는 데 목표를 두었기 때문이다.

다섯째, 어휘의 풀이는 '대학'에서 밝힌 책들에 주로 의거할 것이며, 문법책도 같다.

第一章

1 天命之謂性 率性之謂道 修道之謂敎 道也者 不可須臾
離也 可離 非道也 是故 君子戒愼乎其所不睹 恐懼乎其
所不聞 莫見乎隱 莫顯乎微 故君子愼其獨也

〈풀이〉 천명 이것을 성이라 하고 성에 따르는 이것을 도라고 하며 도를 닦는
이것을 교라고 한다. 도라는 것은 잠시도 떠나서는 안 되며 떠나면 도
가 아니다. 이러므로 군자는 (남이) 보지 않는 바를 경계하여 삼가고 그
듣지 않는 바를 두려워한다. 숨은 것보다 (더 잘) 나타남이 없으며 미세
한 것보다 (더 잘) 드러나는 것이 없다. 고로 군자는 그 혼자서 삼가는
것이다.

天命之謂性 率性之謂道 修道之謂敎(천명지위성 솔성지위도 수도지위
교) ⇨ 天: 하늘, 최고의 근원적 주재자. 命: 명령. 之: 가시대명사로
목적격. 즉 '이것을'. 謂: 말한다. 性: 사람의 본성. 率: 따르다. 之:
가시대명사로 목적격 '이것을'. 道: 사람으로 행하여야 할 도, 즉 도리.
修: 닦다. 敎: 가르침. 之: 가시대명사로서 목적격 '이것을'.

〈풀이〉 천명 이것을 성이라 하고 성에 따르는 이것을 도라고 하며 도 이것을 닦는 것을 교라고 한다.

道也者 不可須臾離也 可離 非道也(도야자 불가수유이야 가이 비도야)

⇨ 道也者: 也: 전성후치사로 '~이라는'. 者: 전성후치사로 체언 뒤에 붙어서 이들 말을 주어로 만든다. 道也를 체언화한다. '도란 것은'. 不可: 조동의 겹침으로 不는 可를 부정한다. 곧 ~해서는 안 된다. 또는 ~할 수 없다. 須臾: 잠시. 離: 떠나다, 떨어지다. 也: 종결사로 단정을 나타낸다. 非: 앞의 명사 道를 부정함. 이것은 주로 체언을 부정한다. 非道는 '도가 아니다'임. 也: 단정의 종결사.

〈풀이〉 도라는 것은 잠시도 떠나서는 안 되며 떠나면 도가 아니다.

是故 君子戒愼乎其所不睹 恐懼乎其所不聞(시고 군자계신호기소부도 공구호기소불문) ⇨ 是故: 이러하므로. 戒: 경계하다. 愼: 삼가다. 睹: 보다. 乎: 동작의 목적 대상을 세게 나타내기 위하여 직접 목적어 앞에 붙여 '~을'로 읽는 전치사. 所: 수식어를 뒤에 가지는 불완전명사. 恐: 두려워하다. 懼: 두려워하다. 恐懼: 두려워하다.

〈풀이〉 이러하므로 군자는 그 보지 않는 바를 경계하며 삼가고, 그 듣지 않는 바를 두려워한다.

莫見乎隱 莫顯乎微 故 君子愼其獨也(막현호은 막현호미 고군자신기독야) ⇨ 莫: 없다, 말다. 見: 나타날(현), 드러나다. 隱: 숨다. 乎: 비교의 전치사. '~보다도'. 顯: 나타내다, 드러나다. 微: 미세한 것. 獨: 자기 임, 혼자서. 也: 단정의 종미사.

〈풀이〉 숨은 것보다 (더 잘) 나타남이 없으며 미세한 것보다 (더 잘) 드러나는 것이 없다. 고로 군자는 그 혼자서 삼간다(삼가하는 것이다).

2 喜怒哀樂之未發 謂之中 發而皆中節 謂之和 中也者 天下之大本也 和也者 天下之達道也 致中和 天地位焉 萬物育焉

〈풀이〉 희로애락이 나타나지 않은 이것을 중이라 하고 나타나서 모두 절(알맞은 정도)에 맞는 이것을 和라고 한다. 中이란 것은 천하의 근본이며 和란 것은 천하의 달도이다. 中과 和에 이르면 천지는 자리잡고 만물은 자란다.

喜怒哀樂之未發 謂之中(희로애락지미발 위지중) ⇨ 之: 후치사로서 주격을 나타냄. 未發: 일으키지 아니하다. 喜怒哀樂之未: 다음 말을 미연적으로 부정함. 發: 일으키다, 시키다, 나타나다. 민중서관의 『한한대자전』에서는 發을 '일어나다'로 풀고 있는데, 그러면 之는 주격을 나타내는 셈이 된다. 謂之中: 謂: 말하다. 之: 가시대명사로 '이것을'. 中: 中으로 푼다.

〈풀이〉 희로애락이 일어나지 않는 이것을 중(中)이라 한다.

發而皆中節 謂之和(발이개중절 위지화) ⇨ 而: 순접의 접속사. 皆: 모두. 中: 맞다, 일치하다. 節: 알맞다, 알맞은 정도. 之: 가시대명사. 앞 구절을 받음 '이것을'.

〈풀이〉 일어나서 모두 알맞은 정도에 맞는 이것을 和라고 한다.

中也者 天下之大本也(중야자 천하지대본야) ⇨ 也: 전성후치사로 '~이라는'. 者: 전성후치사로 체언 뒤에 와서 그 말을 주어로 만든다. 즉 中이라는 것은 또는 중이야말로. 也: 단정의 종결사. 大本: 위대한 근본.

〈풀이〉 中이라는 것은(중이야말로) 천하의 大本이다.

和也者 天下之達道也(화야자 천하지달도야) ⇨ 達道: 언제 어디서나 널리 행하여야 할 도.

〈풀이〉 화(和)란 것은 천하의 달도이다.

致中和 天地位焉 萬物育焉(치중화 천지위언 만물육언) ⇨ 致: 이르다, 극진한 데까지 이름. 中和: 중(中)과 화(和). 位: 자리잡다. 焉: 단정의 종결사. 育: 자라다. 생장하다.

〈풀이〉 中과 和에 이르면 천지는 자리잡고 만물은 자란다.

第二章

仲尼曰 君子中庸 小人反中庸 君子之中庸也 君子而時
中 小人之反中庸也 小人而無忌憚也

〈풀이〉 중니께서 말씀하셨다. 군자는 중용이고 소인은 중용에 반한다(반대 행
동을 한다). 군자의 중용은 군자이면서 때에 맞게 하고 소인이 중용에
반대로 행하는 것은 소인이면서 기탄함이 없어서이다.

仲尼曰 君子中庸 小人反中庸(중니왈 군자중용 소인반중용) ⇨ 仲尼: 공
자의 자. 反: 반하다, 반대로 하다.
〈풀이〉 중니께서 말씀하셨다. 군자는 중용이고 소인은 중용에 반한다.
君子之中庸也 君子而時中(군자지중용야 군자이시중) ⇨ 之: 후치사로
서 '의'. 也: 전성후치사로서 앞 체언을 주어로 만든다. 而: 순리의
인과관계를 나타내는 접속사. 즉 '~이면서'. 時: 때에. 中: 알맞다.
알맞게 하다.
〈풀이〉 군자의 중용은 군자이면서 때에 맞고(맞게 하고)
小人之反中庸也 小人而無忌憚也(소인지반중용야 소인이무기탄야) ⇨

之: 후치사로서 주격을 나타낸다. '이'. 也: 전성후치사로서 앞 구를 체언화한다. 而: 순리의 인과관계를 나타내는 접속사. 無: 주어를 뒤에 가지는 특수형용사. 也: 단정종미사. 忌憚: 어렵게 여겨서 꺼림. 反: 반대로 함, 어기다.

〈풀이〉 소인이 중용에 반대로 행동하는 것은 소인이면서 기탄함(거리낌)이 없어서이다.

第三章

子曰 中庸其至矣乎 民鮮能 久矣

〈풀이〉 공자가 말씀하셨다. 중용은 그 지극한 것이로구나. 백성이 능히 하는
이가 드문 지 오래이다.

子曰 中庸其至矣乎 民鮮能 久矣(자왈 중용기지의호 민선능 구의) ⇨
其: 그. 至: 지극하다, 지극한 데까지 이르다. 矣乎: 종결사로서 강한
감탄을 나타냄. 鮮: 드물다. 能: 능히 하다. 久: 오래다. 矣: 단정의
종미사.
〈풀이〉 공자가 말씀하셨다. 중용은 그 지극한 것이로구나. 백성은 능히 하는
이가 드문 지 오래이다.

第四章

子曰 道之不行也 我知之矣 知者過之 愚者不及也 道之
不明也 矣我知之 賢者過之 不肖者不及也 人莫不飮食
也 鮮能知味也

〈풀이〉 공자가 말씀하셨다. 도가 행하여지지 않는 것을 나는 이것을 안다. 지혜
로운 자는 이것을 지나치고 어리석은 자는 미치지 못한다. 도가 밝게
하지 못함을 나는 이것을 안다. 어진 자는 이것을 지나치고 미련한 자
는 미치지 못한다. 사람이 마시고 먹지 않는 이는 없으나 맛을 알 수
있는 자는 드물다.

子曰 道之不行也 我知之矣(자왈 도지불행야 아지지의) ⇨ 之: 후치사로
서 道를 주어되게 함. 也: 전성후치자로서 앞 마디를 목적절이 되게
한다. 之: 후치사로서 앞마디를 목적어로 만듦. '이것을'. 矣: 단정의
종결사. 行: 행하다.
〈풀이〉 공자가 말씀하셨다. 도가 행하여지지 않는 것을 나는 이것을 알고 있다.
知者過之 愚者不及也(지자과지 우자불급야) ⇨ 過: 지나치다. 之: 가시

대명사로 道를 가리킴. 也: 단정의 종결사. 知: 지혜롭다. 愚者: 어리
석은 자.

〈풀이〉 지혜로운 자는 이것을 지나치고 어리석은 자는 미치지 아니한다.

道之不明也 矣我知之(도지불명야 의아지지) ⇨ 明: 밝다. 밝히다. 밝게
되다. 之: 후치사로 道를 주어로 만든다. 矣我知之는 我知之矣의 도치
형. 여기의 之는 가시대명사로 그 앞의 어절을 가리킴. 也: 앞의 말을
목적어로 만드는 전성 후치사.

〈풀이〉 도가 밝게 되지 못함을 나는 이것을 안다.

賢者過之 不肖者不及也(현자과지 불초자불급야) ⇨ 賢者過之의 之는
가시대명사로 道를 가리킴. 不肖者: 미련한 자. 肖: 닮다, 본받다.

〈풀이〉 어진 자는 이것을 지나치고 미련한 자는 미치지 못한다(본받지 못한다).

人莫不飮食也 鮮能知味也(인막불음식야 선능지미야) ⇨ 莫-不: ~하지
않는 ~없다. 이중부정임. 鮮能知味也는 能知味鮮也의 도치형.

〈풀이〉 사람이 마시고 먹지 않는 이는 없으나 맛을 알 수 있는 이는 드물다.

第五章

子曰 道其不行矣夫

〈풀이〉 공자가 말씀하셨다. 그것은 행하여지지 않는 것일까.

子曰 道其不行矣夫(자왈 도기불행의부) ⇨ 矣夫: 의문의 종결사.

〈풀이〉 공자가 말씀하셨다. 그것은 행하여지지 않는 것일까.

第六章

子曰 舜其大知也與 舜好問而好察邇言 隱惡而揚善 執
其兩端 用其中於民 其斯以爲舜乎.

〈풀이〉공자가 말씀하셨다. 순 그는 대지자였구나. 순은 묻기를 좋아하였으며
　　　통속적인 말도 살피기를 좋아하였다. 악함을 숨기고 착함을 드러내어
　　　양끝(극단)을 잡아 그 중간을 백성에게 썼으며 그 이런 일 때문에 순이
　　　된 것이 아니랴!(아니겠는가!)

子曰 舜其大知也與 舜好問而好察邇言(자왈 순기대지야여 순호문이호
찰이언) ⇨ 舜: 요의 양위를 받아 천하를 다스린 고대의 성황. 其: 그.
大知: 大智와 같음. 고로 '아주 뛰어난 슬기, 투철한 지혜', 즉 大智者.
也與: 의문감탄사. 好問: 묻기를 좋아하다. 而: 순접의 접속사. 순접일
때는 언제나 첨가의 뜻이 있다. 好察: 살피기를 좋아하다. 邇言: 통속
적인 말. 邇: 통속적임.
〈풀이〉공자가 말씀하셨다. 순 그는 대지자였구나! 순은 묻기를 좋아하며 통속적
　　　인 말도 살피기를 좋아하였다.

隱惡而揚善 執其兩端(은악이양선 집기양단) ⇨ 隱: 숨기다. 而: 순접의 접속사. 揚: 들내다. 執: 잡다. 兩端: 두 끝. 端: 끝.

〈풀이〉악함을 숨기고 착함을 드러내어 양끝(극단)을 잡아

用其中於民 其斯以爲舜乎(용기중어민 기사이위순호) ⇨ 用: 쓰다. 其中: 그 중간을. 於: 전치사로 장소를 나타냄. 其: 그것의, 그. 斯以: 이로써, 이런 일 때문에. 以: 후치사로 斯以가 부사어가 되게 함. 爲: 되다. 乎: 의문, 반어의 종결사.

〈풀이〉그 중간을 백성에게 썼으며 그 이런 일 때문에 순이 된 것이 아니랴!

第七章

子曰 人皆曰予知 驅而納諸罟擭陷阱之中而莫之知辟也
人皆曰予知 擇乎中庸而不能期月守也

〈풀이〉 공자가 말씀하셨다. 사람들은 모두 나를 지혜롭다고 하나 몰아서 그것
　　　을 그물이나 덫이나 함정 가운데 넣어도 그것을 피할 줄을 모른다. 사
　　　람들은 나를 지혜롭다 하나 중용을 택하여도 만 한 달을 지킬 수가 없
　　　다(지키지 못한다).

子曰 人皆曰予知(자왈 인개왈자지) ⇨ 子: 공자. 知: 지혜롭다.
　〈풀이〉 공자가 말씀하셨다. 사람들은 모두 나를 지혜롭다고 말하나.
驅而納諸罟擭陷阱之中　而莫之知辟也(구이납저고획함정지중　이막지
　지벽야) ⇨ 驅: 몰다. 몰아내다. 말을 타고 달리게 함. 而: 순접의 접속
　사. 納: 들이다. 거두어들이다. 諸: 之於: 罟: 그물. 擭: 덫. 之: 후치사
　로 '의'. 而: 역접의 접속사. 莫: 부정사로 '없다'. 之: 가시대명사. '이
　것을'. 莫-知: 알 수 없다. 알지 아니한다. 辟: 피하다. 也: 단정의
　종결사.

122

〈풀이〉 몰아서 그것을 그물이나 덫이나 함정 가운데 넣어도 그것을 피할 줄을 알지 아니한다(모른다).

人皆曰子知 擇乎中庸 而不能期月守也(인개왈자지 택호중용 이불능기월수야) ⇨ 擇: 택하다. 乎: 전치사로서 목적격을 나타냄. 不能: ~할 수 없다. 期月: 만 한 달. 守: 지키다. 也: 단정 종미사.

〈풀이〉 사람들은 나를 지혜롭다고 말하나, 중용을 택하여도 만 한 달을 지킬 수가 없다(지키지 못한다).

第八章

子曰 回之爲人也 擇乎中庸 得一善 則拳拳服膺 而弗失
之矣

〈풀이〉 공자가 말씀하셨다. 회의 사람됨은 중용을 택하여 하나의 선을 얻은 즉
　　　정성껏 지키어 가슴에 지니어서 그것을 잃지 아니한다.

子曰 回之爲人也 擇乎中庸 得一善(자왈 회지위인야 택호중용 득일선)
　　⇨ 子曰 回之爲人也: 回: 顔回를 말함. 之: 후치사로 '의'. 爲人: 사람
　　됨. 也: 전성후치사로 주어를 나타냄. 擇乎中庸 得一善: 乎: 전치사로
　　목적어를 나타냄. 得: 얻다. 一: 하나(의). 善: 착한 것.
　　〈풀이〉 공자가 말씀하셨다. 회의 사람됨은 중용을 택하여 하나의 선을 얻으면.
則拳拳服膺 而弗失之矣(직권권복응 이불실지의) ⇨ 則: 문장과 문장을
　　이어 인과관계를 나타내는 접속사. 拳拳: 정성껏 지키다. 服: 잡다,
　　지니다. 膺: 가슴. 而: 순접의 접속사. 弗: 아니다. 失: 잃다. 之: 가시대
　　명사로 앞의 一善을 가리킨다.
　　〈풀이〉 즉(곧) 정성껏 지키어 가슴에 지니고서 그것을 잃지 아니한다.

第九章

子曰 天下國家 可均也 爵祿可辭也 白刃可蹈也 中庸不可能也

〈풀이〉 공자가 말씀하셨다. 천하 국가도 고르게 할 수 있고 작록도 사양할 수 있으며 시퍼런 칼도 밟을 수 있으나 중용은 능히 할 수 없다.

子曰 天下國家 可均也(자왈 천하국가 가균야) ⇨ 可: 가능조동사. 均: 고르게 하다. 也: 단정의 종결사.

〈풀이〉 공자가 말씀하셨다. 천하국가도 고르게 할 수 있다.

爵祿可辭也(작록가사야) ⇨ 爵: 벼슬. 祿: 녹. 辭: 사양하다.

〈풀이〉 작록도 사양할 수 있다.

白刃可蹈也(백인가도야) ⇨ 白刃: 시퍼런 칼. 蹈: 밟다.

〈풀이〉 시퍼런 칼도 밟을 수 있으며

中庸不可能也(중용불가능야) ⇨ 能: 능히 하다. 不可: ~할 수 없다.

〈풀이〉 중용은 능히 할 수 없다.

第十章

1 子路問強 子曰 南方之强與 北方之强與 抑而强與 寬柔
以敎 不報無道 南方之强也 君子居之

〈풀이〉 자로가 강함에 대하여 물었다. 공자가 말씀하셨다. 남방의 강함인가 북
   방의 강함인가? 너그럽고 부드러움으로 가르치고 무도함에 보복하지
   않는 것은 남방의 강함이니 군자는 남방에 살 것이다.

子路問强 子曰 南方之强與 北方之强與 抑而强與(자로문강 자왈 남방
   지강여 북방지강여 억이강여) ⇨ 子路: 성은 중(仲). 이름은 유(由).
   자가 강자로(强子路)인데 계로(季路)라고도 한다. 공자의 제자로 용
   감하고 힘이 세었다. 强: 강함. 與: 의문종결사. 抑: 또한 김학주 교수
   는 '그렇지 않으면'으로 풀었으나, 자전에 보면 그런 뜻이 없다. 而:
   2인칭 대명사. '너'.
   〈풀이〉 자로가 강함에 대하여 물었다. 공자가 말씀하셨다. 남방의 강함인가 북방
      의 강함인가 또한 너의 강함인가?
寬柔以敎(관유이교) ⇨ 寬: 너그럽다. 柔: 부드럽다. 以: 전성후치사로

서 '~으로써'.

不報無道(불보무도) ⇨ 不報: 보복하지 않는다. 無道: 무도함.

南方之强也(남방지강야) ⇨ 之: 후치사로 '의'. 也: 단정의 종결사.

※『예기정의(禮記正義)』에서는 남방은 양기(陽氣)가 많아 따뜻하므로 마음씨가 너그럽고 북방은 음기가 많아 사납고 투쟁적이었다.

君子居之(군자거지) ⇨ 居: 살다. 之: 가시대명사로 그 앞의 '남방의 강함'을 가리킴.

〈풀이〉 너그럽고 부드러움으로 가르치고 무도함에 보복하지 않음은 남방의 강함이니 군자는 거기에 살 것이다(산다).

2 衽金革 死而不厭 北方之强也 而强者居之

〈풀이〉 쇠붙이로 만든 무기와 갑옷투구를 깔고 죽어도 싫지 아니한 것은 북방의 강함이니 강자는 거기에 산다.

衽金革 死而不厭(임금혁 사이불염) ⇨ 衽: 요, 요를 깔다. 金: 쇠붙이로 만든 무기. 革: 갑옷투구. 而: 순접의 접속사. 不厭: 싫어하지 아니하다. 厭: 싫어하다, ~하기를 꺼리다.

〈풀이〉 쇠붙이로 만든 무기와 갑옷 투구를 깔고 죽어도 싫지 아니함은

北方之强也 而强者居之(북방지강야 이강자거지) ⇨ 也: 후치사로서 앞 명사구를 주어로 만듦. 也: 단정의 종결사. 而: 순접의 접속사. 之: 가시대명사로 北方之强을 받는다.

〈풀이〉 북방의 강함이니 강자가 거기에 산다.

3 故君子和而不流 强哉矯 中立而不倚 强哉矯 國有道 不
變塞焉 强哉矯 國無道 至死不變 强哉矯

〈풀이〉 고로 군자는 온화하고 흐르지 아니하니 강하고도 굳세도다. 중에 서서
기울지 아니하니 강하고도 굳세도다. 나라에 도가 있어 막힘이 변하지
아니하니 강하고도 굳세도다. 나라에 도가 없어 죽음에 이르러도 변하
지 아니하니 강하고도 굳세도다.

故君子和而不流 强哉矯 中立而不倚 强哉矯(고군자화이불류 강재교 중
립이불의 강재교) ⇨ 和: 온화하다. 而: 순접의 접속사. 不流: 흐르지
아니하다. 절제를 잃지 아니하다. 哉: 감탄의 종결사. 矯: 굳세다. 中
立: 중에 서다. 而: 순접의 접속사. 不倚: 기울지 아니하다.
〈풀이〉 고로 군자는 온화하고 흐르지 아니하니 강하고도 굳세도다. 중에 서서
기울지 아니하니 강하고 굳세도다.

國有道不變塞焉 强哉矯 國無道至死不變 强哉矯(국유도 불변새언 강
재교 국무도 지사불변 강재교) ⇨ 有: 주어 道를 뒤에 가지는 특수동
사. 塞: 막다, 통하지 못하게 함. 막히다. 不變: 변하지 아니하다. 焉:
단정의 종결사. 無: 주어 道를 뒤에 가지는 특수형용사. 至死: 죽음
에 이르다.
〈풀이〉 나라에 도가 있어서 막힘이 변하지 아니하니 강하고 굳세도다. 나라에
도가 없어 죽음에 이르러도 변하지 아니하니 강하고 굳세도다.

第十一章

1 子曰 索隱行怪 後世有述焉 吾弗爲之矣 君子尊道而行
半途而廢 吾弗能已矣

〈풀이〉 공자가 말씀하셨다. 비밀에 붙인 일을 찾고 괴이한 일을 행함은 후세에
언설이 있을 것이나 나는 그런 일은 하지 않을 것이다. 군자가 도를 좇
아서 행하다가 중도에서 폐지하는데 나는 하지 아니할 따름이다.

子曰 索隱行怪 後世有述焉 吾弗爲之矣(자왈 색은행괴 후세유술언 오
불위지의)⇨ 索: 찾다. 隱: 비밀에 붙인 일. 음사. 行怪: 괴이한 일을
행함. 述: 이는 有의 임자말. '언설'. 焉: 단정의 종결사. 弗: 부정사.
아니하다. 爲: 하다. 之: 가시대명사로 앞의 索隱行怪를 가리킴. '그런
일'. 矣: 단정의 종결사.
〈풀이〉 공자가 말씀하셨다. 비밀에 붙인 일을 찾고 괴이한 짓을 행함은 후세에
언설이 있을 것이나 나는 그런 일은 하지 않을 것이다.
君子尊道而行 半途而廢 吾弗能已矣(군자존도이행 반도이폐 오불능이
의)⇨ 尊: 좇아가다, 따르다. 而: 순접의 접속사. 半途: 중도. 廢: 폐지

하다. 已矣: 한정, 단정의 종결사로 두 자가 합한 것은 뜻을 강하게 나타낸다.

〈풀이〉 군자는 도를 좇아서 행하다가 중도에서 폐지하는데 나는 하지 아니할 따름이다.

2 君子依乎中庸 遯世不見知 而不悔 唯聖者能之

〈풀이〉 군자가 중용에 의지하여 세상을 피해 살면서 드러나서 알지 아니하여도 후회하지 않으니 오직 성자라야 그렇게 할 수 있다.

君子依乎中庸 遯世不見知 而不悔 唯聖者能之(군자의호중용 둔세부견지 이불회 유성자능지) ⇨ 依: 의지하다. 乎: 전치사로 체언부사를 만든다. 遯世: 세상을 피해 삶. 不見: 드러나지 아니함. 見: 나타나다 不見知: 드러나 알지 아니하다. 不悔: 후회하지 아니하다. 唯: 오직. 聖者能之: 성자가 그것을 할 수 있다. 之: 가시대명사로 遯世不見知를 받는다.

第十二章

1 君子之道 費而隱 夫婦之遇 可以與知焉 及其至也 雖聖
人 亦有所不知焉 夫婦之不肖 可以能行焉 及其至也 雖
聖人 亦有所不能焉

〈풀이〉 군자의 도는 공용이 넓고 크나 외부에 나타내지 아니한다. 부부의 어리
석음으로도 함께(더불어) 알 수 있는 것이로되 그 지극함에 이르러서는
비록 성인도 또한 알지 못하는 바가 있다. 부부의 어리석음에도 가히
행할 수 있는 것이지만 그 지극함에 이르러서는 비록 성인도 할 수 없
는 바가 있다.

君子之道 費而隱(군자지도 비이은) ⇨ 君子之道 費: 넓다. 공용(功用)이
넓고 크다. 隱: 외부에 나타내지 아니함. 속세를 버림.
〈풀이〉 군자의 도는 공용이 넓고 크나 외부에 나타내지 아니한다.
夫婦之遇 可以與知焉(부부지우 가이여지언) ⇨ 遇: 어리석음 可以: 가
능의 조동사. 與: 더불어. 知: 알다. 焉: 단정의 종결사.
〈풀이〉 부부의 어리석음으로도 더불어 알 수 있을 것이로되

及其至也 雖聖人 亦有所不知焉(급기지야 수성인 역유소부지언) ⇨ 及:
이르다. 其: 그. 至: 지극한. 也: 전성후치사로서 체언부사를 만듦.
雖: 비록. 亦: 또한, 역시. 有는 주어 所를 뒤에 가지는 특수동사. 所는
그 수식어를 뒤에 가지는 불완전명사. 不知: 알지 못하다. 焉: 단언의
종결사.

〈풀이〉 그 지극함에 이르러서는 비록 성인도 또한 알지 못하는 바가 있다.

夫婦之不肖 可以能行焉(부부지불초 가이능행언) ⇨ 不肖: 미련한. 可
以: 가능조동사. 焉: 단정의 종결사.

〈풀이〉 부부의 미련함에도 가히 행할 수 있는 것이지만

及其至也 雖聖人 亦有所不能焉(급기지야 수성인 역유소부능언)

〈풀이〉 그 지극함에 이르러서는 비록 성인도 할 수 없는 바가 있다.

2 天地之大也 人猶有所憾 故君子語大 天下莫能載焉 語 小 天下莫能破焉

〈풀이〉 천지가 큼에도 사람은 오히려 섭섭함을 느끼는 바가 있다. 고로 군자는
큰 것을 말하여도 천하가 실을 수가 없으며 작은 것을 말하여도 천하가
깨어지게 할 수 없다.

天地之大也 人猶有所憾(천지지대야 인유유소감) ⇨ 也: 후치사로 天地
之大를 체언구부사로 만듦. 之: 주격임. 猶: 오히려. 憾: 마음에 부족
함을 느끼다. 섭섭함을 느끼다.

〈풀이〉 천지가 큼에도 사람은 오히려 섭섭함을 느끼는 바가 있다.

故君子語大 天下莫能載焉 語小 天下莫能破焉(고군자어대 천하막능재

언 어소 천하막능파언) ⇨ 語: 말하다. 大: 큰 것. 莫能: ~할 수 없다.
載: 싣다. 語小: 작은 것을 말하다. 破: 깨어지다, 부서지다.

〈풀이〉고로 군자는 큰 것을 말하여도 천하가 실을 수가 없으며 작은 것을 말하여
도 천하가 깨어지게 할 수 없다.

3 詩云 鳶飛戾天 魚躍于淵 言其上下察也

〈풀이〉시경에서 연이 날아 하늘에 이르고 고기가 연못에서 뛰고 있다고 하였
다. 그것은 위아래로 드러남을 말한 것이다.

詩云 鳶飛戾天 魚躍于淵 言其上下察也(시운 연비려천 어약우연 언기
상하찰야) ⇨ 詩云: 시경에 말하되. 鳶: 연(솔개) 戾: 이르다. 躍: 뛰다.
于: 본래 전치사로 장소를 나타냄. 淵: 못. 上下: 위아래. 察: 드러나다,
환히 드러나다, 널리 알려지다.

〈풀이〉시경에서 연이 날아 하늘에 이르고 고기가 연못에서 뛰고 있다고 하였다.
그것은 위아래로 드러남을 말한 것이다.

4 君子之道 造端乎夫婦 及其至也 察乎天地

〈풀이〉군자의 도는 부부에서 시초가 비롯하나 그 지극함에 이르러서는 천지에
드러난다.

君子之道 造端乎夫婦 及其至也 察乎天地(군자지도 조단호부부 급기지

야 찰호천지) ⇨ 造: 시작하다. 端 시초. 乎: 전치사를 체언부사구로
만든다. 察: 드러난다.

〈풀이〉 군자의 도는 부부에서 시초가 비롯하나 그 지극함에 이르러서는 천지에
　　　드러난다.

第十三章

1 子曰 道不遠人 人之爲道而遠人 不可以爲道

〈풀이〉 공자가 말씀하셨다. 도는 사람에서 멀지 아니하며 사람이 도를 하되 사람을 멀리하면(사람에게서 멀어지면) 도가 될 수 없다.

子曰 道不遠人 人之爲道而遠人 不可以爲道(자왈 도불원인 인지위도이원인 불가이위도) ⇨ 不遠: 멀지 아니하다. 人: 사람에게서. 人之: 사람이. 之는 후치사로 주격을 나타냄. 爲: 하다. 而: 역접의 접속사. 遠: 멀리하다. 爲道: 도가 되다. 爲: 불완전자동사로 그 뒤에 보어 道를 가지고 있다. 不可以: ~할 수 없다.

〈풀이〉 공자가 말씀하셨다. 도는 사람에서 멀지 아니하며 사람이 도를 하되 사람을 멀리하면(사람에게서 멀어지면) 도가 될 수 없다.

2 詩云 伐柯伐柯 其則不遠 執柯以伐柯 睨而視之 猶以爲 遠 故 君子 以人治人 改而止

〈풀이〉 시경에서 도끼자루로 쓸 나무를 베고 도끼자루로 쓸 나무를 베니 그 법칙은 멀지 아니하다고 말하였다. 도끼자루를 잡고서 도끼자루를 베는데 곁눈질하여 그것을 보니 오히려 멀다고(멀어졌다고) 생각되었다. 고로 군자는 사람으로서 사람을 다스려서 고쳐지면 멈춘다.

詩云 伐柯伐柯 其則不遠(시운 벌가벌가 기칙불원) ⇨ 伐柯伐柯: 도끼자루로 쓸 나무를 베다. 伐柯가 두 번 거듭되었으므로 두 번 풀이하여야 한다. 則: 법칙.

〈풀이〉 시경에서 도끼자루로 쓸 나무를 베고 도끼자루로 쓸 나무를 베니 그 법칙은 멀지 아니하다고 말하였다.

執柯以伐柯 睨而視之 猶以爲遠(집가이벌가 예이시지 유이위원) ⇨ 執: 잡다. 柯: 도끼자루. 以: 전성후치사로 '~로써'. 앞 명사구를 부사어로 만듦. 睨: 곁눈질하다, 흘겨보다, 흘려보다. 而: 순접의 접속사. 之: 가시대명사. 앞 구절을 받음. 以爲: 생각되다. 遠: 멀리, 떨어지게 되다.

〈풀이〉 도끼자루를 잡고서 그것으로써 도끼자루를 베도 곁눈질하여서 그것을 보니 오히려 멀다고(멀어졌다고) 생각되었다.

故君子 以人治人 改而止(고군자 이인치인 개이지) ⇨ 以人: 사람으로. 治人: 사람을 다스리다. 改: 바로잡다. 고쳐지다. 而: 순접의 접속사. 止: 멈추다.

〈풀이〉 고로 군자는 사람으로서 사람을 다스려서 고쳐지면 멈춘다.

3 忠恕違道不遠 施諸己而不願 亦勿施於人 君子之道四
丘未能一焉

〈풀이〉충과 서는 도에 어긋남이 멀지 아니하니 자기에게 그것을 베풀어서 원
하지 아니하면 또한 남에게 베풀지 말아야 한다. 군자의 도는 넷인데
구는 하나도 할 수 없었다.

忠恕違道不遠 施諸己而不願 亦勿施於人(충서위도불원 시저기이불원
역물시어인) ⇨ 忠: 자기 마음을 다함. 恕: 성심을 가지고 남의 입장을
이해하는 것. 違: 어긋나다. 道: 도에. 不遠: 멀지 아니하다. 諸: 之於.
己: 자기. 而: 순접의 접속사. 不願: 원하지 아니하다. 勿: 부정사.
於: 전치사로 장소를 나타냄. 즉 於人: 남에게, 여기 人은 '남'을 뜻함.
〈풀이〉충과 서는 도에 어긋남이 멀지 아니하니, 자기에게 그것을 베풀어서 원하
지 아니하면 또한 남에게 베풀지 말아야 한다.
君子之道四 丘未能一焉(군자지도사 구미능일언) ⇨ 丘: 공자의 이름.
니구산(尼丘山)에 치성하여 낳았으므로 丘라 이름하였다. 未能一: 하
나도 할 수 없었다. 焉: 단정의 종결사.
〈풀이〉군자의 도는 넷인데 구는 하나도 할 수 없었다.

4 所求乎子 以事父 未能也 所求乎臣 以事君 未能也 所求
乎弟 以事兄 未能也 所求乎朋友 先施之 未能也

所求乎子 以事父 未能也(소구호자 이사부 미능야) ⇨ 所求乎子: 所는
수식어를 그 뒤에 가지는 불완전명사. 求: 구하다. 乎: 전치사로서

체언부사를 만든다. 乎子: 아들에게. 以: 전성후치사로 앞 구와 합하
여 체언구부사를 만든다. 事父: 아버지를 섬기는 것. 也: 단정의 종결
사. 未能: ~할 수 없다.

〈풀이〉자식에게 요구하는 바로써 아버지를 섬김을 할 수 없었다.

所求乎臣 以事君 未能也 所求乎弟 以事兄 未能也 所求乎朋友 先施之
未能也(소구호신 이사군 미능야 소구호제 이사형 미능야 소구호붕우
선시지 미능야) ⇨ 여기의 뜻풀이는 앞의 것과 같으므로 일일이 설명
하지 않는다. 朋友: 朋은 같은 스승 밑에서 공부한 벗. 友: 사회에서
뜻이 맞아 사귄 벗. 先施之: 먼저 그것(앞의 구절을 받는 가시대명사)
을 베풀다. 未能: ~할 수 없다.

〈풀이〉신하에게 요구하는 바로써 임금 섬기기를 할 수 없었고(못하였고), 아우에
게 요구한 바로써 형을 섬기기를 다할 수 없었고 붕우에게 요구한 바
그것을 먼저 베푸는 것을 할 수 없었다.

5 庸德之行 庸言之謹 有所不足 不敢不勉 有餘 不敢盡
言顧行 行顧言 君子胡不慥慥爾

〈풀이〉평소 행하여야 할 덕을 행하며 평소의 말을 삼가며 부족한 바가 있으면
감히 힘쓰지 아니하지 못하며 남음이 있으면 감히 다 써 없애지 아니하
며 말은 행동을 돌아보고 행동은 말을 돌아보아야 하니 군자는 어찌 성
실하지 않으랴.

庸德之行 庸言之謹 有所不足 不敢不勉 有餘 不敢盡 言顧行 行顧言 君
子胡不慥慥爾(용덕지행 용언지근 유소부족 불감불면 유여 불감진

언고행 행고언 군자호불조조이) ⇨ 庸德: 평소 행하여야 할 덕. 之: 후치사로서 목적격을 나타냄. 庸德之는 '용덕을'임. 庸言之: 평소에 쓰는 말을(여기 之도 위와 같음). 謹: 삼가다. 有所不足: 부족한 바가 있으면. 有: 주어 所를 뒤에 가지는 특수동사. 所는 수식어 不足을 뒤에 가지는 불완전명사. 不敢不勉: 不-不은 이중부정으로 '~하지 않을 수 없다. 즉 ~해야 한다는 뜻'. 뜻은 감(敢)히 힘쓰지(勉) 아니할 수 없다. 有餘: 남음이 있으며. 有는 특수동사. 不敢盡: 감히 다 써 없애지 아니하며. 言顧行: 말은 행동(行)을 돌아보고(顧). 行顧言: 행동(行)은 말을 돌아보아야 하니. 君子胡不慥慥爾: 군자가 어찌(胡) 성실하지 않으랴. 慥慥: 독실한 모양, 성의있는 모양. 爾: 慥慥에 붙어서 이것을 형용사로 만드는 종결사.

第十四章

1 君子素其位而行 不願乎其外 素富貴 行乎富貴 素貧賤
行乎貧賤 素夷狄 行乎夷狄 素患難 行乎患難 君子無入
而不自得焉

〈풀이〉 군자는 현재 지위에 응하여 행하고 그 외는 원하지 아니한다. 부귀에
응하여 부귀를 행하며 빈천에 응하여 빈천을 행하며 오랑캐에 응하여
오랑캐를 행하며 환난에 응하여 환난을 행한다. 군자는 들어가서 자득
하지 아니하는 것이 없다.

君子素其位而行 不願乎其外(군자소기위이행 불원호기외) ⇨ 素: 분수
에 따르다. 현재 지위에 응하다. 乎: 전치사로서 동작의 목적대상을
강하게 나타내기 위하여 직접목적어 앞에 쓰이어 '~을'을 나타낸다.
不願: 원하지 아니한다. 而: 순접의 접속사.
〈풀이〉 군자는 그 현재 지위에 응하여 행하고 그 외를 원하지 아니한다.
素富貴 行乎富貴 素貧賤 行乎貧賤(소부귀 행호부귀 소빈천 행호빈천)
⇨ 素: (지위에) 응하다. 乎: 위의 乎참조. 貧賤: 빈궁하고 비천함.

〈풀이〉 부귀에 응하여 부귀를 행하며 빈천에 응하여 빈천을 행하며.

素夷狄 行乎夷狄 素患難 行乎患難(소이적 행호이적 소환난 행호환난)

⇨ 夷狄: 오랑캐. 患難: 근심과 재난.

〈풀이〉 오랑캐에 응하여 오랑캐를 행하며 환난에 응하여 환난을 행한다.

君子無入而不自得焉(군자무입이부자득언) ⇨ 無~不: 이중부정으로 '~하는 것도 ~하지 않는 것이 없다'. 自得: 스스로 얻다. 而: 순접의 접속사. 無: 주어를 뒤에 갖는 특수형용사.

〈풀이〉 군자는 들어가서 자득하지 아니하는 것이 없다.

2 在上位 不陵下 在下位 不援上 正己而不求於人 則無怨 上不怨天 下不尤人 故君子居易以俟命 小人行險以徼幸

〈풀이〉 윗자리에 있어서는 아래를 업신여기지 아니하며 아랫자리에 있어서는 윗자리에 매달리지 아니하며 자기를 바르게 하면 남에게 구하지 아니하여도 원한이 없다. 위로는 하늘을 원망하지 아니하며 아래는 남을 탓하지 아니한다. 고로 군자는 간편하게 삶으로써 천명을 기다린다. 소인은 위험을 행함으로써 요행을 바란다.

在上位 不陵下 在下位 不援上 正己而不求於人 則無怨(재상위 불릉하 재하위 불원상 정기이불구어인 칙무원)

⇨ 在上位: 윗자리에 있어서는. 不陵下: 아래를 업신여기지 아니하며 (陵: 업신여기다). 在下位: 아랫자리에 있어서는. 不援上: 위에 매달리지 아니하며. 正己而不求於人: 正己: 자기를 바르게 하다. 而: 순접의 접속사. 不求於人: 남에게 구하지 아니하다. 則無怨: 곧 원망함이

없다.

〈풀이〉 윗자리에 있어서는 아래를 업신여기지 아니하며 아랫자리에 있어서는
윗자리에 매달리지 아니하며 자기를 바르게 하면 남에게 구하지 아니하여
도 원한이 없다.

上不怨天 下不尤人 故 君子居易以俟命 小人行險以徼幸(상불원천 하불
우인 고 군자거이이사명 소인행험이요행) ➪ 上不怨天: 위는 하늘을
원망하지 아니하며(怨: 원망하다). 下不尤人: 아래는 남을 원망하지
아니한다. 尤: 탓하다. 居易以: 간편하게 살다. 以: 전성후치사로서
간편하게 삶으로써 체언구부사어로 만든다. 俟命: 천명을 기다림.
行險以: 위험을 행하여. 以: 전성후치사로서 체언부사를 만듦. 고로
'위험을 행함으로써'임. 徼幸: 요행.

〈풀이〉 위로는 하늘을 원망하지 아니하며 아래는 남을 탓하지 아니한다. 고로
군자는 간편하게 삶으로써 천명을 기다리고 소인은 위험을 행함으로써
요행을 바란다.

3 子曰射有似乎君子 失諸正鵠 反求諸其身

〈풀이〉 공자가 말씀하셨다. 활쏘기는 군자에 비슷함이 있으니 그 정곡에서 그
것을(정곡을) 잃으면 도리어 그 몸(자신의 몸)에서 그것을(정곡을) 구한
다고 하셨다.

子曰射有似乎君子 失諸正鵠 反求諸其身(자왈사유사호군자 실제정곡
반구저기신) ➪ 射: 활쏘기. 似: 닮다, 비슷하다. 乎: 전치사로써 체언
구부사를 만든다. 乎君子는 '군자에'. 有: 특수동사. 失: 잃다. 諸: 之

於. 正鵠: 과녁의 한 가운데 있는 점. 之는 정곡의 점을 가리키는 가시

대명사. 反: 도리어. 求: 구하다. 諸: 之於. 其身: 그 몸.

第十五章

君子之道 譬如行遠必自邇 譬如登高必自卑 詩曰 妻子
好合 如鼓瑟琴 兄弟旣翕 和樂且耽 宜爾室家 樂爾妻帑
子曰 父母其順矣乎

〈풀이〉군자의 도는 비유하건대 멀리 가는 데는 반드시 가까운 데로부터 함과
　　　같고 비유하건대 높은 곳에 올라가려면 반드시 낮은 데로부터 함과 같
　　　다. 시경에서 처자 화목함은 큰 거문고와 거문고를 타는 것과 같고 형
　　　제가 이미 화합하고 화락하며 또한 아주 즐긴다. 너의 가족(집안)이 화
　　　목하면 너의 가족(아내와 아들)을 즐겁게 할 것이라 하였다. 공자가 말
　　　씀하셨다. 부모는 아주 기뻐할 것이리라고 하였다.

君子之道 譬如行遠必自邇 譬如登高必自卑(군자지도 비여행원필자이
　　　비여등고필자비) ➪ 譬: 비유하다. 如: ~와 같다. 行~邇에 걸리어 '~
　　　함과 같다'로 풀이됨. 行遠: 멀리 가다. 自: ~로부터. 邇: 가까운 데.
　　　登高: 높은 곳에 올라감. 卑: 낮은 데.
　　　〈풀이〉군자의 도는 비유하건대 멀리 가는 데는 반드시 가까운 데로부터 함과

같으며 비유하건대 높은 곳에 올라가려면 반드시 낮은 데로부터 함과
같다.

詩曰 妻子好合 如鼓瑟琴 兄弟旣翕 和樂且耽 宜爾室家 樂爾妻帑(시왈
처자호합 여고슬금 형제기흡 화락차탐 의이실가 락이처노) ⇨ 詩曰:
시경에서 말하다. 好合: 화목하다. 鼓: 타다(탈 고). 瑟琴: 큰 거문고와
거문고. 旣: 다하다, 이미, 원래. 翕: 화합하다. 耽: 화락하다, 아주
즐김. 宜: 화목하다. 화합하다. 爾: 너. 室家: 가족, 집. 爾: 너. 妻帑:
아내와 아들, 가족.

〈풀이〉 시경에서 처자가 화목함은 큰 거문고와 거문고를 탐과 같고 형제가 이미
화합하고 화락하며 또한 아주 즐긴다. 너의 가족(집안)이 화목하면 너의
가족(아내와 아들)을 즐겁게 할 것이라 하였다.

子曰 父母其順矣乎(자왈 부모기순의호) ⇨ 順: 기뻐하다, 즐기다. 其:
어세를 고르게 하기 위하여 구말에 첨가하는 후치사 矣乎: 감탄을
나타내는 종결사.

〈풀이〉 공자가 말씀하셨다. 부모는 아주 기뻐하실 것이리라고 하였다.

第十六章

1 子曰 鬼神之爲德 其盛矣乎 視之而不見 聽之而弗聞 體
物而不可遺 使天下之人 齊明盛服 以承祭祀 洋洋乎如
在其上 如在其左右

〈풀이〉 공자가 말씀하셨다. 귀신의 덕됨은 성하기도 하구나. 그것을 보려 하여
도 보이지 아니하며 그것을 들으려 하여도 들리지 아니하나 만물의 형
체를 이루고 있어서 버릴 수도 없다. 천하의 사람으로 하여금 바르고
밝게 하고 성장한 의복을 입게 함으로써 제사를 받들고 양양히 하여 그
위에 있는 것 같고 그 좌우에 있는 것 같다.

子曰 鬼神之爲德 其盛矣乎(자왈 귀신지위덕 기성의호) ⇨ 之: 후치사로
'의'. 爲德: 덕이 되는 것. 其: 어세를 고르게 하기 위하여 구말에 첨가
되는 후치사. 矣乎: 감탄의 종결사.
〈풀이〉 공자가 말씀하셨다. 귀신의 덕됨은 성하기도 하구나.
視之而不見 聽之而弗聞 體物而不可遺(시지이불견 청지이불문 체물이
불가유) ⇨ 視: 보다. 之: 귀신을 받는 가시대명사. 而: 첨가의 순접.

146

見: 보이다. 聽: 듣다. 聞: 들리다. 體: 몸, 바탕, 형체를 이루다. 物: 만물. 不可: ~할 수 없다. 而: 순접. 遺: 버리다.

〈풀이〉 그것을 보려하여도 보이지 아니하며 그것을 들으려 하여도 들리지 아니하나 만물의 형체를 이루고 있어서 버릴 수도 없다.

使天下之人 齊明盛服 以承祭祀 洋洋乎如在其上 如在其左右(사천하지인 제명성복 이승제사 양양호여재기상 여재기좌우) ⇨ 使: 사동사로 '~로 하여금 ~하게 하다'로 됨. 齊明: 바르고 밝음. 盛服: 성장한 의복. 以: 전성후치사로 체언부사어를 만든다. 고로 '바르고 밝으며 성장한 의복으로써'가 됨. 承: 받들다. 洋洋: 성대한 모양. 乎: 후치사로 앞말의 뜻을 강하게 한다. 고로 洋洋乎: 성대하게, 양양히. 如: ~와 같다.

〈풀이〉 천하의 사람으로 하여금 바르고 밝게 하고 성장한 의복을 입게 함으로써 제사를 받들고 양양히 하여 그 위에 있는 것 같고 그 좌우에 있는 것 같다.

2 詩曰 神之格思 不可度思 矧可射思 夫微之顯 誠之不可揜 如此夫

〈풀이〉 시경에서 신의 다다름은 헤아릴 수 없으니 하물며 싫어할 수 있으랴! 무릇(대저) 숨긴 것이 나타나는 것이니 정성을 가릴 수 없음이 이와 같으니라 하였다.

詩曰 神之格思(시왈 신지격사) ⇨ 詩曰: 시경에 이르되. 神之格思: 神之格: 다다르다, 바로잡다. 思: 어말의 후치사. 고로 神之格思는 '신의 다다름은'이 됨.

〈풀이〉 시경에서 신의 다다름은

不可度思 矧可射思 夫微之顯 誠之不可揜 如此夫(불가탁사 신가사사 부미지현 성지불가엄 여차부) ⇨ 度思: 헤아리다. 度: 헤아리다, 혼탁한, 추측하다. 矧: 하물며. 射: 싫어하다. 思: 어말의 후치사. 夫: 대저. 微: 숨기다. 즉 숨긴 것. 之: 후치사로 주격임. 顯: 나타나다. 誠之: 성실함을. 之는 후치사로 목적격. 揜: 가리다. 不可: ~할 수 없다. 夫: 감탄종결사.

〈풀이〉 헤아릴 수 없으니 하물며 싫어할 수 있으랴! 무릇(대저) 숨긴 것이 나타나는 것이니 정성을 가릴 수 없음이 이와 같으니라 하였다.

第十七章

1 子曰 舜其大孝也與 德爲聖人 尊爲天子 富有四海之內
宗廟饗之 子孫保之

〈풀이〉 공자가 말씀하셨다. 순은 그 대효였던가? 덕으로는 성인이 되고 존귀함
으로는 천자가 되며 부로는 사해의 안을 차지하여서 종묘는(종묘의 조
상은) 그것(제사)을 흠향하고 자손은 그것(제사)을 보존하였다.

子曰 舜其大孝也與(자왈 순기대효야여) ⇨ 舜: 순임금. 其大孝: 그 대효.
也與: 의문의 종결사. '~인가?'

〈풀이〉 공자가 말씀하시었다. 순은 그 대효였는가?

德爲聖人 尊爲天子 富有四海之內(덕위성인 존위천자 부유사해지내)
⇨ 德爲聖人: 덕은 성인이 되고(덕으로 보면 성인이 되고의 뜻). 尊:
존귀함. 爲天子: 천자가 되고. 富: 부는(부로는) 有: 가지다, 보유하다.

〈풀이〉 덕은 성인이 되고 존귀함은 천자가 되고 부는 사해의 안을 가져서(보유하
여서)

宗廟饗之 子孫保之(종묘향지 자손보지) ⇨ 饗: 흠향하다. 之: 가시대명

사로 그것(제사?). 保: 보존하다. 之: 위의 之와 같음.

〈풀이〉 종묘는 그것을 흠향하고 자손은 그것을 보존하였다("제사를 계속 보존했
    다"는 뜻).

2 故大德必得其位 必得其祿 必得其名 必得其壽 故天之
生物 必因其材而篤焉 故栽者培之 傾者覆之

〈풀이〉 그러므로 대덕은 반드시 그 지위를 얻고 반드시 그 녹을 얻고 반드시
    그 이름을 얻고 반드시 그 수를 얻는다. 그러므로 하늘이 만물을 낳음
    은 반드시 그 재질을 말미암아서 도타이한다. 그러므로 심은 것은 그것
    을 북돋우고 기울어진 것은 그것을 넘어뜨린다(엎어버린다).

故大德必得其位(고대덕필득기위)

  ⇨ 大德: 큰 덕. 得: 얻다. 其位: 그 지위.

  〈풀이〉 그러므로 대덕은 반드시 그 지위를 얻고.

必得其祿 必得其名 必得其壽(필득기록 필득기명 필득기수) ⇨ 祿: 녹.
  名: 이름 壽: 수명.

  〈풀이〉 반드시 그 녹을 얻고 반드시 그 이름을 얻고 반드시 그 수명을 얻는다.

故天之生物 必因其材而篤焉 故栽者培之 傾者覆之(고천지생물 필인기
  재이독언 고재자배지 경자복지)⇨ 天之: 하늘이. 之는 후치사로 주격
  을 나타냄. 生: 낳다. 物: 만물. 因: 말미암아. 材: 재질. 而: 순접의
  접속사. 篤: 도타이하다. 焉: 단정의 종결사. 栽: 심다. 者: 불완전명사
  로 '것'. 培: 북돋우다. 之: 가시대명사로 그것, 즉 심은 것. 傾者: 기울
  어진 것. 覆之: 그것을 넘어뜨린다.

〈풀이〉고로 하늘이 만물을 낳음은 반드시 그 재질을 말미암아서 ★도타이한다. 고로 심은 것은 그것을 북돋우고 기울어진 것은 그것을 넘어뜨린다.

3 詩曰 嘉樂君子 憲憲令德 宜民宜人 受祿于天 保佑命之 自天申之 故大德者必受命

〈풀이〉시경에 말하기를 훌륭하며 즐겁게 하는 군자의 흥성하고 훌륭한 덕은 백성에게 알맞고 사람에게 알맞아야 하늘에서 녹을 받는다. 보호하고 도와 그것에 명하기를 하늘로부터 그것을 되풀이한다. 그러므로 대덕자는 반드시 명을 받는다.

詩曰 嘉樂君子 憲憲令德 宜民宜人 受祿于天 保佑命之 自天申之 故大德者必受命(시왈 가락군자 헌헌영덕 의민의인 수록우천 보우명지 자천신지 고대덕자필수명) ⇨ 嘉: 언행이 훌륭한. 樂: 즐겁게 하다. 憲憲: 흥성하다. 令德: 훌륭한 덕. 宜民: 백성에게 알맞고. 宜人: 사람에게 알맞다. 受祿: 녹을 받다. 于天: 하늘에서. 于: 전치사로서 체언 부사구를 만든다. 保佑: 보호하고 도우다. 命之: 그것에 명하다. 自天: 하늘로부터. 申之: 그것을 되풀이하다. 申: 되풀이하다. 之: 가시대명사. '그것'. 受命: 명을 받는다.

第十八章

1 子曰 無憂者 其惟文王乎 以王季爲父 以武王爲子 父作
之子述之 武王纘太王王季文王之緖 壹戎衣而有天下
身不失天下之顯名 尊爲天子 富有四海之內 宗廟饗之
子孫保之

〈풀이〉 공자가 말씀하셨다. 근심이 없는 이는 문왕일 게다. 王季로써 아버지로
삼고 武王으로써 아들로 삼아 아버지가 그것(왕업)을 일으켰고 아들은
그것을 이었다. 무왕은 태왕, 왕계, 문왕의 계통을 이어 한번 군복을 입
고서 천하를 보유하니 몸은 천하의 명성을 잃지 아니하였고 존귀함으로
는 천자가 되고 부로는 사해의 안을 차지하여 종묘는 그것(제사)을 흠향
하였고 자손은 그것을(제사) 보전하였다.

子曰 無憂者 其惟文王乎(자왈 무우자 기유문왕호) ⇨ 無憂者: 근심이
없는 이는. 無: 주어를 뒤에 가지는 특수형용사. 者: 사람. 其: 발어사.
惟: 오직. 文王: 주나라 문왕(文王). 무왕(武王)의 아버지. 은나라를
넘어뜨린 이는 무왕이나 주왕조의 천명은 문왕 때 내려졌다고 한다.

어진 아버지와 아들을 가지고 그 전승을 다했으므로 '근심 없는 이'라고 일컬어졌다. 乎: 뜻을 강조하기 위한 종결사.

〈풀이〉 공자가 말씀하셨다. 근심이 없는 이는 그 오직 문왕이리라.

以王季爲父 以武王爲子 父作之子述之(이왕계위부 이무왕위자 부작지자술지) ➪ 以: 전치사로서 '~으로써'. 王季: 문왕(文王)의 아버지. 이름은 계력(季歷). 주나라 大王의 삼남으로 왕위를 이어 주(周)의 터전을 이루었다. 以王季: 왕계로써. 爲父: 아버지로 삼다. 以武王爲子: 무왕으로써 아들로 삼다. 父作之: 아버지는 이것(그것)을 일으켰다. 之는 가시대명사로 주나라의 왕업을 가리킴. 子述之: 아들은 그것(왕업)을 이었다. 述은 '잇다'임.

〈풀이〉 王季로써 아버지로 삼고 武王으로써 아들로 삼아 아버지가 그것(왕업)을 일으켰고 아들은 그것(왕업)을 이었다.

武王纘太王 王季文王之緖(무왕찬태왕 왕계문왕지서) ➪ 纘: 잇다. 계승함. 之: 후치사로 '의'. 緖: 계통.

〈풀이〉 무왕은 태왕, 왕계는 문왕의 계통을 이어.

壹戎衣而有天下(일융의이유천하) ➪ 壹: 한번. 戎衣: 戎服, 곧 軍服. 而: 순접의 접속사. 有天下: 천하를 보유하다(가지다).

〈풀이〉 한번 군복을 입고서 천하를 보유하다(가지다).

身不失天下之顯名(신불실천하지현명) ➪ 不失: 잃지 아니하다. 顯名: 천하에 나타난 명성. 之: '의'.

〈풀이〉 몸은 천하의 나타난 명성을 잃지 아니하다.

尊爲天子 富有四海之內 宗廟饗之 子孫保之(존위천자 부유사해지내 종묘향지 자손보지)

〈풀이〉 존귀함으로는 천자가 되시고 부로는 사해의 안을 차지하여(보유하여) 종묘는 그것을(제사) 흠향하고 자손은 그것(제사)을 보전하였다.

2 武王末受命 周公成文武之德 追王太王王季 上祀先公
以天子之禮 斯禮也 達乎諸侯大夫及士庶人 父爲大夫
子爲士 葬以大夫 祭以士 父爲士 子爲大夫 祭以士 葬以
大夫 期之喪 達乎大夫 三年之喪 達乎天子 父母之喪
無貴賤一也

〈풀이〉 무왕이 말년에 명을 받으니 주공이 문왕과 무왕의 덕을 이루었다. 太王
과 王季를 추존하고 위로는 조상을 천자의 예로써 제사하였다. 이 예는
제후, 대부 및 사(士)와 서민에게까지 통하니(즉 통용하니) 아버지가 대
부이고 아들이 사이면 대부로서 장사하고 사로서 제사 지내며, 아버지
가 사이고 아들이 대부이면 사로서 장사 지내고 대부로서 제사 지낸다.
기년상은 대부에게 통용하고 삼년상은 천자에게 통용되니 부모상은 귀
천 없이 하나이다.

武王末受命 周公成文武之德(무왕말수명 주공성문무지덕) ⇨ 末: 말에,
말년에. 受命: 명을 받다. 周公: 武王의 아우로 무왕이 돌아간 뒤 이린
성왕이 즉위하자 섭정으로서 주왕조의 예제(禮制)를 정하였다. 成:
이루다. 文武之德: 문왕과 무왕의 덕. 文武는 文王과 武王을 뜻함.
之: 후치사로 '의'.
〈풀이〉 무왕이 말년에 명을 받으니 주공이 문왕과 무왕의 덕을 이루었다.
追王太王王季 上祀先公以天子之禮(추왕태왕왕계 상사선공이천자지
례) ⇨ 追王: 후세에서 새 왕호를 추증하여 존칭함. 追王太王王季: 太
王과 王季를 추앙하다. 즉 추존하다. 上: 위로는. 祀: 제사하다. 先公:
선조. 以天子之禮: 천자의 예로써. 以는 전치사로 '으로써'임.
〈풀이〉 태왕(太王)과 왕계(王季)를 추왕(追王, 또는 추존)하고 위로는 조상을 천

154

자의 예로써 제사하다.

斯禮也 達乎諸候大夫及士庶人(사례야 달호제후대부급사서인) ⇨ 斯禮
也: 이 예는. 也: 전성후치사로 앞 체언을 주어로 만든다. 達: 통하다.
乎: 간접목적어 앞에 쓰이어 장소를 나타내는 전치사로 '~에게'. 及:
미치다, 함께하다.

〈풀이〉 이 예는 제후, 대부, 士, 서민에게까지 미쳐서 통용한다(서민에게까지
함께 통용한다).

父爲大夫 子爲士 葬以大夫 祭以士 父爲士 子爲大夫 葬以士 葬以大夫
期之喪 達乎大夫 三年之喪 達乎天子 父母之喪 無貴賤一也(부위대부
자위사 장이대부 제이사 부위사 자위대부 제이사 장이대부 기지상
달호대부 삼년지상 달호천자 부모지상 무귀천일야) ⇨ 父爲大夫: 아
버지는 대부이고. 爲는 이르다, 삼다, 간주하다 등. 子爲士: 아들이
사(士)이면. 葬以大夫: 대부로써 장사하고. 祭以士: 제사는 사로써 지
내며 父爲士 子爲大夫: 아버지가 사이고 아들이 대부이면. 葬以士:
사로써 장사하고. 祭以大夫: 대부로써 제사지낸다. 期之喪: 기년상을
뜻하며, 1년만 입는 상이다. 조부모, 백숙부모, 형제 상에 입는다. 達
乎大夫: 대부에게 통한다. 三年之喪: 삼년상은. 達乎天子: 천자에게
통한다. 父母之喪 無貴賤一也: 부모상은 귀천이 없이 하나이다.

〈풀이〉 아버지가 대부이고 아들이 사이면 대부로서 장사하고 사로서 제사 지내
며, 아버지가 사이고 아들이 대부이면 사로서 장사 지내고 대부로서 제사
지낸다. 기년상은 대부에게 통하고 삼년상은 천자에게 통용하니, 부모상
은 귀천 없이 하나이다.

第十九章

1 子曰 武王周公 其達孝矣乎 夫孝者 善繼人之志 善述人
之事者也 春秋 修其祖廟 陳其宗器 設其裳衣 薦其時食

〈풀이〉 공자가 말씀하셨다. 무왕과 주공은 달효였구나! 무릇 효라는 것은 조상
의 뜻을 잘 계승하여 조상의 일을 잘 이어받는 것이다. 봄 가을에 그
조상의 사당을 수리하고 그 종기를 진열하며 그 조상이 입던 옷을 늘어
놓고 그 철에 나는 음식을 바치는 일이다.

子曰 武王周公 其達孝矣乎(자왈 무왕주공 기달효의호) ⇨ 達孝: 부모를
잘 섬겨 세상 사람이 다 인정하는 효도. 矣乎: 강한 감탄을 나타내는
종결사.
〈풀이〉 공자가 말씀하셨다. 무왕과 주공은 달효였구나!
夫孝者 善繼人之志 善述人之事者也(부효자 선계인지지 선술인지사자
야) ⇨ 夫: 무릇. 孝者: 효라는 것은. 者: 동사 밑에 쓰이어 그것을
체언화하는 불완전명사. 善: 잘. 繼: 잇는다. 人之志: 조상의 뜻을 이
어(여기의 人은 아버지와 할아버지, 즉 조상, 선조). 善: 잘. 述: 이어받

다. 人之事: 조상의 일. 者: 위의 者와 같은 불완전명사. '것'. 也: 단정의 종결사.

〈풀이〉 무릇 효라는 것은 조상의 뜻을 잘 이어서 조상의 일을 잘 이어받는 것이다.

春秋 修其祖廟 陳其宗器 設其裳衣 薦其時食(춘추 수기조묘 진기종기 설기상의 천기시식) ⇨ 春秋: 봄과 가을에. 修: 수리하다. 其祖廟: 그 조상의 신주를 모신 사당. 陳: 진열하다. 其宗器: 그 종묘에서 사용되는 제기. 設: 베풀다, 늘어놓다. 其裳衣: 그 치마와 저고리, 또 평소에 입던 옷. 조상이 입던 의복. 薦: 제사 때 음식을 바침. 其時食: 그 철에 나는 음식.

〈풀이〉 봄가을에 그 조상의 신주를 모신 사당을 수리하고 그 종기를 진열하며 그 조상이 입던 옷을 베풀고(늘어놓고) 그 철에 나는 음식을 바친다.

2 宗廟之禮 所以序昭穆也 序爵 所以辨貴賤也 序事 所以辨賢也 旅酬 下爲上 所以逮賤也 燕毛 所以序齒也 踐其位 行其禮 奏其樂 敬其所尊 愛其所親 事死如事生 事亡如事存 孝之至也

〈풀이〉 종묘의 예는 소와 목의 차례를 정하는 까닭이요 작위에 따라 차례를 정함은 귀천을 분별하는 까닭이요 일에 차례를 정함은 현명함을 분별하는 까닭이요 여수의 예에 아랫사람이 윗사람을 위함은 천한 사람에게 미치게 하는 까닭이요 연모는 나이의 차례를 정하는 까닭이다. 그 자리에 올라 그 예를 행하며 그 음악을 연주하며 그 존귀한 바를 공경하고 그 친한 바를 사랑하며 죽음을 섬기기를 삶을 섬기는 것 같이 하고 없는 이를 섬기기를 생존한 이를 섬기는 것처럼 하는 것이 효의 지극함이다.

宗廟之禮 所以序昭穆也(종묘지례 소이서소목야) ⇨ 所以: 수식어를 뒤에 가지는 불완전명사. '까닭'. 序: 차례를 정함. 昭穆: 종묘에 신주를 모시는 차례. 천자는 태조를 중앙에 모시고 2세, 4세, 6세는 昭라 하여 왼편에 3세, 5세, 7세는 穆이라 하여 오른편에 모시어 삼소, 삼목의 칠묘(七廟)이고 제후는 이소, 이목의 오묘(五廟)이다. 也: 단정의 종결사.

〈풀이〉 종묘의 예는 昭와 穆의 차례를 정하는 까닭이요.

序爵 所以辨貴賤也(서작 소이변귀천야) ⇨ 序爵: 작위에 따라 차례를 정함. 辨: 변별하다.

〈풀이〉 작위(벼슬자리)에 따라 차례를 정함은 귀천을 분별하는 까닭이요.

序事 所以辨賢也(서사 소이변현야) ⇨ 序事: 일에 차례를 정함은. 辨賢: 현명함을 변별하다.

〈풀이〉 일에 차례를 정함은 현명함을 분별하는 까닭이요.

旅酬 下爲上 所以逮賤也 燕毛 所以序齒也(려수 하위상 소이체천야 연모 소이서치야) ⇨ 旅酬: 여수의 예, 즉 제사가 끝날 때 여수에서 아랫사람이 윗사람에게 술을 따라 올리고 여러 사람이 서로 술을 권하는 예. 旅: 무리, 다수의 사람. 酬: 잔을 돌리다. 下爲上: 아랫사람이 윗사람을 위함. 逮賤: 천한 사람에게 미치게 하다. 즉 여수의 예에서는 천한 사람들까지도 이 예식에 참여시켜서 윗사람과 잔을 주고 받으며 영광을 누리게 하는 것. 燕毛: 제사가 끝나고 타성이 가고 난 후 집안 끼리 연회의 좌석의 석차를 모발의 빛, 곧 연령순으로 정하는 예. 燕: 잔치. 齒: 나이.

〈풀이〉 여수의 예에 아랫사람이 윗사람을 위함은 천한 사람에게 미치게 하는 까닭이요 연모는 나이의 차례를 정하는 까닭이다.

踐其位 行其禮 奏其樂 敬其所尊 愛其所親 事死如事生 事亡如事存 孝

之至也(천기위 행기례 진기락 경기소존 애기소친 사사여사생 사망여
사존 효지시야) ⇨ 踐: 자리에 오르다. 敬: 공경하다. 其所尊: 그 존중
하는 바. 事死: 죽음을 섬기다. 事生: 삶을 섬기다. 事亡: 없는 이를
섬기다. 事存: 생존한 이를 섬기다. 孝之至: 효의 지극함. 也: 단정의
종미사.

〈풀이〉 그 자리에 올라 그 예를 행하며 그 음악을 연주하며 그 존귀한 바를
공경하고 그 친한 바를 사랑하며 죽음을 섬기기를 삶을 섬기는 것처럼
하고 없는 이를 섬기기를 생존한 이를 섬기는 것처럼 하는 것이 효의
지극함이다.

3 郊社之禮 所以事上帝也 宗廟之禮 所以祀乎其先也 明 乎郊社之禮禘嘗之義 治國其如示諸掌乎

〈풀이〉 교사의 예는 상제를 섬기는 까닭이요 종묘의 예는 그 조상을 제사지내
는 까닭이요 교사의 예와 천자가 조상을 제사하는 뜻에(체상의 예의 뜻
에) 밝으면 나라를 다스리는 것은 손바닥에서 그것을(정치를) 보는 것과
같구나.

郊社之禮 所以事上帝也(교사지례 소이사상제야) ⇨ 郊社之禮: 천지의
신에게 제사하는 예. 郊는 교외에서 상제를 제사함. 社는 地神에게
지내는 제사. 즉 社郊之禮는 위와 같으나 조상을 중요시하여 천제에
게 제사 지내는 것으로 푸는 듯함. 주나라 때는 도시에서 50리 밖은
근교라 하고 백리 밖은 원교라 하였다. 所以事上帝也: 상제를 섬기는
까닭이요. 也: 단정종결사.

〈풀이〉 교사의 예는 상제를 섬기는 까닭이요.

宗廟之禮 所以祀乎其先也(종묘지례 소이사호기선야) ⇨ 祀: 제사지내다 乎其先: 그 조상에게. 先: 조상. 乎는 전치사로 장소를 나타냄. '~에게'. 禘嘗之義까지 걸림. 也: 단정의 종결사.

〈풀이〉 종묘의 예는 그 조상을 제사하는 까닭이요.

明乎郊社之禮 禘嘗之義(명호교사지례 체상지의) ⇨ 明: 밝으면. 乎郊社之禮: 교사의 예에. 乎는 전치사로 장소를 나타냄. 禘嘗: 禘는 천자의 종묘의 대제. 嘗: 사계의 제사를 대표함. 즉 춘추로 천자의 종묘의 제사. 義: 뜻.

〈풀이〉 교사의 예와 체상의 예의 뜻에 밝으면

治國其如示諸掌乎(치국기여시제장호) ⇨ 治國: 나라를 다스림은. 其: 어세를 고르게 하기 위하여 구말에 붙이는 후치사. 示: 보다. 諸掌: 之於掌. 손박에서 그것을. 之는 가시대명사. '그것'. 乎: 감탄의 종결사.

〈풀이〉 나라를 다스리는 것은 손바닥에서 그것을 보는 것과 같다.

第二十章

1 哀公問政 子曰 文武之政 布在方策 其人在則其政擧 其
　人亡則其政息 人道敏政 地道敏樹 夫政也者 浦盧也

〈풀이〉 애공이 정치를 물으니 공자가 말씀하시되 문왕과 무왕의 정치가 방책에
　　　　펼쳐 있으니 그런 사람이 있은 즉 그런 정치는 이루어지고 그런 사람이
　　　　없는 즉 그런 정치는 끝난다. 사람이 지켜야 할 덕은(도는) 정치에 힘쓰
　　　　고 땅이 말미암는 바는 나무에 힘쓰는 것이니 무릇 정치라는 것은 부들
　　　　과 갈대 같은 것이다.

哀公問政 子曰(애공문정 자왈) ⇨ 哀公: 춘추 말기의 오나라 임금. 공자
　는 애공 11년에 旅에서 귀국하여 16년(B.C.479)에 죽었다.
　〈풀이〉 애공이 정치를 물으니 공자가 말씀하셨다.
文武之政 布在方策(문무지정 포재방책) ⇨ 文武之政: 文王과 武王의 정
　치가. 布: 펴다, 널리 알리다. 在: 있다. 布在: 펼쳐 있었다. 方: 널조각,
　목판, 즉 옛날 종이가 발견되기 전에 나뭇조각으로 만든 책. 策: 대쪽.
　종이가 없던 옛날에 글을 쓰던 대조각, 책. 문서책.

〈풀이〉 문왕과 무왕의 정치가 방, 책에 펼쳐 있으니.

其人在則其政擧 其人亡則其政息(기인재즉기정거 기인망칙기정식) ⇨
其人: 그 사람, 즉 문왕이나 무왕과 같은 사람. 在: 있다. 則: 마디와
마디를 어어 주는 접속사. 政: 정치. 擧: 행하다. 亡: 없다. 息: 그치다,
중지하다, 끝나다.

〈풀이〉 그(그런) 사람이 있은즉 그런 정치는 이루어지고 그런 사람이 없은 즉
그런 정치는 끝난다.

人道敏政 地道敏樹 夫政也者 浦盧也(인도민정 지도민수 부정야자 포
로야) ⇨ 人道: 사람이 준수하여야 할 덕, 좋음, 따름. 敏: 힘쓴다, 힘써
하다. 地道: 땅이 따르다. 樹: 나무, 나무를 심다. 夫: 무릇. 政也者:
也者: 전성후치사로 명사인 政을 주어로 만든다. 浦: 부들. 盧: 갈대.
也: 단정의 종결사.

〈풀이〉 사람이 지켜야 할 덕은 정치에 힘쓰고 땅이 말미암을 바는 나무에 힘써야
하니, 무릇 정치라는 것은 부들과 갈대 같은 것이다.

2 故 爲政在人 取人以身 修身以道 修道以仁 仁者人也
親親爲大 義者宜也 尊賢爲大 親親之殺 尊賢之等 禮所
生也

〈풀이〉 고로 정치를 함은 사람에 있고 사람을 취함에는 몸으로써 하고 몸을 닦
음은 도로써 하고 도를 닦음은 인으로 한다. 인이라는 것은 사람이고
친족과 친한 것은 크다고 생각한다. 의라는 것은 마땅함이다. 어진 이를
존중함은 크다고 생각하며 친척과 친함에도 차별이 있으니 어진 이를
존중하는 등급이 예가 생기는 방법인 것이다.

故 爲政在人 取人以身 修身以道 修道以仁(고 위정재인 취인이신 수신이도 수도이인) ⇨ 爲政: 정치를 하는 것. 在人: 사람에 있다. 取人: 사람을 취할 때에는 以身: 몸으로써. 이하 같은 식으로 풀면 된다.

〈풀이〉 고로 정치를 함은 사람에 있고 사람을 취함에는 몸으로써 하고 몸을 닦음은 도로써 하고 도를 닦음은 인으로 한다.

仁者人也 親親爲大 義者宜也 尊賢爲大 親親之殺 尊賢之等 禮所生也
(인자인야 친친위대 의자의야 존현위대 친친지쇄 존현지등 예소생야) ⇨ 仁者: 者는 후치사로 仁을 주어로 만든다. 고로 仁者: 인이라는 것은. 人也는 仁者의 술부. 也는 어세를 강하게 하기 위한 종결사. 親: 친하게 하다. 親: 친족. 爲大: 爲는 생각하다, ~라고 생각한다. 뜻은 '크다고 생각한다'. 義者: 의라는 것은. 宜也: 마땅함이다. 尊賢: 어진 이를 존중하다. 之: 관형어를 만드는 후치사. 殺: 감삭하다, 즉 차별이 있다는 뜻. 等: 등급, 구별한 등속. 禮所生也: 예가 생기는 바이다 또는 예가 생기는 방법인 것이다. 근거 또는 바탕이라 풀기도 하나 모로바시 『대한화사전』에도 그런 뜻은 없고 민중서관의 『한한대자전』에도 없어 앞의 뜻으로 푼다. 也: 단정의 종결사.

〈풀이〉 인이라는 것은 사람이고 친족과 친한 것은 크다고 생각한다. 의라는 것은 마땅함이다. 어진 이를 존중함은 크다고 생각하며 친척과 친함에도 차별이 있으니 어진 이를 존중하는 등급이 예가 생기는 방법인 것이다.

3 故君子不可以不修身 思修身 不可以不事親 思事親 不可以不知人 思知人 不可以不知天

〈풀이〉 고로 군자는 몸을 닦지 아니할 수 없다. 몸을 닦으려고 생각하면 부모를

섬기지 않아서는 안 되고 어버이를 섬기려고 생각하면 사람을 알지 아
니하면 아니 되며 사람을 알려고 생각하면 하늘을 알지 아니하면 아니
된다.

故君子不可以不修身(고군자불가이불수신) ⇨ 不可~不: 아니해서는 안
된다.
〈풀이〉고로 군자는 몸을 닦지 아니해서는 안 된다.
思修身 不可以不事親(사수신 불가이불사친) ⇨ 不可以不: 아니해서는
안 된다.
〈풀이〉몸을 닦으려고 생각하면 부모를 섬기지 아니해서는 안 된다.
思事親 不可以不知人(사사친 불가이불지인)
〈풀이〉어버이를 섬기려고 생각하면 사람을 알지 아니하면 아니 된다.
思知人 不可以不知天(사지인 불가이불지천)
〈풀이〉사람을 알려고 생각하면 하늘을 알지 아니하여서는(몰라서는) 아니 된다.

第二十一章

1 天下之達道五 所以行之者三 曰 君臣也 夫子也 夫婦也 昆弟也 朋友之交也 五者 天下之達道也 知仁勇 三者 天下之達德也 所以行之者 一也 或生而知之 或學而知 之 或困而知之 及其知之 一也 或安而知之 或利而行之 或勉强而行之 及其成功 一也

〈풀이〉 하늘의 도가 다섯인데 그것을 행하는 까닭인 것은 셋이다. 말하면 군신 이요, 부자요, 부부요, 형제요, 붕우와의 사귐이니 이 다섯 가지는 천하 의 달도이다. 지·인·용 셋은 천하의 달덕이니 그것을 행하는 까닭인 것 은 하나이다. 어떤 이는 태어나면서 그것을 알고 어떤 이는 배워서 그 것을 알고 어떤 이는 고생하면서 그것을 아니 그들이 그것을 앎에 미쳐 서는 하나이다(즉 한가지이다). 어떤 이는 편안하면서 그것을 행하고 어 떤 이는 이로워서 그것을 행하고 어떤 이는 힘써서 그것을 행하니 그들 이 공적을 이룸에 미쳐서는 한가지이다.

天下之達道五 所以行之者三(천하지달도오 소이행지자삼) ⇨ 達道: 언

제 어디서나 널리 행하여야 할 도. 所以: 까닭, 때문. 行之: 그것을
행하다. 之는 가시대명사 '그것', 즉 하늘의 도. 者: 수식어를 앞에
가지는 불완전명사.

〈풀이〉 하늘의 달도가 다섯인데 그것을 행하는 까닭인 것은 셋이다.

曰 君臣也 夫子也 夫婦也 昆弟也 朋友之交也 五者 天下之達道也(왈
군신야 부자야 부부야 곤제야 붕우지교야 오자 천하지달도야) ⇨ 也:
이요, 이다(종결사). 昆弟: 형제.

〈풀이〉 말하면 군신이요, 부자요, 부부요, 형제요, 붕우와의 사귐이다. (이)오자는
(다섯 가지는) 천하의 달도이다.

知仁勇 三者 天下之達德也 所以行之者 一也(지인용 삼자 천하지달덕
야 소이행지자 일야) ⇨ 知: 지혜, 지식. 者: 불완전명사. '것'. 達德:
언제 어디서나 널리 행하여야 할 덕. 所以: 까닭. 之: 가시대명사.
그것(달덕). 一也: 하나이다. 동일하다, 한가지이다.

〈풀이〉 지(知)·인(仁)·용(勇) 셋은 천하의 달덕이니 그것을 행하는 까닭인 것이
하나이다(한가지이다).

或生而知之 或學而知之 或困而知之 及其知之 一也(혹생이지지 혹학이
지지 혹곤이지지 급기지지 일야) ⇨ 或: 어떤 이. 生: 태어나다. 而:
순접의 접속사. 知之: 그것을 알다. 之는 가시대명사로 달덕을 가리킨
다. 學而: 배워서. 困: 괴롭다, 난처하다, 가난하여 고생함. 及: 미치다,
이르다. 其: 그들. 여기서는 或(어떤 이)들을 가리키는 대용대명사이
다. 及其知之: 그들이 그것을 앎에 미쳐서는

〈풀이〉 어떤 이는 태어나면서 그것을 알고 어떤 이는 배워서 그것을 알고 어떤
이는 고생하면서 그것을 아니 그들이 그것을 앎에 미쳐서는 하나이다(한
가지이다).

或安而知之 或利而行之 或勉强而行之 及其成功 一也(혹안이지지 혹리

이행지 혹면강이행지 급기성공 일야) ⇨ 安: 편안하다. 利: 이롭다.
勉强: 힘써 함, 힘씀. 成: 이루다. 功: 공, 공적. 其: 그들(앞의 여러
어떤 이).

〈풀이〉 어떤 이는 편안하면서 그것을 행하고 어떤 이는 이로워서(이롭다 해서)
그것을 행하고 어떤 이는 힘써서 그것을 행하니 그들이 공적을 이룸에
미쳐서는 하나이다(한가지이다 또는 동일하다).

2 子曰 好學近乎知 力行近乎仁 知恥近乎勇 知斯三者 則
知所以修身 知所以修身 則知所以治人 知所以治人 則
知所以治天下國家矣

〈풀이〉 공자가 말씀하셨다. 배우기를 좋아하면 앎에 가깝고 힘써 행하면 인에
가깝고 수치를 알면 용감함에 가깝다. 이 세 가지를 안 즉 몸을 닦는
까닭을 알고 몸을 닦는 까닭을 안 즉 사람을 다스리는 까닭을 알며, 곧
천하 국가를 다스리는 까닭을 안다.

子曰 好學 近乎知 力行 近乎仁 知恥 近乎勇(자왈 호학근호지 역행근호
인 지치근호용) ⇨ 乎: 간접목적어 앞에 와서 장소를 나타내는 전치
사. 力行: 힘써 행하면. 知恥: 수치를 알다.

〈풀이〉 공자가 말씀하셨다. 배움을 좋아하면 앎에 가깝고 힘써 행하면 인에 가깝
고 수치를 알면 용감함에 가깝다.

知斯三者 則知所以修身 知所以修身 則知所以治人 知所以治人 則知所
以治天下國家矣(지사삼자 즉지소이수신 지소이수신 즉지소이치인
지소이치인 즉지소이치천하국가의) ⇨ 斯: 이. 矣: 단정의 종결사.

〈풀이〉이 세 가지를 안 즉 몸을 닦는 까닭을 알고 맘을 닦는 까닭을 안 즉 사람을 다스리는 까닭을 알며, 곧 천하 국가를 다스리는 까닭을 안다.

第二十二章

1 凡爲天下國家 有九經 曰 修身也 尊賢也 親親也 敬大臣
也 體羣臣也 子庶民也 來百工也 柔遠人也 懷諸侯也

〈풀이〉 무릇 천하와 나라를 다스림에 구경이 있다. 말하면 몸을 닦음이요 어진
　　　이를 존중함이요 어버이를 친밀히 함이요 대신들을 공경함이요 뭇 신하
　　　들을 친근히 함이요 서민을 아들같이 여김이요 백공을 부름이요 먼데
　　　사람을 부드럽게 함이요 제후들을 편안히 함이다.

凡爲天下國家 有九經(범위천하국가 유구경) ⇨ 凡: 무릇. 爲: 다스리다.
有: 주어를 뒤에 가지는 특수동사.
〈풀이〉 무릇 천하와 국가를 다스리는 데는 구경이 있다.

曰 修身也 尊賢也 親親也 敬大臣也 體羣臣也 子庶民也 來百工也 柔遠
人也 懷諸侯也(왈 수신야 존현야 친친야 경대신야 체군신야 자서민
야 래백공야 유원인야 회제후야) ⇨ 體: 친하다, 친근히 하다. 子: 아
들같이 여기다. 來: 부르다. 懷: 편안하게 하다, 어루만져 편안히 함.
羣臣: 여러 신하.

〈풀이〉 말하면 몸을 닦음이요, 어진 이를 존중함이요 어버이를 친밀히 함이요 대신을 공경함이요 여러 신하를 친근히 함이요 서민을 자식 같이 여김이요 백공을 부름이요 먼데 사람들을 부드럽게 함이요 제후들을 편안하게 함이다.

2 修身則道立 尊賢則不惑 親親則諸父昆弟不怨 敬大臣則不眩 體君臣則士之報禮重 子庶民則百姓勸 來百工則財用足 柔遠人則四方歸之 懷諸侯則天下畏之

〈풀이〉 몸을 닦는 즉 도가 서고 어진 이를 존중하면 곧 미혹되지 아니하고 어버이를 친히 하면 곧 제부와 형제가 원망하지 아니하고 대신을 공경하면 곧 현혹되지 아니하고 뭇 신하들을 친근히 하면 곧 선비들의 예에 보답함이 무겁다(두텁다). 서민을 아들처럼 여기면 곧 백성은 힘쓰게 되고 백공을 오게 부르면 곧 재물을 씀이 족하고 먼데 사람을 부드럽게 하면 곧 사방이 귀의하고 제후를 편안하게 하면 곧 천하가 삼가고 조심한다.

修身則道立 尊賢則不惑 親親則諸父昆弟不怨 敬大臣則不眩 體君臣則士之報禮重(수신즉도립 존현즉불혹 친친즉제부곤제불원 경대신즉불현 체군신즉사지보례중) ⇨ 則: 접속사. ~한 즉, 곧. 不惑: 미혹되지 아니하다. 惑: 미혹하다, 미혹하게 하다. 諸父: 천자가 동성의 제후를 또 제후가 동성의 대부를 부르는 칭호. 아버지의 형제. 不怨: 원망하지 아니하다. 士之: 선비들의. 報禮: 예에 보답하다. 重: 무겁다, 두텁다, 가볍지 아니하다.

〈풀이〉 몸을 닦는 즉 도가 서고 어진 이를 존중한 즉 미혹되지 아니하고 어버이를 친하게 한 즉 제부와 형제가 원망하지 아니하고 대신을 공경한 즉 현혹되지 아니하고 뭇 신하들을 친근히 한 즉 선비들의 예에 보답함이 무겁다(두텁다).

子庶民則百姓勸 來百工則財用足 柔遠人則四方歸之 懷諸侯則天下畏之(자서민즉백성권 내백공즉재용족 유원인즉사방귀지 회제후칙천하외지) ⇨ 勸: 권면하다, 힘쓰다, 힘써 하다. 歸之: 붙좇는다, 귀의하다. 之: 어조를 고르게 하기 위하여 동사 밑에 쓰인 후치사. 畏: 두려워하다, 무서워하다, 삼가고 조심하다. 之: 어조를 고르게 하기 위하여 동사 밑에 쓰인 후치사.

〈풀이〉 서민을 아들처럼 여기면 곧 백성은 힘쓰게 되고 백공을 오게 부르면 곧 재물을 쓰기가 족하고 먼데 사람을 부드럽게 하면 곧 사방이 귀의하게 되고 제후를 편안하게 하면 곧 천하가 삼가고 조심한다.

第二十三章

1 齊明盛服 非禮不動 所以修身也 去讒遠色 賤貨而貴德
所以勸賢也 尊其位 重其祿 同其好惡 所以勸親親也 官
盛任使 所以勸大臣也 忠信重祿 所以勸士也 時使薄斂
所以勸百姓也

〈풀이〉 제명, 성복하고 예가 아니면 움직이지 아니함은 몸을 닦는 때문이요 참
소를 버리고 여색을 멀리하고 재화를 천히 여기고 덕을 귀하게 여김은
어진 이를 권면하는 까닭이요 그 지위를 높이고 그 녹을 중히 하고 그
좋아하는 것과 싫어하는 것을 함께 함은 어버이를 친히 여기기를 권면
하는 까닭이다. 관원이 중성하여 일을 맡기고 부림은 대신을 권면하는
까닭이요 성실하고 거짓이 없고 녹을 중히 여김은 선비를 권면함이요,
때에 맞추어 부리고 거두어들이는 것을 엷게 함은 백성을 권면하는 까
닭이다.

齊明盛服 非禮不動 所以修身也(제명성복 비례부동 소이수신야) ⇨ 齊
明: 바르고 밝게 제계하다. 제사에 즈음하여 목욕재계하여 몸을 깨끗

이 함. 盛服: 성장한 의복,엄숙하게 차린 의복. 非禮: 예가 아니면,
非: 명사를 부정하는 부정사.

〈풀이〉 제명, 성복하고 예가 아니면 움직이지 아니함은 몸을 닦는 때문이요.

去讒遠色 賤貨而貴德 所以勸賢也(거참원색 천화이귀덕 소이권현야)

⇨ 讒: 헐뜯는 말, 참소. 去: 버리다. 遠: 멀리다하. 色: 여색. 賤: 천히
여기다. 貨: 재화. 而: 순접의 접속사. 勸賢: 어진 이를 권면하다. 也:
단정의 종결사.

〈풀이〉 참소를 버리고 여색을 멀리하고 재화를 천히 여기고 덕을 귀하게 여김은
어진 이를 권면하는 까닭이다.

尊其位 重其祿 同其好惡 所以勸親親也(존기위 중기록 동기호오 소이
권친친야) ⇨ 尊: 존중하다, 높이다. 同: 같이하다. 其: 그. 好惡: 좋아
하고 싫어하는 것.

〈풀이〉 그 지위를 높이고 그 녹을 중히 하고 그 좋아하는 것과 싫어하는 것을
함께 함은 어버이를 친히 여기기를 권면하는 까닭이다.

官盛任使 所以勸大臣也 忠信重祿 所以勸士也 時使薄斂 所以勸百姓也
(관성임사 소이권대신야 충신중록 소이권사야 시사박렴 소이권백성
야) ⇨ 官: 벼슬아치, 관원. 盛: 많다, 중성하다. 任: 일을 맡기다. 使:
부리다. 忠信: 충성과 신의, 성실하고 거짓이 없음. 時使: 적당한 시기
에 부리다. 薄斂: 거두어드림을 엷게 하다. 斂: 거두다.

〈풀이〉 관원이 중성하여 일을 맡기고 부림은 대신을 권면하는 까닭이요 성실하고
거짓이 없고 녹을 중히 여김은 선비를 권면하는 까닭이요, 때에 맞추어
부리고 거두어 드림을 엷게 함은 백성을 권면하는 까닭이다.

2 日省月試 旣稟稱事 所以勸百工也 送往迎來 嘉善而矜
不能 所以柔遠人也 繼絶世 擧廢國 治亂持危 朝聘以時
厚往而薄來 所以懷諸侯也 凡爲天下國家 有九經 所以
行之者 一也

〈풀이〉 날로 살피고 달로 시험하여 녹봉으로 주는 쌀을 일에 따라 헤아림은 백
공을 권면하는 까닭이요 가는 것을 보내고 오는 것을 맞이하고 잘 하는
것을 칭찬하고 잘하지 못하는 것을 불쌍히 여김은 먼데 사람을 부드럽
게 하는 까닭이다. 끊어진 세계를 이어 주고 피폐한 나라를 일으키며
어지러움을 다스려 위태로움을 붙잡아 주고 조빙을 때에 맞게 하고 보
내는 것을 후하게 하고 오는 것을 엷게 함은 제후를 편안하게 하는 까
닭이다. 무릇 천하와 국가를 다스리는 데는 구경이 있으니 그것을 행하
는 까닭인 것은 하나이다.

日省月試 旣稟稱事 所以勸百工也 送往迎來 嘉善而矜不能 所以柔遠人
也(일성월시 희름칭사 소이권백공야 송왕영래 가선이긍불능 소이유
원인야) ⇨ 日省: 날로 살피고. 月試: 달로 시험하다. 旣稟(희름) ⇨
旣: 늠미, 녹으로 주는 쌀. 稟: 녹봉으로 주는 쌀. 旣稟: 녹봉으로.
稱: 헤아리다. 事: 일에 따라. 送往: 가는 것을 보내고. 迎來: 오는
것을 맞이하다. 嘉善: 잘하는 것을 칭찬하다. 嘉: 칭찬하다. 善: 잘하
다. 而: 순접의 접속사. 矜: 불쌍히 여기다. 不能: 일을 잘 하지 못한.
〈풀이〉 날로 살피고 달로 시험하여 녹봉으로 주는 쌀을 일에 따라 헤아림은 백공
을 권면하는 까닭이요 가는 것을 보내고 오는 것을 맞이하고 잘 하는
것은 칭찬하고 잘 하지 못함을 불쌍히 여김은 먼데 사람을 부드럽게 하는
까닭이다.

繼絶世 擧廢國 治亂持危 朝聘以時 厚往而薄來 所以懷諸侯也(계절세 거폐국 치란지위 조빙이시 후왕이박래 소이회제후야) ⇨ 絶世: 끊어진 세계. 廢國: 피폐한 나라. 治亂: 어지러움을 다스리어. 持危: 위험함(위태로움)을 붙잡아 주고. 朝聘: 제후가 내조하여 천자에게 알현함. 聘: 제후가 大夫를 시켜 天子에게 예물을 바치며 문안드리는 것, 방문하여 안부를 물음. 以時: 때로써. 厚往: 보내는 것을 두터이 하다. 懷: 편안히 함.

〈풀이〉 끊어진 세계를 잇고 피폐한 나라를 일으키며 어지러움을 다스려 위험함을 붙잡아 주고 조빙을 때에 맞게 하고 보내는 것을 후하게 하고 오는 것을 엷게 함은 제후를 편안하게 하는 까닭이다.

凡爲天下國家 有九經 所以行之者 一也(범위천하국가 유구경 소이행지자 일야)

〈풀이〉 무릇 천하와 국가를 다스리는 데는 구경이 있으니 그것을 행하는 까닭인 것은 하나이다.

第二十四章

1 凡事豫則立 不豫則廢 言前定則不跲 事前定則不困 行
前定則不疚 道前定則不窮

〈풀이〉모든 일은 미리 하면 곧 서고 미리 하지 않으면 폐한다. 말이 먼저 정해
져 있으면 곧 착오가 생기지 아니하고 일이 먼저 정해져 있으면 곤란하
지 아니하고 행동이 먼저 정해져 있으면 고생하지 아니하고 길이 먼저
정해져 있으면 난처하게 되지 아니한다.

凡事豫則立 不豫則廢(범사예즉립 불예즉폐) ⇨ 凡事: 모든 일, 평범한
일. 豫: 미리하다. 則: 접속사 곧, 즉. 廢: 폐한다.
〈풀이〉모든 일은 미리 하면 곧 서고 미리 하지 않으면 폐한다.
言前定則不跲 事前定則不困 行前定則不疚 道前定則不窮(언전정즉불
겁 사전정즉불곤 행전정즉불구 도전정즉불궁) ⇨ 言: 말. 前: 앞서,
먼저. 則: 접속사. 不跲: 넘어지지 아니하다. 착오가 생기지 않는다.
不困: 곤란하지 아니하다. 行: 행동. 不疚: 오래 앓지 아니한다, 고생
하지 아니하다. 道: 길. 不窮: 궁하게 되지 아니한다, 난처하게 되지

않는다.

〈풀이〉 말이 먼저 정해져 있으면 곧 착오가 생기지 아니하고 일이 먼저 정해져
있으면 곤란하지 아니하고 행동이 먼저 정해져 있으면 고생하지 아니하고
길이 먼저 정해져 있으면 난처하게 되지 않는다.

2 在下位 不獲乎上 民不可得而治矣 獲乎上 有道 不信乎
朋友 不獲乎上矣 信乎朋友有道 不順乎親 不信乎朋友
矣 順乎親有道 反諸身不誠 不順乎親矣 誠身有道 不明
乎善 不誠乎身矣

〈풀이〉 아랫자리에 있으면서 윗사람에게 신용을 얻지 아니하면 백성을 얻어 다
스릴 수 없다. 윗사람에게 신용을 얻는 데는 길이 있으니 붕우에게 믿
음성이 없으면 윗사람에게 신용을 얻지 아니한다. 붕우에게 믿음성이
있는 데는(신임을 얻는 데는) 길이 있으니 어버이에게 순종하지 않으면
붕우에게 믿음성이 없다. 어버이에게 순종하는데 길이 있으니 자기에게
돌이켜보아 정성스럽지 아니하면 어버이에게 순종하지 아니한다. 자기
에게 정성스러운 데는 길이 있으니 선에 밝지 아니하면 자기에게 정성
스럽지 아니하다.

在下位 不獲乎上 民不可得而治矣(재하위 불획호상 민불가득이치의)

  ⇨ 獲: 신용을 얻다, 인정을 받다. 乎: 전치사로 장소를 나타냄. 民:
여기서는 목적어 '백성을'. 不可: 이것은 得而治에 걸린다. 조동사로
'~할 수 없다'. 而: 순접의 접속사. 矣: 단정의 종결사.

〈풀이〉 아랫자리에 있으면서 윗사람에게 신용을 얻지 아니하면 백성을 얻어 다스

릴 수가 없다.

獲乎上 有道 不信乎朋友 不獲乎上矣(획호상 유도 불신호붕우 불획호
상의) ⇨ 獲乎上 有道: 有는 주어를 뒤에 가지는 특수동사. 고로 윗사
람에게 신용을 얻는 데는 길이 있으니. 不信: 믿음성이 없다, 신의가
없다. 乎: '~에게'의 뜻인 전치사. 矣: 단정의 종결사.

〈풀이〉 윗사람에게 신용을 얻는 데는 길이 있으니 붕우에게 믿음성이 없으면
윗사람에게 신용을 얻지 아니한다.

信乎朋友有道 不順乎親 不信乎朋友矣(신호붕우유도 불순호친 불신호
붕우의)

〈풀이〉 붕우에게 믿음성이 있는 데는 길이 있으니 어버이에게 순종하지 않으면
붕우에게 믿음성이 없다.

順乎親有道 反諸身不誠 不順乎親矣(순호 유도 반제신불성 불순호친
의) ⇨ 反: 돌이켜보다, 반성하다. 諸: 之於와 같다. 身: 자기, 자기
몸. 矣: 단정의 종결사.

〈풀이〉 어버이에게 순종하는 데 길이 있으니 자기에게 돌이켜보아 정성되지 않으
면 어버이에게 순종하지 아니한다.

誠身有道 不明乎善 不誠乎身矣(성신 유도 불명호선 불성호신의) ⇨ 不
明: 밝지 아니하다.

〈풀이〉 자기에게 정성스러운 데는 길이 있으니 선에 밝지 아니하면 자기에게
정성스럽지 아니하다.

3 誠者 天之道也 誠之者 人之道也 誠者 不勉而中 不思而
得 從容中道 聖人也 誠之者 擇善而固執之者也

〈풀이〉 정성이란 것은 하늘의 도이다. 정성스럽게 하는 것은 사람의 도이다.
정성스러운 사람은 힘쓰지 않아도 알맞게 되고 생각지 않아도 얻으며
조용히 도에 일치하니 성인이다. 정성이란 것은 선을 택하여서 그것을
굳게 잡는 것이다.

誠者 天之道也 誠之者 人之道也(성자천지도야 성지자 인지도야) ⇨ 誠
者: 정성이라는 것. 者: 수식어를 앞에 가지는 불완전명사. 곧 '성이라
는 것은'. 誠之: 之는 후치사로 誠을 관형어가 되게 함. 고로 誠之는
'정성스럽게 하는, 정성이란'임.

〈풀이〉 정성이란 것은 하늘의 도이다. 정성스럽게 하는 것은 사람의 도이다.

誠者 不勉而中 不思而得 從容中道 聖人也(성자 불면이중 불사이득 종
용중도 성인야) ⇨ 誠者: 정성스런 사람. 不勉: 힘쓰지 아니하다. 而:
역접의 접속사. 中: 고르다, 알맞다. 從容: 조용한 모양, 얌전한 모양.
中道: 도에 일치한다.

〈풀이〉 정성스러운 사람은 힘쓰지 않아도 알맞게 되고 생각지 않아도 얻으며
조용히 도에 일치하니 성인이라.

誠之者 擇善而固執之者也(성지자 택선이고집지자야) ⇨ 擇: 택하다, 가
리다. 固: 굳게. 執: 잡다. 之: 후치사로서 固執을 불완전명사 者의
관형어가 되게 한다. 오늘날 '고집'은 여기서 왔다.

〈풀이〉 정성이란 것은 선을 택하여서 그것을(之는 가시대명사로 선을 가리킴)
굳게 잡는 것이다.

4 博學之 審問之 愼思之 明辯之 篤行之 有弗學 學之 弗能
弗措也 有弗問 問之 弗知 弗措也 有弗思 思之 弗得
弗措也 有弗辯 辯之 弗明 弗措也 有弗行 行之 弗篤
弗措也 人一能之 己百之 人十能之 己千之 果能此道矣
雖愚必明 雖柔必强

〈풀이〉 널리 그것을 배우고 그것을 자세히 물어 조사하고 그것을 신중히 생각
하고 그것을 명확히 판별하고 그것을 성실히 이행하여야 한다. 배우지
아니함이 있어도 그것을 배우면 능하지 아니하고는 놓아두지 않는다.
묻지 않음이 있어도 그것을 물으면 알지 아니하고는 놓아두지 않는다.
생각하지 않음이 있어도 그것을 생각하면 얻지 않고는 두지 않고 분별
하지 않음이 있어도 그것을 분별하면 밝히지 않고는 두지 않는다. 행하
지 않음이 있어도 그것을 행하면 도타이하지 않고는 두지 않는다. 남이
한 번 그것에 능하면 자기는 그것을 백 번하고 남이 그것에 열 번 능하
면 자기는 그것을 천 번한다. 과연 이 도에 능하면 비록 어리석더라도
반드시 밝게 할 것이며 비록 약하더라도 반드시 강해질 것이다.

博學之 審問之 愼思之 明辯之 篤行之(박학지 심문지 신사지 명변지
독행지)⇨ 博學: 널리 배움. 之: 가시대명사로 앞에 나온 誠을 가리킨
다. 審問: 자세히 물어 조사함. 之는 위와 같음. 愼思: 신중히 생각함.
明辯: 명확히 판별함. 篤行: 성실히 이행함.
〈풀이〉 널리 그것을 배우고 그것을 자세히 물어 조사하고 그것을 신중히 생각하
고 그것을 명확히 판별하고 그것을 성실히 이행해야 한다.
有弗學 學之 弗能 弗措也(유불학 학지 불능 불조야) ⇨ 有弗學: 有는
주어 弗學을 뒤에 가지는 특수동사. 弗學: 배우지 아니함. 弗能: 능하

지 아니하다. 弗措也: 하던 것을 놓고 하지 아니함, 놓다. 也: 단정의
종결사.

〈풀이〉 배우지 아니함이 있어도 그것(之=誠, 이하 동일)을 배우면 능하지 아니하
고는 놓아두지 아니한다.

有弗問 問之 弗知 弗措也(유불문 문지 부지 불조야)

〈풀이〉 묻지 않음이 있어도 그것(之)을 물으면 알지 아니하고는 놓아두지 않는다.

**有弗思 思之 弗得 弗措也 有弗辯 辯之 弗明 弗措也 有弗行 行之 弗篤
弗措也**(유불사 사지 불득 불조야 유불변 변지 불명 불조야 유불행
행지 불독 불조야) ⇨ 辯: 분별하다. 弗明: 밝게 되지 않으면. 弗篤:
독실하지 않고는.

〈풀이〉 생각하지 않음이 있어도 그것을 생각하면 얻지 않고는 두지 않고 분별하
지 않음이 있어도 그것을 분별하면 밝히지 않고는 두지 않는다. 행하지
않음이 있어도 그것을 행하면 도타이하지 않고는 두지 않는다.

人一能之 己百之 人十能之 己千之 果能此道矣 雖愚必明 雖柔必强(인
일능지 기백지 인십능지 기천지 과능차도의 수우필명 수유필강) ⇨
人一能之: 남이 한 번 그것에 능하면. 人: 남, 사람. 一: 한번. 之:
가시대명사 '그것'이다. 能: 능하다. 己: 자기. 百: 백 번하다. 果: 과연.
明: 밝게 함, 밝아지다. 雖: 비록. 柔: 유약하다, 약하다. 矣: 어기가
센 종결사.

〈풀이〉 남(사람)이 한 번 그것에 능하면 자기는 그것을 백 번하고 남이 그것에
열 번 능하면 자기는 그것을 천 번한다. 과연 이 도에 능하면 비록 어리석
더라도 반드시 밝게 할 것이며 비록 약하더라도 반드시 강해질 것이다.

第二十五章

自誠明 謂之性 自明誠 謂之敎 誠則明矣 明則誠矣

〈풀이〉 정성스러움으로부터 밝아지면 그것을 성이라 하고 밝음으로부터 정성
스러워지면 그것을 가르침이라 한다. 정성스러우면 밝아지고 밝아지면
정성스러워진다.

自誠明 謂之性 自明誠 謂之敎 誠則明矣 明則誠矣(자성명 위지성 자명
성 위지교 성즉명의 명즉성의) ⇨ 自誠: 정성스러움으로부터. 自: 부
터. 明: 밝아지다. 謂之性: 그것을 성이라 한다. 之: 가시대명사. '그것,
즉 앞 말을 받음'. 謂: 말하다. 自明誠: 밝음으로부터 정성스러워짐.
謂之敎: 그것을 가르침이라 한다. 誠則明矣 明則誠矣: 정성스러우면
곧 밝아지고 밝은 즉 정성스러워진다.

第二十六章

唯天下至誠 爲能盡其性 能盡其性則能盡人之性 能盡
人之性則能盡物之性 能盡物之性則可以贊天地之化育
可以贊天地之化育則可以與天地參矣

〈풀이〉 오직 천하의 지성만이 그 성을 다하게 될 수 있다. 그 성을 다할 수 있
은즉 사람의 성을 다할 수 있고 사람의 성을 다할 수 있은즉 만물의 성
을 다할 수 있고 만물의 성을 다할 수 있은즉 천지의 화육을 도울 수
있고 천지의 화육을 도울 수 있은즉 천지와 더불어 참여할 수 있다.

唯天下至誠 爲能盡其性(유천하지성 위능진기성) ⇨ 唯: 오직. 天下至
誠: 천하의 지성. 爲~: 피동형으로 爲는 대동사 爲能盡: 다하게 될
수 있다.
〈풀이〉 오직 천하의 지성만이 그 성을 다하게 될 수 있다.

能盡其性則能盡人之性(능진기성즉능진인지성) ⇨ 能盡: 다할 수 있다.
則: 구와 구를 연결하는 접속사.
〈풀이〉 그 성을 다할 수 있은즉 사람의 성을 다할 수 있다.

能盡人之性則能盡物之性(능진인지성즉능진물지성) ⇨ 物: 만물.

〈풀이〉 사람의 성을 다할 수 있으면 곧 만물의 성을 다할 수 있다.

能盡物之性則可以贊天地之化育(능진물지성즉가이찬천지지화육) ⇨
可以: 가능조동사. ~할 수 있다. 贊: 도우다.

〈풀이〉 만물의 성을 다할 수 있으면 곧 천지의 화육을 도울 수 있다.

可以贊天地之化育則可以與天地參矣(가이찬천지지화육즉가이여천지
참의) ⇨ 與: 더불어, 함께. 參: 참여하다, 참가하다. 化育: 변호와 육
성, 천지자연이 만물을 만들어 자라게 함. 化: 교화, 덕화. 矣: 단정종
결사. 贊: 도우다.

〈풀이〉 천지의 화육을 도울 수 있으면 곧 천지와 더불어 참여할 수 있다.

第二十七章

其次 致曲 曲能有誠 誠則形 形則著 著則明 明則動 動則
變 變則化 唯天下至誠 爲能化

〈풀이〉 그 다음은 자세한 데까지(극진한 데까지) 이르고 자세한 데까지(극진한
데까지) 이를 수 있으면 정성스러움이 있고 정성스러운즉 나타나고 나
타난즉 명료해지고 명료한즉 밝아지고(밝고) 밝아진즉 움직이고 움직인
즉 변하고 변한즉 화한다(변개된다). 오직 천하의 지성만이 화할 수 있
도록 만든다(한다).

其次 致曲 曲能有誠 誠則形 形則著 著則明 明則動 動則變 變則化(기차
치곡 곡능유성 성즉형 형즉저 저즉명 명즉동 동즉변 변즉화) ➡ 其次:
그 다음은. 次: 다음, 뒤를 잇다. 致: 이르다, 극진한 데까지 이르다.
曲: 간절함. 정성을 다함, 자세하다, 상세하다. 形: 나타나다. 著: 명료
해지다. 化: 화하다. 변개되다, 변이하다.
〈풀이〉 그 다음은 자세한 데까지(극진한 데까지) 이르고 자세한 데까지 이를
수 있으면 정성됨이 있고 정성스러운즉 나타나고 나타난즉 명료해지고

명료해진즉 밝아지고 밝아진즉 움직이고 움직인즉 변하고 변한즉 화한다
(변개된다).

唯天下至誠 爲能化(유천하지성 위능화) ⇨ 爲: 만들다, 되게 하다. 爲는
化와 더불어 피동형을 만드는 피동조동사이다.

〈풀이〉 오직 천하의 지성만이 화할 수 있도록 만든다(한다).

第二十八章

至誠之道 可以前知 國家將興 必有禎祥 國家將亡 必有
妖孼 見乎蓍龜 動乎四體 禍福將至 善 必先知之 故 至誠
如神

〈풀이〉 지성의 도는 미리 알 수 있다. 나라가 장차 흥하려면 반드시 길조가 있
고 나라가 장차 망하려면 반드시 재앙의 조짐이 있어서 점에 나타나고
사체에 움직여진다. 화복이 장차 이르려고 하면 선을 반드시 먼저 (그것
을) 알아보고 불선(착하지 아니함)을 반드시 먼저 알아본다. 고로 지성
은 신과 같은 것이다.

至誠之道 可以前知 國家將興 必有禎祥 國家將亡 必有妖孼 見乎蓍龜
動乎四體(지성지도 가이전지 국가장흥 필유정상 국가장망 필유요얼
현호시귀 동호사체) ⇨ 禎祥: 길조, 상서. 禎: 상서로운 조짐. 祥: 조짐,
길흉의 전조. 妖孼: 재앙, 재앙의 조짐. 妖: 재앙, 재화의 전조. 孼:
재앙, 요괴한 재앙. 蓍龜: 점 또는 점칠 때 쓰는 시초와 거북. 蓍:
돕풀. 즉 풀의 한 가지. 龜: 거북 껍데기를 거북점에 썼음. 見: 나타나

다. 乎: 전치사로 '~에'.

〈풀이〉지성의 도는 미리 알 수 있다. 나라가 장차 흥하려면 반드시 길조가 있고
　　　나라가 장차 망하려면 반드시 재앙의 조짐이 있어서 점에 나타나고 사체
　　　에 움직여진다.

禍福將至 善 必先知之 故 至誠如神(화복장지 선 필선지지 고 지성여신)

　　⇨ 之: 가시대명사로 화복을 가리킴. 如: ~와 같다.

〈풀이〉화복이 장차 이르려 하면 선함을 반드시 먼저 그것을 알아 본다. 그러므로
　　　지성은 신과 같은 것이다.

第二十九章

誠者自成也 而道自道也 誠者 物之終始 不誠 無物 是故
君子誠之爲貴 誠者 非自成己而已也 所以成物也 成己
仁也 成物 知也 性之德也 合內外之道也 故 時措之宜也

〈풀이〉 정성은 스스로 이루어지고 도는 스스로가 인도하는 것이다. 정성이란
것은 만물의 처음과 끝이니 정성스럽지 아니하면 만물이 없으니 이런
고로 군자는 정성을 귀하게 여긴다. 정성이란 것은 스스로 자기를 이룰
뿐만 아니라 만물을 이루는 까닭이 된다. 자기를 이루는 것은 인이요
만물을 이루는 것은 지(知)이며 성의 덕이니 안팎을 합치는 것이 도이
다. 그러므로 때때로(時) 씀이 마땅하다.

誠者自成也 而道自道也 誠者 物之終始 不誠 無物 是故 君子誠之爲貴
(성자자성야 이도자도야 성자 물지종시 불성 무물 시고 군자성지위
귀) ⇨ 者: 수식어를 앞에 가지는 불완전명사 '것'. 也: 단정의 종결사.
而: 순접의 접속사. 道: 앞의 道는 도(道: 예악, 형정, 학문, 기예, 정치
따위를 뜻하는 道임. 또는 道理임). 뒤의 道는 '인도하다'. 誠之: 정성

을. 之는 후치사로 목적어를 만든다. 爲貴: 귀하게 여긴다.

〈풀이〉 정성은 스스로 이루어지고 도는 스스로가 인도하는 것이다. 정성이란
것은 만물의 처음과 끝이니 정성스럽지 아니하면 만물이 없으니 이런
고로 군자는 정성을 귀하게 여긴다.

誠者 非自成己而已也 所以成物也 成己 仁也 成物 知也 性之德也 合內
外之道也 故 時措之宜也(성자 비자성기이이야 소이성물야 성기 인
야 성물 지야 성지덕야 합내외지도야 고 시조지의야) ⇨ 而已也: '~
뿐'으로 한정 또는 단정의 뜻을 나타내는 종결사. 고로 '非~而已也'는
'~할 뿐 아니라 ~하다'의 뜻임. 內外之: 내외의 內는 집안. 外는 밖,
바깥 일. 之: 후치사로 주격을 나타냄. 措: 쓰다. 之: 후치사로 주격.

〈풀이〉 정성이란 것은 스스로 자기를 이룰 뿐만 아니라 만물을 이루는 까닭이다.
자기를 이루는 것은 인이요 만물을 이루는 것은 지(知)이며 성의 덕이니
안팎을 합치는 것이 도이다. 고로 때때로(時) 씀이 마땅하다(宜).

第三十章

1 故至誠無息 不息則久 久則徵 徵則悠遠 悠遠則博厚 博厚則高明 博厚 所以載物 高明 所以覆物也 悠久 所以成物也 博厚 配地 高明 配天 悠久 無疆 如此者 不見而章 不動而變 無爲而成

〈풀이〉 그러므로 지극한 정성은 그치지 아니하고 그치지 아니한즉 오래 가고 오래간즉 효험이 있고 효험이 있는 즉 오래가고 오래 간즉 넓고 두터워지고 넓고 두터워진즉 높고 밝아진다(밝다). 넓고 두터움은 만물을 싣는 소행이요 높고 밝음은 만물을 덮는 소행이요 아주 오래감은 만물을 성취시키는 소행이다. 넓고 두터움은 땅과 짝을 이루고 높고 밝음은 하늘과 짝을 이루고 아주 오래감은 끝이 없음이다. 이와 같은 것은 보지 아니하여도 나타내고(명백하게 하고) 움직이지 아니하여도 변하며 작위(인위)를 하지 아니하여도 이루어진다.

故至誠無息 不息則久 久則徵 徵則悠遠 悠遠則博厚 博厚則高明(고지성 무식 불식즉구 구즉징 징즉유원 유원즉박후 박후즉고명) ⇨ 故: 그러

므로, 고로. 至誠: 지극한 정성. 息: 쉬다, 그치다, 중지하다. 久: 오래 가다. 徵: 효험이 있다. 悠遠: 아득하게 멀다, 대단히 오래가다. 博厚: 넓고 두터워진다. 高明: 높고 밝아지다.

〈풀이〉 그러므로 지극한 정성은 그치지 아니하고 그치지 아니한즉 오래 가고 오래간즉 효험이 있고 효험이 있는 즉 오래가고 오래 간즉 넓고 두터워지고 넓고 두터워진즉 높고 밝아진다.

博厚 所以載物 高明 所以覆物也 悠久 所以成物也(박후 소이재물 고명 소이복물야 유구 소이성물야) ⇨ 所以: 하는바, 소행, 까닭. 載: 싣다. 覆: 덮다. 成: 이루다, 성취시키다, 이루어지다.

〈풀이〉 넓고 두터움은 만물을 싣는 소행이요 높고 밝음은 만물을 덮는 소행이요 아주 오래감은 만물을 성취시키는 소행이다.

博厚配地 高明配天 悠久無疆(박후배지 고명배천 유구무강) ⇨ 配: 짝을 짓다, 짝을 이루다. 配地: 땅에 짝을 짓고. 無疆: 무궁. 疆: 경계, 지경, 끝.

〈풀이〉 넓고 두터움은 땅과 짝을 이루고 높고 밝음은 하늘과 짝을 이루고 아주 오래감은 끝이 없음이다.

如此者 不見而章 不動而變 無爲而成(여차자 불견이장 부동이변 무위이성) ⇨ 如此者: 이와 같은 것은. 者는 수식어 如此를 앞에 가지는 불완전명사 '것'. 而: 역접의 접속사. 不見: 보지 아니하다. 章: 나타나다. 無爲: 아무 일도 하지 아니하여도 인위를 보탬이 없음.

〈풀이〉 이와 같은 것은 보지 아니하여도 나타내고(명백하게 하고) 움직이지 아니하여도 변하며 작위를 하지 아니하여도 이루어진다.

2 天地之道 可一言而盡也 其爲物不貳 則其生物不測 天
地之道 博也 厚也 高也 明也 悠也 久也

〈풀이〉 천지의 도는 한 마디로 말하여 다할 수 있다. 그 물건(만물)됨이 두 가
지가 (둘이) 아니다. 즉 그 만물이 생겨남은 헤아릴 수가 없다. 천지의
도는 넓음이요, 두터움이요, 높음이요, 밝음이요, 아득하게 멂이요, 오
래감이다.

天地之道 可一言而盡也 其爲物不貳 則其生物不測 天地之道 博也 厚也
高也 明也 悠也 久也(천지지도 가일언이진야 기위물불이 즉기생물
불측 천지지도 박야 후야 고야 명야 유야 구야) ⇨ 可: 가능조동사.
'~할 수 있다'. 一: 한마디. 言: 말하다. 동사임. 而: 순접의 접속사.
盡: 다하다. 也: 단정의 종결사. 이하 모두 같다. 爲物: 만물(물건)됨
이. 不貳: 두 가지가 아니다(둘이 아니다). 生: 생기다. 不測: 헤아릴
수 없다. 悠: 유구, 아득하게 멀다. 久: 오래가다, 오래이다.

3 今夫天 斯昭昭之多 及其無窮也 日月星辰繫焉 萬物覆
焉 今夫地 一撮土之多 及其廣厚 載華嶽而不重 振河海
而不洩 萬物載焉 今夫山 一卷石之多 及其廣大 草木生
之 禽獸居之 寶藏興焉 今夫水 一勺之多 及其不測 黿鼉
蛟龍魚鼈生焉 貨財殖焉

〈풀이〉 이제 대저 하늘은 밝음(빛남)이 많되 그것이 무궁함에 이르러서는 일월
과 성신이 매어져 있으며 만물이 덮여져 있다. 지금 대저 땅은 한 줌

흙이 많되 그것이 넓고 두터움에 이르러서는 화산과 악산을 싣고 있으면서도 무겁지 아니하고 강과 바다를 거두고 있으나 세지 아니한다. 지금 대저 산은 한 덩이의 돌이 많되 그것이 넓고 큼에 이르러서는 거기에 풀과 나무가 자라고 새와 짐승이 거기서 살며 감추어 있는 보물이 나타난다. 지금 대저 물은 한 국자의 많음이나 그것이 헤아릴 수 없음에 이르러서는 큰 자라와 악어, 교룡, 용, 고기, 자라가 사니 재화가 불어난다.

今夫天 斯昭昭之多 及其無窮也 日月星辰繫焉 萬物覆焉(금부천 사소소지다 급기무궁야 일월성신계언 만물복언) ⇨ 今夫天: 이제 대저 하늘은. 夫: 대저. 斯: 이(지시사). 昭昭: 밝은 모양, 빛나는 모양. 其: 대용대명사. '그것'. 여기서는 주어임. 日月星辰: 해와 달과 별의 총칭. 繫: 매다, 잡아매다, 이어지다. 焉: 확인의 종결사. 覆; 덮다, 씌어 있다. 焉: 확인의 종결사.

〈풀이〉 이제 대저 하늘은 밝음(빛남)이 많되, 그것이 무궁함에 이르러서는 일월과 성신이 매어져 있으며 만물이 덮여(씌어) 있다.

今夫地 一撮土之多 及其廣厚 載華嶽而不重 振河海而不洩 萬物載焉(금부지 일촬토지다 급기광후 재화악이부중 진하해이불설 만물재언) ⇨ 撮: 집다. 一撮: 한 움큼, 한 줌. 之: 후치사로 주격. 華: 산의 이름. 五嶽의 하나. 華山: 豫州의 鎭山. 嶽: 嶽山(雍州의 鎭山). 不重: 무겁지 아니하다. 振: 거두다, 수용하다. 河海: 강과 바다. 옛날에는 黃河를 '河'라 하였음. 不洩: 세지 아니하다. 載: 실려 있다. 焉: 확인, 강조의 종결사. 而: 역접의 접속사.

〈풀이〉 지금 대저 땅은 한 줌 흙이 많되 그것이 넓고 두터움에 미쳐서는 화산과 악산을 싣고 있으면서도 무겁지 아니하고 강과 바다를 거두고 있으나 세지 아니하며 만물을 싣고 있다.

今夫山 一卷石之多 及其廣大 草木生之 禽獸居之 寶藏興焉(금부산 일권석지다 급기광대 초목생지 금수거지 보장흥언) ⇨ 一卷石: 한 덩이의 돌. 앞의 之: 후치사로 주격. 뒤의 之: 가시대명사로 사물을 지시함. 고로 여기서는 山을 가리키므로 '거기'임. 藏: 간직하다, 감추다. 興: 생기다, 나타나다.

〈풀이〉 지금 대저 산은 한 덩이의 돌이 많되 그것이 넓고 큼에 이르러서는 거기에 풀과 나무가 자라고(살고), 새와 짐승이 거기서 살며 감추어 있는 보물이 나타난다.

今夫水 一勺之多 及其不測 黿鼉蛟龍魚鼈生焉 貨財殖焉(금부수 일작지다 급기불측 원타교룡어별생언 화재식언) ⇨ 一勺: 액체를 구기 같은 것으로 한 번 뜨는 일. 또 그 분량. 즉 적은 분량. 한 국자. 黿鼉: 큰 자라와 악어. 蛟龍: 용의 일종. 뿔 없는 용. 악어의 일종. 蛟: 교룡. 龍: 용. 鼈: 자라. 殖: 붙다, 늘다.

〈풀이〉 지금 대저 물은 한 국자의 많음이나 그것이 헤아릴 수 없음에 이르러서는 큰 자라와 악어, 교룡, 용, 고기, 자라가 사니 재화가 붙어난다.

4 詩云 維天之命 於穆不已 蓋曰天之所以爲天也 於乎不顯 文王之德之純 蓋曰文王之所以爲文也 純亦不已

〈풀이〉 시경에 말하기를 오직 하늘의 명은 아아 아름답기 그치지 아니하니 대개 하늘이 하늘된 까닭을 말한 것이다. 아아, 드러나지 아니하는가! 문왕의 덕이 순수함이여 하고 말하였으니(시경에서) 대개 문왕이 문왕된 까닭을 말한 것이요 순수함이 역시 그지없다는 것이다.

詩云 維天之命 於穆不已 蓋曰天之所以爲天也(시운 유천지명 이목불이 개왈천지소이위천야) ⇨ 維: 오직. 天之命: 하늘의 명. 於: 감탄사로 '아아'. 穆: 아름답다. 已: 그치다. 不已: 그치지 아니하다, 그지없다. 蓋: 발어사로 대개, 어찌. 曰: 말하다. 天之: 하늘이. 之는 후치사로 주격. 爲: 되다. 也: 단정의 종결사.

〈풀이〉 시경에 말하기를 오직 하늘의 명은 아아 아름답기 그치지 아니하니 대개 하늘이 하늘된 까닭을 말한 것이다.

於乎不顯 文王之德之純 蓋曰文王之所以爲文也 純亦不已(어호불현 문왕지덕지순 개왈문왕지소이위문야 순역불이) ⇨ 於乎: 아아, 감탄하는 소리. 顯: 드러나다, 나타나다. 不顯: 드러나지 않은가! 이 구절은 감탄문이므로 부정이 아니고 감탄으로 풀어야 한다. 文王之: 문왕의 德之: 덕이 之는 후치사로 주격. 純: 순수하다. 純亦不已: 순수함이 역시 그지없다(그치지 아니하다).

〈풀이〉 아아 드러나지 아니하는가! 문왕의 덕이 순수함이여 하고 말하였으니(시경에서) 대개 문왕이(之) 문왕된 까닭을 말한 것이요 순수함이 역시 그지없다는 것이다.

第三十一章

1 大哉 聖人之道 洋洋乎 發育萬物 峻極于天 優優大哉
禮儀三百 威儀三千 待其人而後行 故曰 苟不至德 至道
不凝焉

〈풀이〉 크도다! 성인의 도여! 양양하구나 만물을 성장하게 하여 하늘에까지 지
극히 높았도다. 넉넉하게 크도다! 예의 삼백이요 위의 삼천이라 그 사람
을 기다려서 뒤에 행하여진다. 고로 말하되 진실로 지극한 덕이 아니면
지극한 도는 이루어지지 아니한다고 하였다.

大哉 聖人之道 洋洋乎發育萬物 峻極于天(대재 성인지도 양양호 발육
만물 준극우천) ⇨ 大哉: 크도다! 哉: 감탄의 종결사. 洋洋: 끝이 보이
지 않는 모양, 성대한 모양, 선미한 모양, 도처에 두루 충만한 모양.
峻極: 지극히 높음, 더할 나위 없이 고상함. 乎: 후치사로 보면 洋洋乎
로서 독립어가 되어야 한다. '양양하구나'로 됨. 于: 전치사로 간접목
적어에 쓰인 것.
〈풀이〉 크도다! 성인의 도여! 양양하구나 만물을 성장하게 하여 하늘에까지 지극

히 높았도다.

優優大哉 禮儀三百 威儀三千 待其人而後行 故曰 苟不至德 至道不凝焉
(우우대재 예의삼백 위의삼천 대기인이후행 고왈 구불지덕 지도불응
언)⇨ 優優大哉: 넉넉하게 크도다. 優優: 넉넉한 모양. 哉: 감탄의 종
결사. 禮儀三百 威儀三千: 예의는 삼백이요 위의는 삼천이다. 威儀:
예의 세목 예기의 禮器篇에는 "經禮三百 曲禮三千"이 있다. 待其人:
그 사람을 기다려서(而: 순접의 접속사). 後行: 뒤에 행해진다. 苟:
진실로. 凝: 이루다. 焉: 단정의 종결사.

〈풀이〉 넉넉하게 크도다! 예의 삼백이요 위의 삼천이라 그 사람을 기다려서 뒤에
행한다(행하여진다). 고로 말하되 진실로 지극한 덕이 아니면 지극한 도
는 이루어지지 아니한다고 하였다.

2 故 君子尊德性而道問學 致廣大而盡精微 極高明而道
中庸 溫故而知新 敦厚以崇禮 是故 居上不驕 爲下不倍
國有道 其言足以興 國無道 其默足以容 詩曰 旣明且哲
以保其身 其此之謂與

〈풀이〉 고로 군자는 덕성을 높이고 묻고 배움의 길을 가고 넓고 큼에 이르러서
는 정밀함을 다하고 높고 밝음을 다하여 중용을 따르고(중용의 길을 가
고) 옛것(옛일)을 익히어 새것을 알며 돈후함으로써 예를 높인다. 이런
고로 윗자리에 있어서 교만하지 아니하고 아래가 되어서 배반하지 아니
한다. 나라에 도가 있으면 그 말이 일어나기에 족하고, 나라에 도가 없
으면 그 침묵은 용납하기에 족하다.

故 君子尊德性而道問學 致廣大而盡精微 極高明而道中庸 溫故而知新 敦厚以崇禮(고 군자존덕성이도문학 치광대이진정미 극고명이도중용 온고이지신 돈후이숭례) ⇨ 尊: 높이다. 而: 순접의 접속사. 道: 따르다, 좇다. 問學: 묻고 배우다. 致廣大而盡精微: 致: 이르다. 廣大: 넓고 크다. 而: 순접의 접속사. 精微: 정밀. 極高明而道中庸: 極: 다하다, 이르다. 而: 순접의 접속사. 道: 길을 가다, 따르다, 좇다. 溫故而知新: 溫: 익히다. 故: 옛일. 敦厚以崇禮: 敦厚: 심덕이 두터움, 인정이 많음. 以: 후치사로서 '~으로써'. 崇禮: 예를 높이다.

〈풀이〉 고로 군자는 덕성을 높이고 묻고 배움의 길을 가고 넓고 큼에 이르러서는 정밀함을 다하고 높고 밝음을 다하여 중용을 따르고 옛것(옛일)을 익혀서 새것을 알며 돈후함으로써 예를 높인다.

是故 居上不驕 爲下不倍 國有道 其言足以興 國無道 其默足以容(시고 거상불교 위하불배 국유도 기언족이흥 국무도 기묵족이용) ⇨ 居上: 남의 위에 있다. 不驕: 교만하지 아니하다. 爲下: 아래가 되다. 倍: 배단하다. 其言: 그 말. 足以: 以는 어조를 고르기 위하여 쓰였다. 뜻은 '~하기에 족하다'. 默: 묵묵함, 잠잠함. 容: 받아들이다, 용납.

〈풀이〉 이런 고로 윗자리에 있어서 교만하지 아니하고, 아래가 되어서 배반하지 아니한다. 나라에 도가 있으면 그 말은 일어나기에 족하고 나라에 도가 없으면 그 침묵은 용납하기에 족하다.

詩曰 旣明且哲 以保其身 其此之謂與(시왈 기명차철 이보기신 기차지위여) ⇨ 旣: 이미. 且: 또한. 哲: 밝다. 슬기가 있고 사리에 밝음. 其: 그것은(여기서는 주어). 此之: 이것을 之는 후치사로서 목적격. 謂: 말하다. 與: 의문종결사. '~인가'.

〈풀이〉 시경에 이르되 이미 밝고 또한 슬기가 있고 사리에 밝음으로써 그 몸을 보전한다고 하였으니 그것은 이것을 말한 것인가?

第三十二章

1 子曰 愚而好自用 賤而好自專 生乎今之世 反古之道 如
此者 烖及其身者也 非天子 不議禮 不制度 不考文 今天
下 車同軌 書同文 行同倫

〈풀이〉 공자가 말씀하셨다. 어리석으면 스스로 쓰이기를 좋아하고 천하면 스스
로 전단하기를 좋아하며 시금의 세상에 태어나서 옛날의 도를 어긴다면
이와 같은 자는 재앙이 그 몸에 미치게 하는 자이다. 천자가 아니면 예
의를 의논하지 아니하며(못하며), 법도를 제정하지 못하며 문자를 상고
하지 아니한다. 지금 천하의 수레는 궤도가 같고 글은 문자가 같으며
행동은 윤리가 같다.

子曰 愚而好自用 賤而好自專 生乎今之世 反古之道 如此者 烖及其身者
也(자왈 우이호자용 천이호자전 생호금지세 반고지도 여차자 재급기
신자야) ⇨ 愚: 어리석다. 而: 순접의 접속사. 好: 좋아하다. 自: 스스
로. 用: 쓰이다. 賤:천하다. 專: 오로지하다, 제 멋대로 하다, 전단함.
乎: 전치사로 장소를 나타냄. 生: 태어나다. 反: 반하다. 如此者: 이와

200

같은 자(者). 栽: 재앙 栽及其身者也: 재앙이 그 몸에 미치게 하는 자이다.

〈풀이〉 공자가 말씀하셨다. 어리석으면 스스로 쓰이기를 좋아하고 천하면 스스로 전단하기를 좋아하며 지금의 세상에 태어나서 옛날의 도(古之道)를 어긴다면 이와 같은 자(사람)는 재앙이 그 몸에 미치게 하는 자이다.

非天子 不議禮 不制度 不考文 今天下 車同軌 書同文 行同倫(비천자 불의례 불제도 불고문 금천하 차동궤 서동문 행동륜) ➪ 非: 명사의 부정사. 議: 의논하다. 制; 제정하다. 度: 법도. 考: 상고하다.

〈풀이〉 천자가 아니면 예의를 의논하지 아니하며 법도를 제정하지 아니하며 문자를 상고하지 아니한다. 지금 천하의 수레는 궤도가 같고 글은 문자가 같으며 행동은 윤리가 같다.

2 雖有其位 苟無其德 不敢作禮樂焉 雖有其德 苟無其位 亦不敢作禮樂焉 子曰 吾說夏禮 杞不足徵也 吾學殷禮 有宋存焉 吾學周禮 今用之 吾從周

〈풀이〉 비록 그 자리에 있더라도 진실로 그 덕이 없으면 결코 예악을 만들지 못하고 비록 그 덕이 있더라도 진실로 그 자리가 없으면 역시 결코 예악을 만들지 못한다. 공자가 말씀하셨다. 나는 하나라 예를 말하나 기나라는 증명하기에 부족하다. 나는 은나라 예를 배웠으나 송나라가 존재하고 있다. 나는 주나라 예를 배웠는데 지금 그것(之)이 쓰이고 있으니 나는 주나라를 따른다.

雖有其位 苟無其德 不敢作禮樂焉 雖有其德 苟無其位 亦不敢作禮樂焉

(수유기위 구무기덕 불감작예악언 수유기덕 구무기위 역불감작예악언) ⇨ 雖: 비록. 苟: 진실로. 有와 無는 주어를 그 뒤에 가지는 특수동사와 특수형용사이다. 敢: 감히. 作; 만든다. 不敢; 결코(절대로) ~하지 못한다.

〈풀이〉 비록 그 자리에 있더라도 진실로 그 덕이 없으면 결코 예악을 만들지 못하고 비록 그 덕이 있더라도 진실로 그 자리가 없으면 역시 결코 예악을 만들지 못한다.

子曰 吾說夏禮 杞不足徵也 吾學殷禮 有宋存焉 吾學周禮 今用之 吾從周(자왈 오설하례 기부족징야 오학은례 유송존언 오학주례 금용지 오종주) ⇨ 說: 말하다. 夏禮: 하나라 예. 杞: 기나라. 周代의 나라로 禹王의 자손이 통치하였음. 지금의 하남성 기현. 徵: 증명하다. 杞不足徵也는 논어에도 나온다. 存: 존재한다. 焉: 확인의 종결사. 之: 가 시대명사로 주례를 가리킨다.

〈풀이〉 공자가 말씀하셨다. 나는 하나라 예를 말하나 기나라는 증명하기에 부족하다. 나는 은나라 예를 배웠으나 송나라가 존재하고 있다. 나는 주나라 예를 배웠는데 지금 그것(之)이 쓰이고 있으니 나는 주나라를 따른다.

第三十三章

1 王天下 有三重焉 其寡過矣乎 上焉者 雖善 無徵 無徵
不信 不信 民弗從 下焉者 雖善 不尊 不尊 不信 不信
民弗從 故 君子之道 本諸身 徵諸庶民 考諸三王而不謬
建諸天地而不悖 質諸鬼神而無疑 百世以俟聖人而不惑
知人也

〈풀이〉 천하에 왕 노릇하는데 세 가지 소중한 것이 있으니 그것을 행하면 허물
이 없다. 옛날의 것은 비록 좋다하더라도 증거가 없으니, 증거가 없으면
믿지 아니하고, 믿지 아니하면 백성은 따르지 아니한다. 아래의 것은 비
록 좋다하더라도 존중되지 않으니 존중되지 않으면 믿지 아니하고 믿지
않으면 백성은 따르지 아니한다. 고로 군자의 도는 자기에게 그것을 근
본으로 삼고 서민에게 그것을 증명케 한다. 삼왕에게 그것을 상고케 하
여도 그릇되지 아니하고 천지에 그것을 세워도 거슬리지 아니하고 귀신
에게 그것을 물어도 의심이 없으며 백세로써 성인을 기다려도 미혹되지
아니하는 것은 사람을 아는 것이다.

王天下 有三重焉 其寡過矣乎 上焉者 雖善 無徵 無徵 不信 不信 民弗從 下焉者 雖善 不尊 不尊 不信 不信 民弗從(왕천하 유삼중언 기과과의 호 상언자 수선 무징 무징 불신 불신 민부종 하언자 수선 부존 부존 불신 불신 민부종) ⇨ 王天下: 천하에 왕노릇하다. 王: 왕노릇하다는 동사임. 有: 주어를 뒤에 가지는 특수동사. 三重: 세 가지 중한 것. 重: 중하다, 소중하다. 焉: 확인의 종결사. 其: 그것. 三重을 가리킴. 寡: 적다. 過: 허물. 矣乎: 강한 반어나 감탄의 종결사. 上: 윗, 옛날, 이전. 焉: 형용어사. 然과 같음. 고로 上焉: 옛날의. 者: 수식어를 앞에 가지는 불완전명사. '것'. 下焉者: 이래의 것. 善: 좋다. 弗從: 따르지 아니한다.

〈풀이〉 천하에 왕노릇하는데, 세 가지 소중한 것이 있으니 그것을 행하면 허물이 적다. 옛날의 것은 비록 좋다하더라도 증거가 없으니 증거가 없으면 믿지 아니하고 믿지 아니하면 백성은 따르지 아니한다. 아래의 것은 비록 좋다 하더라도 존중되지 않으니 존중되지 않으면 믿지 아니하고 믿지 않으면 백성은 따르지 아니한다.

故 君子之道 本諸身 徵諸庶民 考諸三王而不謬 建諸天地而不悖 質諸鬼 神而無疑 百世以俟聖人而不惑 知人也(고 군자지도 본저신 징저서민 고저삼왕이불류 건저천지이불패 질저귀신이무의 백세이사성인이불 혹 지인야) ⇨ 本諸身: 本: 근본으로 하다, 기본으로 삼다. 諸身은 '자기에게 그것을(之는 가시대명사로 道를 가리킴)'. 身: 자기, 자신. 徵: 증명케 하다. 考: 상고하다. 諸庶民: 之於庶民: 서민에게 그것(之)을. 不謬: 그릇되지 아니하다. 謬: 그릇되다, 잘못되다, 어긋 나다. 建諸天地而不悖: 建之乎天地而不悖: 천지에 그것을 세워도 어 그러지지 아니한다(거슬리지 아니하다). 質: 묻다. 而: 역접의 접속 사. 以: 百世에 붙어서 부사어를 만드는 후치사. 俟: 기다리다. 不惑:

204

미혹하지 않는다. 知人也: 也: 단정의 종결사. 사람을 아는 것이다.

〈풀이〉고로 군자의 도는 자기에게 그것을 근본으로 하고 서민에게 그것을 증명
케 한다. 삼왕에게 그것을 상고케 하여도 그릇되지 아니하고 천지에 그것
을 세워도 거슬리지 아니하고 귀신에게 그것을 물어도 의심이 없으며
백세로써 성인을 기다려도 미혹되지 아니하는 것은 사람을 아는 것이다.

2 是故 君子動而世爲天下道 行而世爲天下法 言而世爲
天下則 遠之則有望 近之則不厭 詩曰 在彼無惡 在此無
射 庶幾夙夜 以永終譽 君子未有如此而蚤有譽於天下
者也

〈풀이〉귀신에게 그것을 물어도 의심이 없음은 하늘을 아는 것이요, 백세로써
성인을 기다려도 미혹되지 아니함은 사람을 아는 것이다. 이런 고로 군
자는 움직이면 대대로 천하의 도가 되며 행하여서 대대로 천하의 법도
가 되며 말하여서 천하의 준칙이 되며 그것을 멀리 한즉 바람이 있고
그것을 가까이 한즉 싫어하지 않는다. 시경에 말하되 저편에 있어서도
싫어하지 아니하고 이편에 있어서도 염오하지 아니한다. 바라건대 이른
아침부터 밤늦게까지 삼가고 힘씀으로써 명예를 오래 보존한다고 말하
였다. 군자는 이와 같이 하지 않고서 일찍이 천하에서 명예를 누린 사
람은 있지 아니하다.

是故 君子動而世爲天下道(시고 군자동이세위천하도) ⇨ 是故: 이런 고
로. 動: 움직이다. 而: 순접의 접속사. 世: 대대로, 누대로. 爲天下道:
천하의 도가 된다.

〈풀이〉 이런 고로 군자는 움직이면 대대로 천하의 도가 되며.

行而世爲天下法(행이세위천하법) ⇨ 法: 법도.

〈풀이〉 행하면 대대로 천하의 법도가 되며.

言而世爲天下則(언이세위천하칙) ⇨ 則: 행위의 준칙.

〈풀이〉 말하면 대대로 천하의 준칙이 된다.

遠之則有望 近之則不厭(원지즉유망 근지즉불염) ⇨ 遠之: 이것을 멀리 하면. 之: 가시대명사. '이것'. 則: 인과관계를 나타내는 접속사. 不厭: 싫어하지 않는다.

〈풀이〉 이것을 멀리 한즉 바람이 있고 이것을 가까이 한즉 싫어하지 않는다.

詩曰 在彼無惡 在此無射(시왈 재피무오 재차무역) ⇨ 在彼: 저편에 있어서도. 無惡: 싫어함이 없고. 射: 싫어하다, 염오하다.

〈풀이〉 시경에 말하되 저편에 있어서도 싫어하지 아니하고 이편에 있어서도 싫어하지 아니한다.

庶幾夙夜 以永終譽(서기숙야 이영종예) ⇨ 庶幾: 바라건대, 바라노니. 夙夜: 이른 아침부터 밤늦게까지 삼가고 힘쓰다. 以: 전성후치사로 '~로써'. 永終: 오래 보존함. 譽: 명예.

〈풀이〉 바라건대 이른 아침부터 밤늦게까지 삼가고 힘씀으로써 명예를 오래 보존한다.

君子未有不如此而蚤有譽於天下者也(군자미유불여차이조유예어천하자야) ⇨ 未~不: 이중부정으로 '~하지 않고 ~한 것은 있지 아니하다'. 未有: 있지 아니하다. 不如此: 이와 같지 아니하다. 蚤: 일찍이 有譽: 명예를 가지다. 즉 명예를 누리다. 者: 사람.

〈풀이〉 군자는 이와 같이 일찍이 천하에서 명예를 누리지 아니한 사람이 없다.

第三十四章

仲尼 祖述堯舜 憲章文武 上律天時 下襲水土 辟如天地
之無不持載 無不覆幬 辟如四時之錯行 如日月之代明
萬物並育而不相害 道並行而不相悖 小德川流 大德敦
化 此天地之所以爲大也

〈풀이〉 중니는 요임금과 순임금을 조상으로 잇고 법도는 문왕과 무왕을 밝히셨고 위로는 하늘의 때를 본뜨고 아래로는 몸과 흙(의 이치를)을 물려받았다. 비유컨대 천지가 잡아 주지 아니하고 실어 주지 아니함이 없고 덮어 주고 가리지 아니하는 것이 없음과 같다. 비유컨대 사시가 번갈아 감과 같고 일월이 번갈아 밝음과 같다. 만물이 나란히 자라면서도 서로 해하지 아니하고 도는 나란히 행하나(행하여지나) 서로 어그러지지 아니한다. 작은 덕은 냇물의 흐름처럼 잇달아 끊임이 없고 큰 덕은 두터이 교화시킨다. 이것이 천지가 위대하게 되는(여겨지는) 까닭이다.

仲尼 祖述堯舜 憲章文武 上律天時 下襲水土(중니 조술요순 헌장문무 상율천시 하습수토) ⇨ 祖: 조상. 述: 잇다. 憲: 법도. 章: 밝히다. 律:

본뜨다, 본보기로 삼다. 襲: 물려받다.

〈풀이〉 중니는 요임금과 순임금을 조상으로 잇고 법도는 문왕과 무왕을 밝히셨고
　　　위로는 하늘의 때를 본뜨고 아래로는 물과 흙(의 이치를)을 물려받았다.

辟如天地之無不持載　無不覆幬(비여천지지무불지재　무불부도) ⇨ 辟:
비유하다, 비유컨대. 如: 같다. 이것은 끝에까지 걸린다. 之: 후치사로
주격임. 無不: 이중부정으로 '~하지 않는 것이 없다'. 持: 하늘이 땅을
잡아 주다. 載: 땅이 하늘을 위에 싣고 있다. 幬: 땅이 위로 하늘을
감싸고 있다. 覆: 하늘이 땅을 아래로 덮고 있는 것.

〈풀이〉 비유컨대 천지가 잡아 주지 아니하고 실어 주지 아니함이 없고 덮어 주고
　　　덮여서 가리지 아니하는 것이 없음과 같다.

辟如四時之錯行　如日月之代明(비여사시지착행　여일월지대명) ⇨ 錯
行: 번갈아돌다, 번갈아가다. 代: 고대하다, 교체하다, 번갈아들다.

〈풀이〉 비유컨대 사시가 번갈아 감과 같고 일월이 번갈아 밝음과 같다.

萬物竝育而不相害　道竝行而不相悖(만물병육이불상해　도병행이불상
패) ⇨ 而: 순접의 접속사. 行: 행하다. 悖: 어그러지다.

〈풀이〉 만물이 나란히 자라면서도 서로 해하지 아니하고 도는 나란히 행하여지나
　　　서로 어그러지지 아니한다.

小德川流　大德敦化　此天地之所以爲大也(소덕천류　대덕돈화　차천지지
소이위대야) ⇨ 川流: 냇물의 흐름처럼 잇달아 끊임이 없다. 敦化: 두
터운 교화, 돈사로 하면 '두터이 교화시키다'임. 此: 이것이(주어).
天地之: 천지가(之: 주격). 爲大: 위대하게 되다(여기다). 也: 단정의
종결사.

〈풀이〉 작은 덕은 냇물의 흐름처럼 잇달아 끊임이 없고 큰 덕은 두터이 교화시킨
　　　다. 이것이 천지가 위대하게 되는(여기는) 까닭이다.

第三十五章

1 唯天下至聖 爲能聰明睿智 足以有臨也 寬裕溫柔 足以
有容也 發强剛毅 足以有執也 齊莊中正 足以有敬也 文
理密察 足以有別也

〈풀이〉 오직 천하의 지성만이 능히 총명하고 예지로워서 임함이 있기에 족하고
관유하고 온유하여 용납함이 있기에 족하고 발강강의하여 주장함이 있
기에 족하고 제장중정하여 존경함이 있기에 족하고 문리밀찰로 분별이
있기에 족하다.

唯天下至聖 爲能聰明睿智 足以有臨也(유천하지성 위능총명예지 족이
유임야) ⇨ 唯: 오직. 天下至聖: 天下의 至聖만이. 爲能: 능히 하다.
足以: 어조를 고르기 위하여 쓰였다. '~하는 데 족하다'. 有: 있다.
臨: 군자로서 모든 일에 임하다. 聰明: 기억력이 좋고 슬기가 있음.
睿智: 사리에 통하여 깊고 밝은 슬기.
〈풀이〉 오직 천하의 지성만이 능히 총명하고 예지로워서 임함이 있기에 족하다.
寬裕溫柔 足以有容也 發强剛毅 足以有執也 齊莊中正 足以有敬也 文理

密察 足以有別也(관유온유 족이유용야 발강강의 족이유집야 제장중
정 족이유경야 문리밀찰 족이유별야) ⇨ 有容: 용납함이 있다. 也: 단
정의 종결사. 發强: 강함을 나타내다. 剛毅: 강직하여 굴하지 아니함.
足以: 어조를 고르기 위하여 쓰였다. 뜻은 '~하는 데 족하다'. 執:
주장함, 잡아맴, 잡음. 齊莊: 엄숙함. 中正: 치우치지 않고 바름. 文理:
문맥, 문장의 조리. 密察: 자세히 살핌. 別: 분별.

〈풀이〉관유하고 온유하여 용납함이 있기에 족하고 발강강의하여 주장함이 있기
에 족하고 제장중정하여 존경함이 있기에 족하고 문리밀찰로 분별이 있기
에 족하다.

2 溥博淵泉 而時出之 溥博 如天 淵泉 如淵 見而民莫不敬 言而民莫不信 行而民莫不說

〈풀이〉광대하고 깊은 샘이 있어 적기에 나타나고 광대함은 하늘과 같고 깊은
샘은 연못과 같다. 보이면 백성이 존경하지 않은 이가 없고 말하면 백
성이 믿지 않는 이가 없고 행하면 백성이 기뻐하지 않는 이가 없었다.

溥博淵泉 而時出之(부박연천 이시출지) ⇨ 溥博: 크고 넓음, 광대함. 淵
泉: 깊은 샘. 而: 순접의 접속사. 時: 적기에. 出: 나타나다. 之: 어조를
고루기 위하여 동사 밑에 붙이는 종결사.
〈풀이〉광대하고 깊은 샘이 있어 적기에 나타난다.

溥博 如天 淵泉 如淵 見而民莫不敬 言而民莫不信 行而民莫不說(부박
여천 연천 여연 현이민막불경 언이민막불신 행이민막불열) ⇨ 見:
보이다. 莫不: 이중부정으로 '~하여서 되지 않는 것은 없다'. 說: 기

210

뻐하다.

〈풀이〉 광대함은 하늘과 같고 깊은 샘은 연못과 같다. 보이면 백성이 존경하지
않은 이가 없고 말하면 백성이 믿지 않는 이가 없고 행하면 백성이 기뻐하
지 않는 이가 없다.

3 是以 聲名洋溢乎中國 施及蠻貊 舟車所至 人力所通 天
之所覆 地之所載 日月所照 霜露所隊 凡有血氣者 莫不
尊親 故 曰配天

〈풀이〉 이로써 명성이 중국에 넘쳐나서 오랑캐에까지 미쳐서 베풀어진다. 배와
수레가 이르는 곳과 사람의 힘이 통하는 곳과 하늘이 덮어 있는 곳과
땅이 싣고 있는 곳과 해와 달이 비추이는 곳과 서리와 이슬이 떨어지는
(내리는) 곳과 무릇 혈기가 있는 자는 높이고 친하지 아니하는 이가 없
다. 그러므로 하늘에 짝지어진다고 말한 것이다.

是以 聲名洋溢乎中國 施及蠻貊(시이 성명양일호중국 시급만맥) ⇨ 洋
溢: 넘침, 가득 차서 넘쳐나옴, 널리 충만함. 乎: 전치사로 장소를
나타냄. 施: 베풀다. 及: 비치다. 蠻貊: 오랑캐.
〈풀이〉 이로써 성명(명성)이 중국에 넘쳐나서 오랑캐에 미쳐서 베풀어진다.
舟車所至 人力所通 天之所覆 地之所載 日月所照 霜露所隊 凡有血氣者
莫不尊親(주거소지 인력소통 천지소복 지지소재 일월소조 상로소추
범유혈기자 막불존친) ⇨ 隊: 떨어지다. 者: 자. 尊: 높이다. 親: 친하
다. 之: 모두 후치사로 주격.
〈풀이〉 배와 수레가 이르는 곳과 사람의 힘이 통하는 곳과 하늘이 덮어 있는

곳과 땅이 싣고 있는 곳과 해와 달이 비추는 곳과 서리와 이슬이 떨어지는 곳과 무릇 혈기가 있는 자는 높이고 친하지 않는 이가 없다.

故 曰配天(고 왈배천) ⇨ **配**: 짝 짓는다, 짝이 되다, 짝지어지다.

〈풀이〉 그러므로 하늘에 짝이 된다(짝지어진다)고 말한 것이다.

第三十六章

唯天下至誠 爲能經綸天下之大經 立天下之大本 知天
地之和育 夫焉有所倚 肫肫其仁 淵淵其淵 浩浩其天 苟
不固聰明聖知達天德者 其孰能知之

〈풀이〉 오직 천하의 지성만이(지성자만이) 천하의 대경을 경륜할 수 있고 천하
의 대본을 세울 수 있으며 하늘과 땅의 화육을 알 수 있다. 대저 어찌
믿고 의지하는 곳이 있겠는가? 그 어짊은 정성스럽고 그 깊음은 조용하
고 깊으며 그 하늘은 넓고 넓다. 진실로 말할 것도 없이 총명하고 성지하
며 하늘의 덕에 이른 사람이 아니고서 그 누가 그것을 알 수 있겠는가?

唯天下至誠 爲能經綸天下之大經 立天地之大本 知天下之和育 夫焉有
所倚(유천하지성 위능경륜천하지대경 입천하지대본 지천지지화육
부언유소의) ▷ 唯: 오직. 天下至誠: 천하의 지성만이. 爲能: 능히 할
수 있다. 經綸: 경륜. 天下之大經: 천하의 대경을 夫焉: 대저, 어찌(焉=
어찌). 倚: 믿고 의지하다. 有는 주어를 뒤에 가지는 특수동사.
〈풀이〉 오직 천하의 지성만이(지성이 있는 사람만이) 천하의 대경을 경륜할 수

있고 천지의 대본을 세울 수 있으며 천하의 화육을 알 수 있다. 대저 어찌 믿고 의지하는 곳이 있겠는가?

肫肫其仁 淵淵其淵 浩浩其天 苟不固聰明聖知達天德者 其孰能知之(준준기인 연연기연 호호기천 구불고총명성지달천덕자 기숙능지지) ⇨ 肫肫: 정성스럽다. 其淵: 그 깊음은 淵淵: 조용하고 깊다. 浩浩: 넓다. 苟: 진실로. 固: 진실로, 말할 것도 없이. 不: 이 문장의 끝에 걸린다. '~아니한 자'. 聰: 지덕이 가장 뛰어나고 사리에 무불 통지함. 聖知: 만사에 통달하는 지식. 達天德者: 하늘의 덕에 이른 사람. 其孰: 그 누가. 能知之: 그것(之는 가시대명사로 '그것'), 그것을 알 수 있겠는가(其孰과 합하여 의문문이 됨).

〈풀이〉 그 어짊은 정성스럽고 그 깊음은 조용하고 깊으며 그 하늘은 넓고 넓다. 진실로 말할 것도 없이 총명하고 통달한 지식을 지녀 하늘의 덕에 이른 사람이 아니고서 그 누가 그것을 알 수 있겠는가?

第三十七章

1 詩曰 衣綿尙絅 惡其文之著也 故 君子之道 闇然而日章
小人之道 的然而日亡 君子之道 淡而不厭 簡而文 溫而
理 知遠之近 知風之自 知微之顯 可與入德矣

〈풀이〉 시경에 말하되 비단옷을 입고 홑겉옷을 더하였다 하니 그 문체의 유달
리 눈에 뜨임을 꺼려한 것이다. 고로 군자의 도는 밝지 아니하나 날로
밝아지고 소인의 도는 환히 나타나나 날로 잃어간다. 군자의 도는 담박
하나 싫어지지 아니하고 단출하면서도 문체가 있고 온화하면서도 사리
가 있다. 먼 곳으로 가는데 가까운 곳으로부터 함을 알고 바람이 어느
곳으로부터 오는가를 알며 작은 것이 환하게 나타남을 알면 함께 덕에
들어갈 수 있다.

詩曰 衣綿尙絅 惡其文之著也(시왈 의면상경 오기문지저야) ⇨ 衣: 입
다. 綿: 비단옷. 尙: 더하다, 보태다. 絅: 홑옷. 惡: 싫어하다. 文: 문채.
之: 후치사 '의'. 著: 유달리 눈에 띄임. 也: 단정의 종결사.
〈풀이〉 시경에 말하되 비단옷을 입고 홑겉옷을 더하였다 하니 그 문체의 유 달리

눈에 뜨임을 꺼려한 것이다.

故 君子之道 闇然而日章 小人之道 的然而日亡(고 군자지도 암연이일
장 소인지도 적연이일망) ⇨ 闇然: 어두운 모양, 밝지 아니함. 而: 역
접의 접속사. 日: 날로. 章: 밝다. 的然: 명확한 모양. 的: 환히 나타나
다, 밝다. 亡: 없어지다, 잃다.

〈풀이〉 고로 군자의 도는 밝지 아니하나 날로 밝아지고 소인의 도는 환히 나타나
나 날로 잃어간다.

君子之道 淡而不厭 簡而文 溫而理 知遠之近 知風之自 知微之顯 可與
入德矣(군자지도 담이불염 간이문 온이리 지원지근 지풍지자 지미지
현 가여입덕의) ⇨ 淡而不厭: 담박하나 싫어지지 아니하고. 而: 여기
의 而는 역접의 접속사. 簡而文: 단출하면서 문채가 있고. 溫而理:
온화하면서 사리가 있다. 理: 도리, 사리. 而: 순접의 접속사. 知遠之
近: 먼 곳으로 가는데 가까움으로부터 함을 알다. 之: 후치사로서
'의.' 직역하면 遠之近은 먼 것의 가까움이다. 知風之自: 之: 후치사로
서 주격. 직역하면 "바람이 부터 옴." 바람이 어느 곳으로부터 오는가
를 안다. 自: 어느 곳으로부터 오다. 知微之顯: 작은 것이 환하게 나타
남을 알면. 可: 가능조동사 '~할 수 있다'. 與: 함께. 入德: 덕에 들어
가. 矣: 어기의 센 종결사.

〈풀이〉 군자의 도는 담박하나 싫어지지 아니하고 단출하면서도 문체가 있고 온화
하면서도 사리가 있다. 먼 곳으로 가는데 가까움으로부터 함을 알고 바람
이 어느 곳으로부터 오는가를 알며 작은 것이 환하게 나타남을 알면 함께
덕에 들어갈 수 있다.

2 詩云 潛雖伏矣 亦孔之昭 故 君子內省不疚 無惡於志
君子之所不可及者 其唯人之所不見乎 詩云 相在爾室
尚不愧于屋漏 故 君子不動而敬 不言而信

〈풀이〉 시경에 무자맥질하여 비록 엎드려 있으나 또한 매우 그것이 빛난다 하
였으니 고로 군자는 안으로 반성하여도 꺼림하지 아니하고 마음에 부끄
러워함이 없다. 군자의 미칠 수 없는 바의 것은 그 오직 사람이 보지
못하는 곳이다. 시경에 그대가 방에 있음을 보아도 오히려 방의 구석에
도 부끄럽지 않아야 한다고 하였다. 고로 군자는 움직이지 아니하여도
공경하고 말하지 않아도 믿는다.

詩云 潛雖伏矣 亦孔之昭 故 君子內省不疚 無惡於志(시운 잠수복의 역
공지소 고 군자내성불구 무오어지) ⇨ 潛: 물속을 잠행하다, 무자맥
질하다. 伏: 엎드려 있다. 矣: 강세의 종결사. 亦: 또한. 孔: 매우, 심히.
昭: 밝다, 환히 빛나다, 환히 나타난다. 疚: 오래 앓다, 꺼림하다. 惡:
부끄러워하다. 於志: 마음에.
〈풀이〉 시경에 무자맥질하여 비록 엎드려 있으나 또한 매우 그것이(之) 빛난다
하였으니 고로 군자는 안으로 반성하여도 꺼림하지 아니하고 마음에 부끄
러워함이 없다.

君子之所不可及者 其唯人之所不見乎(군자지소불가급자 기유인지소
불견호) ⇨ 君子之: 군자의. 所: 수식어를 뒤에 가지는 불완전명사.
者: 수식어를 앞에 가지는 불완전명사. 其: 그. 唯: 오직. 乎: 감탄의
종결사. 人之: 사람이.
〈풀이〉 군자의 미칠 수 없는 바의 것은 그 오직 사람의 보지 못하는 곳이다.

詩云 相在爾室 尚不愧于屋漏 故 君子不動而敬 不言而信(시운 상재이

실 상불괴우옥루 고 군자부동이경 불언이신) ⇨ 相: 보다. 在爾室: 그
대가 방에 있다. 尙: 오히려. 于: 전치사로 장소를 나타냄. 不愧: 부끄
럽지 아니하다. 屋漏: 방의 서북 구석.

〈풀이〉 시경에 그대가(네가) 방에 있음을 보아도 오히려 방의 구석에도 부끄럽지
않아야 한다고 하였다. 고로 군자는 움직이지 아니하여도 공경하고 말하
지 않아도 믿는다.

3 詩曰 奏假無言 時靡有爭 是故 君子不賞而民勸 不怒而
民威於鈇鉞 詩曰 不顯惟德 百辟其刑之 是故 君子篤恭
而天下平

〈풀이〉 시경에 제사자가 나아가 신명에게 이르나 말이 없고 그때에 다툼이 있
지 아니하였다고 말하였다. 이런 고로 군자는 상을 주지 않아도 백성은
따르고 노하지 아니하여도 백성은 도끼보다도 위협을 당한다. 시경에
오직 크게 밝은 덕을 제후가 그것을 본받는다 하였다. 이런 고로 군자
는 인정이 많고 공손하여 천하를 편안하게 하는 것이다.

詩曰 奏假無言 時靡有爭(시왈 주격무언 시미유쟁) ⇨ 奏假: 제사자가
나아가 신명에게 이르다. 時: 그때. 靡: 없다.

〈풀이〉 시경에 제사자가 나아가 신명에게 이르나 말이 없고 그때에 다툼이 있지
아니하였다고 말하였다.

是故 君子不賞而民勸 不怒而民威於鈇鉞(시고 군자불상이민권 불노이
민위어부월) ⇨ 不賞: 상을 주지 않아도. 賞: 상주다. 勸: 따르다, 착한
일을 따라 함. 威: 위협하다, 으르다. 於: 비교의 전치사. '보다'. 鈇鉞:

작은 도끼와 큰 도끼. 형구로 쓰인다. 鈇: 큰 도끼. 鉞: 큰 도끼. 옛날에
장군이 출정할 때 위신을 세워 주기 위하여 천자가 하사하던 것. 而:
여기 而는 다 역접의 접속사.

〈풀이〉이런 고로 군자는 상을 주지 않아도 백성은 착한 일을 따라 하고(따르고)
노하지 아니하여도 백성은 도끼보다도 위협을 당한다.

詩曰 不顯惟德 百辟其刑之 是故 君子篤恭而天下平(시왈 비현유덕 백
벽기형지 시고 군자독공이천하평) ⇨ 不顯: 크게 밝음, 不: 클 비. 丕
와 같음. 惟: 오직. 百辟: 모든 제후. 辟: 임금 벽. 刑: 본받아야 할
예제나 도리, 본받다. 其: 그것을. 刑之의 之는 어조를 고르기 위하여
동사 刑밑에 쓰였다. 篤恭: 인정이 많고 공손한. 而: 순접의 접속사.

〈풀이〉시경에 오직 크게 밝은 덕을 제후가 그것을 본받는다 하였다. 이런 고로
군자는 인정이 많고 공손하여 천하를 편안하게 한다.

4 詩云 予懷明德 不大聲以色 子曰 聲色之於以化民 末也
詩云 德輶如毛 毛猶有倫 上天之載 無聲無臭 至矣

〈풀이〉시경에 나는 밝은 덕을 생각하니 성과 색을 크게 여기지 아니한다고 하
였다. 공자가 말씀하셨다. 성과 색은 함께 백성을 교화하는 데 있어서
말단(끝)이다. 시경에 덕은 털과 같이 가볍다고 하였다. 덕은 오히려 겨
눌 데가 있다. 상천의 일은 소리도 없고 냄새도 없다고 하였으니 지극
하다(지당하다).

詩云 予懷明德 不大聲以色(시운 여회명덕 불대성이색) ⇨ 予: 나는. 懷:
품다, 생각하다. 不大: 크게 여기지 않는다. 大: 크게 여기다. 以: 접속

사 與와 같음. '과'. 고로 不大聲以色은 '聲을 크게 여기지 아니하며 色도 크게 여기지 아니한다'로 된다.

〈풀이〉 시경에 나는 밝은 덕을 생각하니 성과 색을 크게 여기지 아니한다고 하였다.

子曰 聲色之於以化民 末也(자왈 성색지어이화민 말야) ⇨ 之: 후치사로 주격임. 於: 있다. 以: 함께. 末: 끝, 말단. 也: 단정의 종결사로 '이다'임.

〈풀이〉 공자가 말씀하셨다. 성과 색은 함께 백성을 교화하는 데 있어서 말단이다.

詩云 德輶如毛 毛猶有倫(시운 덕유여모 모유유륜) ⇨ 輶: 가볍다. 猶: 오히려. 倫: 比倫, 比類, 겨눔.

〈풀이〉 시경에 덕은 털과 같이 가볍다 하였다. 털은 오히려 겨눌 데가 있다.

上天之載 無聲無臭 至矣(상천지재 무성무취 지의) ⇨ 載: 일. 事와 같음. 之: 후치사로 '의'.

〈풀이〉 상천의 일은 소리도 없고 냄새도 없다고 하였으니 지극하다(지당하다).

中庸章句 序

1 中庸何爲而作也 子思子憂道學之失其傳而作也 蓋自上
古聖神繼天立極 而道統之傳 有自來矣 其見於經 則允
執厥中者 堯之所以授舜也 人心惟危 道心惟微 惟精惟
一 允執厥中者 舜之所以授禹也 堯之一言 志矣盡矣 而
舜復益之以三言者 則所以明夫堯之一言必如是而後可
庶幾也

〈풀이〉 중용은 어찌하여서 지었는가? 자사가 도학이 그 전함을 잃을까 걱정하
여 지은 것이다. 대개 상고의 성인들이 하늘을 이어 도덕의 근본을 세
워서 유학의 계통이 전함으로부터 스스로 옴이 있었다(스스로 있어 왔
다). 그것이 경서에 나타나는 즉 진실로 그 중(중용의 도)을 잡으라 한
것은 요임금이 순임금에게 준 소이이다(것이다). 사람의 마음은 오직 위
태롭고 도의 마음은 오직 미세하니 오직 세밀하고 순일하여야 진실로
그 중을 잡는다고 한 것은 순임금이 우임금에게 준 바인 것이다. 요임
금의 한 마디는 지극하고 (그 뜻을) 다하였으니 순임금이 다시 세 마디
로써 이것에 보탠 것은 곧 대저 요임금의 한 마디는 반드시 이와 같이

한 후에야 바랄 수 있는 것임을 밝힌 소이이다.

中庸何爲而作也　子思子憂道學之失其傳而作也(중용하위이작야　자사 자우도학지실기전이작야) ⇨ 何爲: 어찌하여. 而: 순접의 접속사. 作: 만들다. 也: 단정의 종결사. 子思子: 子思에 子가 붙은 것으로 존칭을 나타냄. 子思는 공자의 손자. 憂: 근심하다. 道學之: 道學이. 之는 후치 사로써 주격. 失: 잃다. 其傳: 그 전함. 而: 순접의 접속사.

〈풀이〉 중용은 어찌하여서 지었는가? 자사가 도학이 그 전함을 잃을까 걱정하여 지은 것이다.

蓋自上古聖神繼天立極　而道統之傳　有自來矣(개자상고성신계천입극 이도통지전 유자래의) ⇨ 蓋: 대개. 自: 부터. 이것은 이 구절의 道統 之傳까지 걸린다. 上古聖神: 상고의 성인. 繼天: 하늘을 잇다. 立極: 도덕의 근본을 세우다. 而: 순접의 접속사. 道統: 유학의 계통, 성현의 도를 전한 사람들의 계통. 즉 요, 순, 환, 문, 무, 주공, 공자 같은 사람 들. 傳: 전함. 自: 스스로. 有自來: 스스로 옴이 있었다. 矣: 단정의 종결사.

〈풀이〉 대개 상고의 성인들이 하늘을 이어 도덕의 근본을 세워서 유학의 계통이 전함으로부터 스스로 옴이 있었다(스스로 있어 왔다).

其見於經　則允執厥中者　堯之所以授舜也(기현어경 즉윤집궐중자 요지 소이수순야) ⇨ 其: 그것이. 見: 나타나다. 於經: 경서에. 於는 전치사 로 장소를 나타냄. 則: 마디와 마디를 이어주는 접속사. 允: 진실로. 執: 꼭 쥐고 놓지 않음, 지킴, 보존함. 厥: 그. 中: 중, 즉 중용의 도. 者: 수식어를 앞에 가지는 불완전명사. 堯: 요임금이. 之: 후치사로 주격. 所以: ~하는 바. 이유, 까닭. 舜; 순임금. 授: 주다. 也: 단정의 종결사.

〈풀이〉그것이 경서에 나타나는 즉 진실로 그 중을 잡으라 한 것은 요임금이
　　　순임금에게 준 소이이다(것이다).

人心惟危 道心惟微 惟精惟一 允執厥中者 舜之所以授禹也(인심유위 도
심유미 유정유일 윤집궐중자 순지소이수우야) ⇨ 惟: 오직. 危: 위태
롭고. 道心: 도의 마음은. 微: 작다, 미세하다. 精: 세밀하다, 오묘하다.
一: 순일하다, 순수하다.

〈풀이〉사람의 마음은 오직 위태롭고 도의 마음은 오직 미세하니 오직 세밀하고
　　　순일하여야 진실로 그 중을 잡는다고 한 것은 순임금이 우임금에게 준
　　　바인 것이다.

堯之一言 志矣盡矣(요지일언 지의진의) ⇨ 志矣: 지극하다. 矣: 단정의
종결사. 盡: 다하다.

〈풀이〉요임금의 한 마디는 지극하고 (그 뜻을) 다하였으니

而舜復益之以三言者(이순부익지이삼언자) ⇨ 而: 순접의 접속사. 復:
다시. 益: 보태다. 之: 가시대명사. '이것'. 者: 수식어를 앞에 가지는
불완전명사. '것'. 以: 전치사로 '~으로써'.

〈풀이〉순임금이 다시 세 마디로써 이것에 보탠 것은

則所以明夫堯之一言 必如是而後 可庶幾也(즉소이명부요지일언 필여
시이후 가서기야) ⇨ 明: 밝히다. 所以明: 밝힌 소위로 맨 끝에 풀이된
다. 夫: 저. 如是而後: 반드시 이와 같이 한 뒤에야. 庶幾: 바라다.
也: 단정의 종결사.

〈풀이〉곧 대저 요임금의 한 마디는 반드시 이와 같이 한 뒤에야 바랄 수 있는
　　　것임을 밝힌 소이이다.

2 蓋嘗論之 心之虛靈知覺 一而r已矣 而以爲有人心道心
之異者 則以其惑生於形氣之私 惑原於性命之正 而所
以爲知覺者不同 是以 或危殆而不安 或微妙而難見耳

〈풀이〉 대개 일찍이 이것을 논하였는데 마음의 허령과 지각은 하나일 뿐이다.
그런데 생각건대 인심과 도심의 다름이 있다는 것은 곧 그것이 혹은 형
기의 사사로움에서 생기고 혹은 성명의 바름에 근원하기 때문이다. 그
리고 지각하게 하는 것이 다르기 때문에 이로써 혹은 위태롭고 불안하
며 혹은 미묘하여 보기 어려울 뿐이다.

蓋嘗論之 心之虛靈知覺 一而已矣(개상론지 심지허령지각 일이이의) ⇨
嘗: 일찍이. 之: 가시대명사로 앞의 인심과 도심을 가리킴. 心之虛靈
知覺: 마음의 허령과 지각은. 而已矣: 종결사로 '~뿐이다'. 一: 하나.
〈풀이〉 대개 일찍이 이것을 논하였는데 마음의 허령과 지각은 하나일 뿐이다.
而以爲有人心道心之異者 則以其或生於形氣之私 或原於性命之正(이
이위유인심도심지이자 즉이기혹생어형기지사 혹원어성명지정) ⇨
而: 순접. 以爲: 생각건대. 之: 후치사로서 '의'. 者: 有~異까지의 수식
을 받는 불완전명사. '것'. 則: 곧. 以: 때문. 其: 그것이. 或: 혹은.
生: 생기다. 於: '에서'. 私: 사사로움. 形氣: 형상과 기운, 신체와 정신.
原: 근원, 근본을 추구하다. 性命: 천부의 성질, 목숨.
〈풀이〉 그런데 생각건대 인심과 도심의 다름이 있다는 것은 곧 그것이 혹은 형
기의 사사로움에서 생기고 혹은 성명의 바름에 근원하기 때문이다.
而所以爲知覺者不同 是以 或危殆而不安 或微妙而難見耳(이소이위지
각자부동 시이 혹위태이불안 혹미묘이난견이) ⇨ 而: 순접. '그리고'.
所以: 때문. 爲: 하다. 知覺: 지각하다. 者: 불완전명사. '것'. 難: 어렵다.

見: 보다. 耳: 而己의 합자로서 단정 또는 한정의 종결사로 '뿐이다'.

〈풀이〉 그리고 지각하게 하는 것이 다르기 때문에 이로써 혹은 위태롭고 불안하
며 혹은 미묘하여 보기 어려울 뿐이다.

3 然人莫不有是形 故雖上智 不能無人心 亦莫不有是性
故雖下愚 不能無道心 二者雜於方寸之間 而不知所以
治之 則危者愈危 微者愈微 而天理之公 卒無以勝夫人
慾之私矣

〈풀이〉 그러나 사람은 이런 형기가 있지 않는 이가 없으니 고로 비록 가장 뛰
어난 지혜로운 사람이라도 인심이 없을 수 없고 또한 이러한 성이 있지
않을 수 없으니 고로 비록 가장 어리석은 이라도 도심이 없을 수 없다.
이런 두 가지가 가슴 속에 섞여 있으니, 그것을 다스릴 소이를 알지 못
하면 곧 위태로운 것은 더욱 위태로워지고 미세한 것은 더욱 미세하여
진다. 천지자연의 이치의 한 가지임이(공동됨이) 마침내 사람의 욕심의
사사로움을 이기지 못한다(이기지 못하게 된다).

然人莫不有是形 故雖上智 不能無人心 亦莫不有是性 故雖下愚 不能無
道心(연인막불유시형 고수상지 불능무인심 역막불유시성 고수하우
불능무도심) ⇨ 然: 그러나. 莫不: 이중부정으로 '~한다고 하고 ~하
지 않은 ~이 없다'. 不有: 있지 않다. 形: 형기. 上智: 가장 뛰어난,
지혜로운 사람. 不能無人心: 인심이 없을 수 없다.
〈풀이〉 그러나 사람은 이런 형기가 있지 않는 이가 없으니 고로 비록 가장 뛰어난
지혜로운 사람이라도 인심이 없을 수 없고 또한 이런 성이 있지 않을

수 없으니 고로 비록 가장 어리석은 이라도 도심이 없을 수 없다.

二者雜於方寸之間 而不知所以治之 則危者愈危 微者愈微(이자잡어방촌지간 이부지소이치지 칙위자유위 미자유미)⇨ 二者: 두 가지. 雜: 섞이다. 方寸之間: 가슴 속. 而: 순접의 접속사. 治: 다스리다. 之: 가시대명사로 '그곳'. 則: 즉. 危者: 위태로운 것. 愈: 더할 유. 危者愈危: 위태로운 것은 더욱 위태로워지고. 微者: 미세한 것.

〈풀이〉 두 가지 가슴 속에 섞여 있으니, 그것을 다스릴 소이를 알지 못하면 곧 위태로운 것은 더욱 위태로워지고 미세한 것은 더욱 미세하여진다.

而天理之公 卒無以勝夫人慾之私矣(이천리지공 졸무이승부인욕지사의)⇨ 而: 순접의 접속사. 天理: 천지자연의 이치. 公: 공동, 한 가지. 卒: 마침내, 드디어, 기어이. 無以: ~없다. 勝: 이기다. 無以勝: 이기지 못한다. 夫: 대저. 人慾之私: 사람의 욕심의 사사로움.

〈풀이〉 천지자연의 이치의 한 가지임이(공동됨이) 마침내 사람의 욕심의 사사로움을 이기지 못한다(이김이 없다).

4 精則察夫二者之間而不雜也 一則守本心之正而不離也
從事於斯 無小間斷 必使道心 常爲一身之主 而人心每
聽命焉 則危者安 微者著 而動靜云爲 自無過不及之差矣

〈풀이〉 정밀하면 곧 저 두 가지의 사이를 살펴서 뒤섞임이 없고 전일한 즉 그 본심의 바름을 지켜서 떠나가지 아니하고 이에 종사하여 조금도 중간이 끊어짐이 없고 반드시 도심으로 하여금 늘 한몸의 주인이 되게 하여 인심이 매양 명령을 따르면 곧 위태롭던 것은 안정되고 미세했던 것은 명료해져서 기거동작과 언행이 스스로 지나침과 미치지 못함의 차이가 없게 될 것이다.

精則察夫二者之間而不雜也(정즉찰부이자지간이불잡야) ⇨ 精: 정밀

하다. 察: 살피다. 夫: 저. 지시사.

〈풀이〉 정밀하면 곧 저 두 가지의 사이를 살펴서 뒤섞임이 없고

一則守本心之正而不離也(일즉수본심지정이불리야) ⇨ 一: 전일하다.

不離: 떠나지 아니함. 也: 단정의 종미사.

〈풀이〉 전일한 즉 그 본심의 바름을 지켜서 떠나가지 아니하고

從事於斯 無小間斷 必使道心 常爲一身之主(종사어사 무소간단 필사도

심 상위일신지주) ⇨ 斯: 이. 此와 같음. 間斷: 중간이 끊어짐. 無小:

조금도 없다. 使: ~하여금 ~하게 하다. 爲: 삼다, 하다. 主: 주인.

〈풀이〉 이에 종사하여 조금도 중간이 끊어짐이 없고 반드시 도심으로 하여금

늘 한몸의 주인이 되게 하여

而人心每聽命焉 則危者安 微者著 而動靜云爲 自無過不及之差矣(이인

심무청명언 즉위자안 미자저 이동정운위 자무과불급지차의) ⇨ 而:

순접의 접속사. 聽: 좇음, 따름. 命: 명령, 분부. 焉: 확인, 강조의 종결

사. 危者: 위태로운 것. 著: 나타나다, 명료해지다. 動靜云爲: 기거동

작과 언행. 自: 스스로, 저절로. 過不及之는 差를 꾸미는 수식구. 矣:

단정의 종결사.

〈풀이〉 인심이 매양 명령을 따르면 곧 위태롭던 것은 안정되고 미세했던 것은

(뚜렷이) 나타나서(명료해져서) 기거동작과 언행이 스스로 지나침과 미치

지 못함의 차이가 없을 것이다.

5 夫堯舜禹 天下之大聖也 以天下相傳 天下之大事也 以天下之大聖 行天下之大事 而其授受之際 丁寧告戒 不過如此 則天下之理豈有以加於此哉

〈풀이〉 대저 요임금과 순임금과 우임금은 천하의 대성이요 천하를 서로 전함으로써 천하의 위대한 일이다. 천하의 대성이므로 천하의 위대한 일을 행하되 그 주고 받을 적에 정녕히 경계함을 고한 것이 이와 같음에 지나지 않으니 곧 천하의 이치에 어찌 이에 더함이 있겠는가!

夫堯舜禹 天下之大聖也 以天下相傳 天下之大事也(부요순우 천하지대성야 이천하상전 천하지대사야) ⇨ 以天下相傳: 천하를 서로 전한 것은. 以는 천치사로 '~로써'.

〈풀이〉 대저 요임금과 순임금과 우임금은 천하의 대성이요 천하를 서로 전함으로써 천하의 위대한 일이다.

以天下之大聖 行天下之大事 而其授受之際 丁寧告戒 不過如此(이천하지대성 행천하지대사 이기수수지제 정녕고계 불과여차) ⇨ 授受之는 際를 꾸미는 수식어구.

〈풀이〉 천하의 대성이므로 천하의 위대한 일을 행하되 그 주고 받을 적에 정녕히 경계함을 고한 것이 이와 같음에 지나지 않으니

則天下之理豈有以加於此哉(즉천하지이기유이가어차재) ⇨ 理: 이치. 豈: 어찌. 哉: 의문종결사. 有以: 있다.

〈풀이〉 곧 천하의 이치에 어찌 이에 더함이 있겠는가!

6 自是以來 聖聖相承 若成湯文武之爲君 皐陶伊傳周召
之爲臣 旣皆以此 而接夫道統之傳 若吾夫子 則雖不得
其位 而所以繼往聖開來學 其功反有賢於堯舜者

〈풀이〉 이로부터 이래 성인과 성인이 서로 계승하여 성탄, 문왕, 무왕이 왕됨과
　　　같이 고요, 이윤, 부열, 주공, 소공의 신하 됨은 대개 모두 이로써 저
　　　도통의 전함에 접하였다. 우리 공자 같은 분은 곧 비록 그 지위를 얻지
　　　아니하였어도 지난날의 성인을 계승하여 스승께 와서 배울 이를 계발한
　　　때문에 그 공은 오히려 요임금과 순임금보다 나은 것이 있다.

自是以來 聖聖相承 若成湯文武之爲君 皐陶伊傳周召之爲臣 旣皆以此
　　而接夫道統之傳(자시이래 성성상승 약성탕문무지위군 고요이부주
　　소지위신 기개이차 이접부도통지전) ⇨ 自是: 이로부터. 以來: 이래
　　로. 相承: 서로 있다. 若: 같이. 爲君: 왕 됨. 之: 후치사로 주격. 以此:
　　이로써. 而: 순접의 접속사. 夫: 저. 道統之傳: 도통의 전함.
　　〈풀이〉 이로부터 이래 성인과 성인이 서로 계승하여 성탄, 문왕, 무왕이 왕됨과
　　　　　같이 고요, 이윤, 부열, 주공, 소공의 신하 됨은 대개 모두 이로써 저
　　　　　도통의 전함에 접하였다.
若吾夫子 則雖不得其位 而所以繼往聖開來學 其功反有賢於堯舜者(약
　　오부자 즉수부득기위 이소이계왕성개래학 기공반유현어요순자) ⇨
　　若吾夫子: 우리 공자 같은 이는. 夫子는 공자. 而: 역접의 접속사.
　　'그러나'. 繼: 계승하다. 往聖: 지난날의 성인. 開: 계발함, 깨우치다.
　　來學: 후세의 학자, 스승에게 와서 배움. 反: 도리어. 賢: 낫다. 於:
　　전치사로서 비교를 나타냄. '보다'. 賢~舜까지는 者를 수식하는 구
　　절. '것'.

〈풀이〉 우리 공자 같은 분은 곧 비록 그 지위를 얻지 아니하였어도 지난날의
　　　성인을 계승하여 스승께 와서 배울 이를 계발한 때문에 그 공은 오히려
　　　요임금과 순임금보다 나은 것이 있다.

7 然當是時 見而知之者 惟顔氏曾氏之傳 得其宗 及曾氏 之再傳 而復得夫子之孫子思 則去聖遠 而異端起矣

〈풀이〉 그러나 이때를 당하여 보고 그것을 아는 사람은 오직 안씨와 증씨의 전
　　　함이 그 근본을 얻었고 증씨의 재전에 이르러 다시 공자의 손자 자사를
　　　얻었으나 곧 성인에서 멀어져 가서 이단이 발생하였다.

然當是時 見而知之者 惟顔氏曾氏之傳 得其宗(연당시시 견이지지자 유
안씨증씨지전 득기종) ⇨ 然: 그러나. 當是時: 이때를 당하여. 知之者:
그것을 아는 사람은. 傳: 전함, 옮기어 줌. 而: 순접의 접속사. 宗:
마루, 근본.
〈풀이〉 그러나 이때를 당하여 보고서 그것을 아는 사람은 오직 안씨와 증씨의
　　　전함이 그 근본을 얻었고
及曾氏之再傳 而復得夫子之孫子思 則去聖遠 而異端起矣(급증씨지재
전 이부득부자지손자사 즉거성원 이이단기의) ⇨ 及: 이르다. 復: 다
시. 去聖遠: 성인께서 멀어져 가서. 起: 발생하다. 矣: 단정의 종결사.
〈풀이〉 증씨의 재전에 이르러서 다시 공자의 손자 자사를 얻었으나 곧 성인에서
　　　멀어져 가서 이단이 발생하였다.

8 子思懼夫愈久而愈失其眞也 於是 推本堯舜以來相傳之
意 質以平日所聞父師之言 更互演繹 作爲此書 以詔後
之學者 蓋其憂之也深 故其言之也切 其慮之也遠 故其
說之也詳

〈풀이〉 자사가 대저 더 오래갈수록 그 참됨을 잃을까 두려워하였다. 이에 요순
이래로 서로 전하여 온 뜻의 근본을 궁구하고 평일에 스승의 말씀을 들
은 바로써 질정하여 서로 고쳐서 연역하여 이 책을 지어서 후의 배울
사람을 가르쳐 인도함으로써 대개 그가 그것을 근심함이 깊은 고로 그
가 그것을 말함이 절실하고 그가 그것을 염려함이 먼 고로 그가 그것을
설명한 것이 상세하다.

子思懼夫愈久而愈失其眞也 於是 推本堯舜以來相傳之意(자사구부유
구이유실기진야 어시 추본요순이래상전지의) ⇨ 夫: 대저, 저. 愈久:
자꾸 더 오래 갈수록. 愈失其眞也: 그 참됨을 더욱더 잃다. 懼: 두려워
하다. 推: 추구하다, 궁구하다. 愈: 더하다, 더욱.
〈풀이〉 자사가 대저 오래갈수록 그 참됨을 잃을까 두려워하였다. 이에 요순 이래
로 서로 전해온 뜻의 근본을 궁구하고

質以平日所聞父師之言 更互演繹 作爲此書(질이평일소문부사지언 경
호연역 작위차서) ⇨ 質: 정하다, 결정하다, 질정. 更: 고치다. 互: 서
로. 演繹: 뜻을 캐어 부연하여 설명함. 作爲: 지음, 만듦.
〈풀이〉 평일에 스승의 말씀을 들은 바로써 질정하여 서로 고쳐서 연역하여 이
책을 지어서

以詔後之學者 蓋其憂之也深 故其言之也切 其慮之也遠 故其說之也詳
(이조후지학자 개기우지야심 고기언지야절 기려지야원 고기설지야

상)⇨ 以: 전치사로써 '~로써'. 詔: 말하다, 가르치다. 蓋: 대개 상상하는 말, 추측하는 말. 其: 그가. 憂: 걱정하다. 之: 가시대명사. '그것'. 也: 전성후치사로서 주격. 切: 절실.

〈풀이〉 후의 배울 사람을 가르쳐 인도함으로써 대개 그가 그것을 근심하는 것이 깊은 고로 그가 그것을 말하는 것이 절실하고 그가 그것을 염려하는 것이 먼 고로 그가 그것을 설명한 것이 상세하다.

9 其曰天命率性 則道心之謂也 其曰擇善固執 則精一之謂也 其曰君子時中 則執中之謂也 世之相後千有餘年 而其言之不異如合符節 歷選前聖之書 所以提挈綱維 開示蘊奧 未有若是之明且盡者也

〈풀이〉 그가 천명, 솔성이라 한 것은 곧 도심을 말한 것이요 그가 선을 택하여 굳게 잡는다고 한 것은 곧 순수함을 말한 것이요, 그가 군자는 그때의 사정에 알맞게 행한다 한 것은 곧 중용의 도를 잡아 지킴을 말한 것이요, 세대가 서로 뒤지기가 천여 년이지만(되지만) 그 말이 다르지 않음이 부절이 꼭 맞는 것과 같다. 전대의 성인의 글을 모조리 골라 큰 줄거리를 제시한 까닭으로 심오한 이치를 열어 보이어 이와 같은 것이 분명하고 또한 충분하게 한 것이 아직 있지 아니하다.

其曰天命率性 則道心之謂也(기왈천명솔성 즉도심지위야) ⇨ 其: 그가. 則: 곧. 也: 단정의 종결사. 之. 후치사로 목적격.

〈풀이〉 그가 천명, 솔성이라 한 것은 곧 도심을 말한 것이요.

其曰擇善固執 則精一之謂也(기왈택선고집 즉정일지위야) ⇨ 固執: 굳

게 잡는다. 精一: 조금도 잡것이 섞이지 아니함, 순수함.

〈풀이〉 그가 선을 택하여 굳게 잡는다고 한 것은 곧 순수함을 말한 것이요.

其曰君子時中 則執中之謂也(기왈군자시중 즉집중지위야) ⇨ 時中: 時宜, 그때의 사정에 맞음. 執中: 중용의 도를 꼭 잡아 지킴. 之: 후치사로서 목적격.

〈풀이〉 그가 군자는 그때의 사정에 알맞게 행한다 한 것은 곧 중용의 도를 잡아 지킴을 말한 것이요.

世之相後千有餘年 而其言之不異如合符節(세지상후천유여년 이기언지불이여합부절) ⇨ 世之: 세대가. 之는 전성후치사로 주격. 相後: 서로 뒤지기. 其言之: 그 말이. 之는 전성후치사로 주격. 如合符節: 부절이 꼭 맞는 것과 같다.

〈풀이〉 세대가 서로 뒤지기가 천여 년이 되지만 그 말이 다르지 않음이 부절이 꼭 맞는 것과 같다.

歷選前聖之書 所以提挈綱維 開示蘊奧 未有若是之明且盡者也(역선전성지서 소이제설강유 개시온오 미유약시지명차진자야) ⇨ 歷選: 모조리 선정하여. 歷: 모조리. 前聖之書: 전대 성인의 글. 提挈: 제시함, 게시함. 綱維: 벼리, 큰 줄거리. 開示: 열어 보이다. 蘊奧: 학문의 심오한 이치. 未有: 아직 있지 아니하다. 若是之: 이와 같은 것이. 之는 전성후치사로 주격. 明: 밝고, 분명하고. 盡: 자세히 함, 유루가 없게 함, 충분하게 함. 者: 불완전명사로 '것'.

〈풀이〉 전대의 성인의 글을 모조리 골라 큰 줄거리를 제시한 까닭으로 심오한 이치를 열어 보이어 이와 같은 것이 분명하고 또한 충분하게 한 것이 아직 있지 아니하다.

10 自是而又在傳以得孟氏 爲能推明是書 以承先聖之統 及其沒 而遂失其傳焉 則吾道之所寄 不越乎言語文字 之間 而異端之說 日新月盛 以至於老佛之徒出 則彌近 理而大亂眞矣

〈풀이〉 이로부터서 재전하여 맹씨를 얻음으로써 이 책을 미루어 밝혀 옛 성인 의 전통을 잇게 될 수 있었는데 그가 돌아가심에 미쳐서 마침내 그 전 통을 잃게 되었다. 즉 우리 도의 기탁할 바는 언어 문자 사이에서 벗어 나지 아니하였는데 이단의 설이 날로 새로워지고 달로 성함으로써 도교 와 불교의 무리가 나옴에 이르러서는 곧 더욱 이치에 가까운 듯하여 참 됨을 크게 어지럽게 하였다.

自是而又在傳以得孟氏 爲能推明是書 以承先聖之統 及其沒 而遂失其 傳焉(자시이우재전이득맹씨 위능추명시서 이승선성지통 급기몰 이 수실기전언) ⇨ 自是: 이로부터. 而: 순접의 접속사. 又: 또. 以得孟氏: 맹씨를 얻음으로써. 是書: 이 책을. 爲能은 以承先聖之統에 걸린다. 推明: 미루어 밝히다. 以: 이는 전성후치사로써 推明是書에 걸려 '~으 로써'로 번역됨. 承先聖之統: 옛 성인의 전통을 잇다. 及其沒: 그가 돌아가심에 미쳐서는. 而: 순접의 접속사. 遂: 마침내. 其傳: 그 전통. 失: 잃다.

〈풀이〉 이로부터 재전하여 또 맹씨를 얻음으로써 이 책을 미루어 밝혀 옛 성인의 전통을 잇게 될 수 있었는데 그가 돌아가심에 미쳐서 마침내 그 전통을 잃게 되었다.

則吾道之所寄 不越乎言語文字之間 而異端之說 日新月盛 以至於老佛 之徒出 則彌近理而大亂眞矣(즉오도지소기 불월호언어문자지간 이

234

이단지설 일신월성 이지어노불지도출 즉 미근리이대란진의) ⇨ 則:
곧. 寄: 기탁함, 맡기다. 吾道之: 우리 도의. 之는 후치사로 '의'. 所:
수식어를 뒤에 가지는 불완전명사. '~하는 바'. 乎: 본래 전치사로
言語文字之間을 체언부사어가 되어 不越 뒤에 쓰여 있다. 以: 전성후
치사로서 日新月盛에 걸린다. '~으로써'. 至於: ~에 이르러서는. 老佛
之徒: 도교와 불교의 무리. 彌: 더욱. 近理: 어치에 가깝다. 亂: 어지럽
게 하다. 矣: 단접의 종결사.

〈풀이〉 즉 우리 도의 기탁할 바는 언어 문자 사이에서 벗어나지 아니하였는데
　　　　이단의 설이 날로 새로워지고 달로 성함으로써 도교와 불교의 무리가
　　　　나옴에 이르러서는 곧 더욱 이치에 가까운 듯하여 참됨을 크게 어지럽게
　　　　하였다.

11 然而尚幸此書之不泯 故程夫子兄弟者出 得有所考 以
　　續夫千載不傳之緖 得有所據 以斥夫二家似是之非 蓋
　　子思之功 於是爲大 而微程夫 則亦莫能因其語而得其
　　心也

〈풀이〉 연이나 오히려 다행히 이 책이 없어지지 아니하였으므로 정부자 형제가
　　　　나오셔서 상고한 바가 있음을 얻었으므로 저 천년 동안 전하지 않았던
　　　　실마리를 이으시고 근거한 바가 있음을 얻어서 저 도가와 불가의 사이
　　　　비함을 배척하였다. 대체 자사의 공이 이에서 컸는데 정부자가 아니었
　　　　다면 즉(곧) 또한 그 말로 말미암아 그 마음을 깨닫지 못했을 것이다.

然而尚幸此書之不泯　故程夫子兄弟者出　得有所考(연이상행차서지불

민 고정부자형제자출 득유소고) ⇨ 尙: 오히려. 幸: 다행히. 之: 후치

사로 주격. 不泯: 없어지지 않았다. 者: 어세를 강하게 하기 위하여

명사 뒤에 붙임. 考: 상고하다. 고로 所考: 상고한 바. 得有: 있음을

깨달아.

〈풀이〉 연이나 오히려 다행히 이 책이 없어지지 않았으므로 정부자 형제가 나오

셔서 상고한 바가 있음을 얻었으므로

以續夫千載不傳之緖 得有所據 以斥夫二家似是之非(이속부천재부전

지서 득유소거 이척부이가사시지비) ⇨ 續: 잇다. 夫: 저. 千載: 천년.

緖: 실마리. 斥: 배척하다. 二家: 도교와 불교. 似是之非: 사이비함.

〈풀이〉 저 천년이나 전하지 않았던 실마리를 이으시고, 근거하신 바가 있음을

얻어서 저 도가와 불가의 사이비함을 배척하였다.

蓋子思之功 於是爲大 而微程夫 則亦莫能因其語而得其心也(개자사지

공 어시위대 이미정부 즉역막능인기어이득기심야) ⇨ 蓋: 대개. 於

是: 이에서, 이래서. 爲大: 컸다. 而: 순접의 접속사. 微: 아니다, 없다.

而: 구와 구를 이어 주는 접속사. 莫能: ~할 수 없다. 得: 깨닫다.

〈풀이〉 대개 자사의 공이 이에서 컸는데 정부자가 아니었다면 곧 또한 그 말로

말미암아 그 마음을 깨닫지 못했을 것이다.

12 惜乎 其所以爲說者不傳 而凡石氏之所輯錄 僅出於其
門人之所記 是以 大義雖明 而微言未析 至其門人所自
爲說 則雖頗詳盡而多所發明 然 倍其師說而淫於老佛
者亦有之矣

〈풀이〉 아깝구나! 그가 해설한 것이 전하지 않게 된 까닭에 무릇 석씨가 모아서

기록한 것이 겨우 그 문인이 기록한 것에서 나왔을 뿐이다. 이런 까닭
에 대의는 비록 밝혀졌으나 미묘한 말은 분석되지 아니하여서 그 문인
이 스스로 해석하게 된 바에 이르러서는 곧 비록 자못 상세하고 그 뜻
을 다하여 밝힌 바는 많으나 그 스승의 설을 배반하고서 도교나 불교에
혹란하게 하는 것이 또한 (이것이) 있다.

惜乎 其所以爲說者不傳 而凡石氏之所輯錄 僅出於其門人之所記(석호
기소이위설자부전 이범석씨지소집록 근출어기문인지소기) ⇨ 乎: 감
탄 종결사. 其: 그가. 所以爲: ~되기 때문에. 說: 해설하다. 者: 불완전
명사. '것'. 凡: 무릇. 石氏: 石돈: 자 子重, 號: 극제(克齊). 주희와
친교가 있었다. 중용에 관한 논설을 모은 일이 있다. 所輯錄: 모아서
기록한 바. 僅: 간신히, 겨우. 於: 장소의 전치사. 其門人之所記: 그
문인이 기록한 바에서. 之: 후치사로 주격.
〈풀이〉 아깝구나! 그가 해설한 것이 전하지 않게 된 까닭에 무릇 석씨가 모아서
기록한 것이 겨우 그 문인이 기록한 것에서 나왔을 뿐이다.

是以 大義雖明 而微言未析 至其門人所自爲說(시이 대의수명 이미언미
석 지기문인소자위설) ⇨ 微言: 미묘한 말. 而: 역접의 접속사. 未析:
분석되지 못하다. 自: 스스로. 爲說: 해설하게 된.
〈풀이〉 이런 까닭에 대의는 비록 밝혀졌으나 미묘한 말은 분석되지 않아서 그
문인이 스스로 해설하게 된 바에 이르러서는

則雖頗詳盡而多所發明(즉수파상진이다소발명) ⇨ 則: 곧. 頗: 매우 많
이. 盡: 뜻을 다하다. 發明: 밝힘, 명백히 함.
〈풀이〉 곧 비록 자못 상세하고 그 뜻을 다하여 밝힌 바는 많으나

然 倍其師說 而淫於老佛者亦有之矣(연 배기사설이음어노불자역유지
의) ⇨ 倍: 배반하다. 而: 순접의 접속사. 淫: 미혹하다, 혹란하게 하다.

者: 불완전명사. '것'. 之: 가시대명사. '이것'. 有: 주어를 뒤에 가지는 특수동사. 矣: 단정의 종결사.

〈풀이〉연이나 그 스승의 설을 배반하고서 도교나 불교에 혹란하게 하는 것이 또한 (이것이) 있다.

13 熹自蚤歲 卽嘗受讀 而竊疑之 沈潛反復 蓋亦有年 一旦恍然 似有以得其要領者 然後乃敢會衆說 而折其衷 旣爲定著章句一篇 以俟後之君子

〈풀이〉희는 젊었을 때부터 즉 일찍이 받아 읽고 마음속으로 그것을 의심하여 반복하여 깊이 생각함이 또한 여러 해였는데 하루아침에 멍하게나마 그 요령을 얻은 것이 심히 있는 듯하였다. 연후에 이에 감히 뭇사람의 설을 모아서 그것을 절충하여 이미 장구 한 편을 지어 후일의 군자를 기다리기로 하였다.

熹自蚤歲 卽嘗受讀 而竊疑之 沈潛反復 蓋亦有年 一旦恍然 似有以得其要領者(희자조세 즉상수독 이절의지 침잠반복 개역유년 일단황연 사유이득기요령자) ⇨ 熹: 주희. 自:부터. 蚤歲: 早歲. 젊었을 때. 嘗: 일찍이. 受讀: 받아 읽다. 竊: 마음속으로. 疑: 의심하다. 之: 가시대명사. '그것'. 沈潛: 마음을 진정하고 깊이 생각함. 蓋: 간곡하게 하는 말로 蓋亦: 또한. 有年: 십여 년, 여러 해. 一旦: 어느날 아침, 하루아침. 恍然: 멍한 모양, 정신이 흐리멍텅한 모양. 似: 그럴 듯함. 得要領者: 요령을 얻은 것. 者는 불완전명사. 似有: 잇는 듯하다. 以: 대단히, 심히.

〈풀이〉 희는 젊었을 때부터 즉 일찍이 받아 읽고 마음속으로 그것을 의심하여
반복하여 깊이 생각함이 또한 여러 해였는데 하루아침에 멍하게 그 요령
을 얻은 것이 심히 있는 듯하였다.

然後乃敢會衆說 而折其衷 旣爲定著章句一篇 以俟後之君子(연후내감
회중설 이절기충 개위정저장구일편 이사후지군자) ⇨ 乃: 이에. 會:
모으다. 衆說: 여러 사람의 설. 而: 순접의 접속사. 折其衷: 其折衷으
로 보아야 한다. '그것을 절충하여'임. 其는 衆說을 가리키는 대명사.
旣: 이미. 爲定: 정하기로 하다. 著章句一篇以: 장구 한편을 지음으로
써. 以: 전성후치사로서 '~으로써'임. 俟後: 기다리다.
〈풀이〉 연후에 이에 감히 뭇사람의 설을 모아서 그것을 절충하여 이미 장구 한
편을 지음으로써 후일의 군자를 기다리기를 정하게 되었다(기다리기로
하였다).

14 而一二同志 復取石氏書 刪其繁亂 名以輯略 且記所嘗 論辨取舍之意 別爲或問 以附其後

〈풀이〉 한두 동지가 석씨의 책을 다시 취하여 그 번란한 것을 삭제하고 집략으
로 이름하고 또한 일찍이 논변, 취사한 바의 뜻을 달리 후문을 만듦으
로써 뒤에 붙였다.

而一二同志 復取石氏書 刪其繁亂 名以輯略 且記所嘗論辨取舍之意 別
爲或問 以附其後(이일이동지 부취석씨서 산기번란 명이집략 차기소
상론변취사지의 별위혹문 이부기후) ⇨ 而: 순접의 접속사. 一二同
志: 한두 명의 동지가 復取: 다시 취하여. 刪: 삭제하다. 繁亂: 뒤섞임.

난잡함. 以: 으로. 以輯略: 집략으로. 且: 또한. 記: 기록하다. 所嘗論辨
取舍之意: 일찍이 논변하고 취사한 바의 뜻. 所~舍는 之와 합하여
意를 수식하고 意는 記의 목적어이다. 別: 달리. 爲或問: 혹문을 만들
다. 以: 전성후치사로써 '~으로써'.

15 然後此書之旨 支分節解 脈絡貫通 詳略相因 巨細畢擧 而凡諸設之同異得失 亦得以曲暢旁通 而各極其趣

〈풀이〉 그런 뒤에 이 책의 뜻이 절로 나누어 풀이되고 조리가 관통되고 상세한
것과 간략한 것이 서로 관계를 갖고 큰 것과 작은 것이 모두 들어나고
무릇 여러 사람의 설의 같고 다름과 득실이 또한 자세히 들어남으로써
각각 그 취지를 극진히 함을 얻게 되었다.

然後此書之旨 支分節解 脈絡貫通 詳略相因 巨細畢擧 而凡諸設之同異
得失 亦得以曲暢旁通 而各極其趣(연후차서지지 지분절해 맥락관통
상략상인 거세필거 이범제설지동이득실 역득이곡창방통 이각극기
취) ⇨ 然後: 연후에, 그런 뒤에. 旨: 뜻. 支分: 가르다, 분할하다. 脈絡:
조리. 詳略: 상세한 것과 간략한 것이. 相因: 서로 관계를 갖다. 因:
관계, 연유. 巨: 큰 것. 細: 작은 것. 畢擧: 모두 들어서 말함. 而: 문과
문을 잇는 접속사. 凡: 무릇. 同異: 같고 다름과. 得失: 득실. 曲暢:
자세하게 통달함. 旁通: 곡진함. 즉 자세히 설명함. 各: 각각. 極: 다하
다, 극진하다.

16 雖於道統之傳 不敢妄議 然初學之士 或有取焉 則亦庶
乎行遠升高之一助云爾 淳熙己酉春三月戊申 新安朱熹
序

〈풀이〉 비록 도통의 전승에 감히 허망한 논의를 하지 못하니 연이나 처음 배우
는 선비가 혹 취할 것이 있으면 곧 또한 바라건대 멀리 나아가고 높이
올라가는데 도움이 될 것이다. 순희 기유년 봄 삼월 무신 신안 주희서

雖於道統之傳 不敢妄議 然初學之士 或有取焉 則亦庶乎行遠升高之一
助云爾(수어도통지전 불감망의 연초학지사 혹유취언 즉역서호행원
승고지일조운이) ⇨ 雖: 비록. 於: 장소, 위치의 전치사. 傳: 전승. 不
敢: 감히 ~하지 못하다. 妄議: 허망한 논의를 하다. 議: 논의하다.
然: 연이나. 初學之士: 처음 공부하는 선비. 或有取焉: 혹 취하는 것이
있다. 焉: 어세를 강하게 하는 종결사. 則亦: ~한즉 또한. 庶乎: 庶幾
와 뜻이 같음. 거의 되려함, 바람, 희망함, 바라건대. 行遠: 멀리 나아
가다. 行: 나아가다. 升: 오르다. 高: 높이. 之: 후치사 '의'. 이것은
그 앞의 말과 합하여 一助를 꾸민다. '한 도움'. 云爾: 문장의 끝에
써서 위에 말한 바와 같다는 뜻을 나타냄.

淳熙己酉春三月戊申 新安朱熹序(순희 기유 춘 삼월 무신 신안 주희서)

한길 김승곤 전집

문법적으로 쉽게 풀어 쓴
향가

나랏말ᄊᆞ미
異ᇰ와ᇢ中듀ᇰ國귁에 달아
異ᇰ호ᇢ中듀ᇰ國귁에 야, 異ᇰ와ᇢ中듀ᇰ國귁에, 아모
그에 文문字ᄍᆞᆼㅣ라
와로 서르 ᄉᆞᄆᆞᆺ디 아니 ᄒᆞᆯᄊᆡ
이런 젼ᄎᆞ로 어린 百ᄇᆡᆨ姓셔ᇰ이
니르고져 호ᇙ 배 이셔도
ᄆᆞᄎᆞᆷ내 제 ᄠᅳ들 시러 펴디
몯ᄒᆞᇙ 노미 하니라
내 이ᄅᆞᆯ 爲윙ᄒᆞ야 어엿비 너겨
새로 스믈여듧 字ᄍᆞᆼᄅᆞᆯ ᄆᆡᇰᄀᆞ론 노니

문법적으로 쉽게 풀어 쓴

향가

김 승 곤 엮음

글모아출판

머리말

   글쓴이는 이두와 구결에 대한 지식이 그리 넉넉하지 못하다. 그러면서도 「향가」를 한번 풀어 보자는 생각으로 용기를 내게 되었다. 몇 달을 두고 조금씩 조금씩 풀이한 것이 한 권의 책이 되었다. 여기서는 우선 삼국유사에 전하는 14수만을 풀기로 하였다. 너무 힘에 벅찼기 때문이다.

   향가풀이를 하고 보니 양주동 박사님의 그 방대한 자료를 언제 다 읽어 보시고 향가를 올바르게 풀이하셨는지 새삼스럽게 머리가 수그려졌다. 타의 추종을 불허할 크나큰 학자였다고 생각되었다. 풀다가 자신이 없는 데는 양 박사님의 풀이를 그대로 따른 데가 많다. 재삼재사 양주동 박사님께 머리 숙여 감사하며 독자 여러분의 양해를 구하는 바이다. 그리고 향가풀이에 있어서 크게 도움이 된 것은 최남희 교수의 「고려향가의 차자표기법 연구」와 「고대국어 표기 한자의 연구」가 아주 좋은 길잡이가 되었다. 어떤 부분에서는 최 교수의 풀이를 그대로 따른 데가 많아 여기에서 밝혀 두는 바이다. 글쓴이는 언제나 현대국어를 깊이 있게 연구하려면 옛 우리말을 연구하여야 함을 느껴 왔고 주장하여 왔다. 따라서 오늘날 국어연구는 옛말과 현대말의 연구가 서로 연결되어야 더욱더 좋은 연구가 될 수 있을 것이라고 믿는다.

어려운 현실에도 구애받지 아니하고 이 책의 출판을 맡아 주신 양정섭 사장님을 비롯하여 수고하신 여러분께 깊이 감사하는 바이다.

2013년 8월 20일
엮은이 삼가 씀

목 차

第一篇 慕竹旨郎歌

1. 유사의 기록

이에 대한 설화는 『삼국유사』 권제2에 실려 전한다. 본문은 다음과 같다.

孝昭王代 竹旨朗(亦作竹曼. 亦名智官)
第三十二 孝昭王代 竹曼郎之徒 有得烏(一云谷) 級干. 隷
名於風流黃卷 追日仕進 隔旬日不見 郎喚其母 問爾子何
在 母曰 幢典牟梁益宣阿干 以我子差富山城倉直 馳去行
急 未暇告辭於郎 郎曰 汝子若私事適彼 則不須尋訪 今以
公事進去 須歸享矣. 乃以舌餅一合 酒一缸 卒(率)左人[鄕
云皆叱知 言奴僕也]而行. 郎徒百三十七人 亦具儀侍從 到
富山城 問閽人 得烏失奚在 人曰 今在益宣田 隨例赴役 郎
歸田 以所將酒餠饗之 請暇於益宣 將欲偕還 益宣固禁不
許 時有使吏侃珍 管收推火郡 能節租三十石 輸送城中 美
郎之重士風味 鄙宣暗塞不通 乃以所領三十石 贈益宣助請
猶不許 又以珍節舍知騎馬鞍具胎之 乃許 朝廷花主聞之

遺使取益宣 將洗浴其垢醜 宣逃隱 掠其長子而去 時仲冬
極寒之日 浴洗於城內池中 仍合凍死 大王聞之 勅牟梁里
人從官者 並合點遺 更不接公署 不著黑衣 若爲僧者 不合
入鐘皷寺中 勅史上侃珍子孫 爲秤定戶孫 票異之 時圓測
法師 是海東高德 以牟梁里人 故不授僧職 初述姜公爲朔
州都督使 將歸理(治)所 時三韓兵亂 以騎兵三千護送之 行
至竹旨嶺 有一居士平理其嶺路 公見之歎美 居士亦善公之
威勢赫甚 相感於心 公赴州理(治) 隔一朔 夢見居士入于房
中 室家同夢 驚怪尤甚 翌日使人問其居士安否 人曰 居士
死有日矣. 使來還告其死 與夢同日矣 公曰 殆居士誕於吾
家爾. 更發卒修葬於嶺上北峯 造石彌革力一軀 安於塚前
妻氏自夢之日有娠 旣誕 因名竹旨 壯而出仕 與庾信公爲
副帥 統三韓 眞德 太宗 文武 神文 四代爲冢宰 安定厥邦
初得烏谷 慕郎而作歌曰 去隱春皆理米 毛冬居叱沙哭屋尸
以憂音 阿冬音乃叱好支賜烏隱 皃史年數就音墮支行齊 目
煙廻於尸七史伊衣 逢烏支惡知作乎下是 郎也慕理尸心未
行乎尸道尸 蓬次叱巷中 宿尸夜音有叱下是

2. 원문의 번역

효소왕대 죽지랑(역작죽만 역명지관)의 무리 중에 「득오(일명 득곡)」
이라는 급간이 있었다. 풍류황권에 이름을 올려놓고 날마다 나오더
니 열흘이 되도록 보이지 않았다. 죽지랑이 그의 어머니를 불러서
그대 아들이 어디에 있는가 물으니 그의 어머니가 말하기를:

"동전으로 있는 모량리의 익선 아간이 우리 아들을 부산성 창고지기로 임명해서 당장 떠나느라고 길이 바빴기 때문에 랑(郞)께 하직 인사를 올릴 겨를이 없었습니다."

랑이 말하기를:

"그대 아들이 만일 사사로운 일로 거기 갔다면 찾아볼 것도 없지마는 이제 공사로 갔다고 하니 찾아보고 먹을 것이라도 좀 대접하여야 하겠다."

하고 떡 한 그릇과 술 한 병을 가지고 종들을 거느리고 떠나는데 랑의 무리 137명이 또한 위의를 갖추고 뒤를 따랐다. 부산성에 이르러 성문지기에게 득오실이 어디 있느냐고 물으니 그가 말하기를:

"지금 익선이네 밭에서 일을 합니다. 전례를 따라 부역을 하는 것입니다."

랑이 밭으로 가서 가지고 갔던 술과 떡을 대접한 다음 익선에게 휴가를 달라고 청하여 데리고 돌아오려고 한즉 익선이 완강히 허락지 않았다. 그때 사리 간진이 추화군의 전세 수납을 관리하였는데 30석의 전세를 절약하여 성중으로 수송해 왔다. 간진은 부하를 사랑하는 랑의 태도에 감복하는 동시에 익선이 어둡고 막혀 속이 트이지 못한 것을 비루하게 여기어 자기가 가지고 있는 30석을 익선에게 주면서 그 청을 들어 주라고 권하였으나 그래도 허락하지 않았다. 또 다시 진절 사지의 말안장까지 준 후에야 겨우 허락하였다. 중앙의 화주가 그 이야기를 듣고 사람을 보내어 익선을 붙잡아다가 그 더러운 때를 씻기기로 하였다. 그러나 익선이 도망해서 숨어 버렸기 때문에 그의 큰아들을 끌어갔다.

그때는 동지달 극히 추운 계절이라 성안 연못 속에서 목욕시키다가 곧 얼어 죽을 듯하였다. 임금이 듣고 그 대신 모량리 사람으로서 벼슬하는 사람들을 전부 몰아 내쫓아서 다시는 관청에 발을 못 붙여 검은 옷을 또 입지 못하게 하고 중이 된 사람이면 큰 절에 들어서지 못하게 하였으며 사(史)에게 명령하여 간진의 자손을 평정호의 자손으로 만들어 표창케 하였다.

맨 처음 술종공이 삭주 도독사가 되어 장차 임지로 가야 할 터인데 그때 삼한에 난리가 일어났기 때문에 기병 3천 명이 호위해서 떠났다. 일행이 죽지령에 이르렀을 때 한 처사가 고갯길을 닦고 있었다. 공도 그를 보고 무던하게 생각하였으며 그도 공의 기구가 놀라운 것을 부러워하여 서로 잊지 못하였다. 공이 임지에 이른 지 한 달이 지나서 꿈을 꾸니 그 처사가 방으로 들어왔다. 공의 부인도 똑같은 꿈을 꾸어 더욱 이상하고 놀랍게 생각하였다. 그 이튿날 그의 안부를 물으러 심부름꾼을 보냈더니 사람들의 말이 그는 죽은 지 벌써 여러 날이라고 하였다. 심부름꾼이 돌아와서 그의 죽은 소식을 고하는데 의하면 꿈을 꾼 그날이 바로 그가 죽은 날이었다. 공은 그 처사가 우리집에 태어나는 것이라고 말하고 다시 군사를 풀어 고개 위 북편 봉우리에 장사를 지내어 주고 돌미륵 하나를 만들어 무덤 앞에 세웠다. 공의 부인이 꿈을 꾸던 날로부터 태기가 있어 아기를 낳았는바 죽지라고 이름을 지었다. 그가 커 벼슬을 하여 부수가 되어 유신공과 함께 삼한을 통일하였으며 진덕왕, 태종왕, 문무왕, 신문왕 시대에 걸쳐 총재가 되어 국가를 편안하게 하였다. 처음이 득오곡이 랑(郎)을 사모하여 노래를 짓기를:

"간봄이 애태우매 못 견디어서 울음으로 시름하네. 아름다움을 나타나셨던 모습이 햇수가 나아가매 허물어지는구려. 눈을 돌릴 사이에 맞나보기 이루리까? 랑이여 그리워하는 마음에 세상을 살아갈 길인데 다봊살이 우거진 마을에 잘 밤인들 있으리까?"

3. 원문의 해독

(1) 去隱春皆理米: 간 봄 다리매=간 봄이 애태우매

去隱 ⇨ 去: 「가다」의 「가」. 隱은 「는/은/ㄴ」의 관형사형 어미인데 여기

서는 「ㄴ」으로 푼다.

春: 봄

皆理米 ⇨ 皆: 이는 「다」로 풀어야 한다.

○ 도즈기 다 도라 가니(賊皆回去)(용비48)

○ 境界와 또 몸과 무슴괘 다 녜 곧디 아니ᄒ며(境界及信心皆不同先己)(法

語略解3장)

위에서와 같이 「皆」는 「다」로 본다(홍기문81-82).

理: 「리」로 푼다. 「다리」의 「리」이다.

米: 까닭을 나타내는 연결형 어미이다. 고로 「皆理米」는 「다리매」

인데, 그 뜻을 살펴보기로 하겠다.

옛말 사전에서 보면 「다리다」는 「달히다」와 뜻이 같다 하고 다음과

같은 예를 들었다.

○ 이제 뎌 徵歛ᄒᄂ 사ᄅ미 뵈아딕 블로 **달히ᄂ** 듯ᄒ도다(今徵歛者彼

迫之如火煎)(두해초25-39)

○ 탕 달히며 믈 더이며 병증 무르라(煎湯煮水 問候着)(노번하-47)

○ 煎敖: 고오다. 又 **달히다**(한청12-54)

「다리다=달히다」는 한자로 「煎」이다.

「煎」의 뜻은 「줄이다」 「애태우다」이다. 이것은 「안타까워하다」와

뜻이 일맥 통한다. 그런데 옛말사전에서는 다음을 참고하라 하였

는데 그 참고 낱말의 뜻을 보기로 하겠다.

○ 「슬닳다(悲歎)(소해5: 15-16): 애닲게 슬퍼하다.

○ 「글탏다(勞心焦思)(두해초3-60): 끓이고 달이고 하다.

○ 「달오다(내훈초: 付-14): 달구다. 달호다(燒紅)(한청12-4)

○ 「봇닳다(煩煎)(금삼5-45): 볶고 달이다.

○ 「봇달히이다(煮煠)(선가하-60): 볶고 달이다.

○ 짓달히다(煎熬)(언두하-70): 매우 달이다.

이상 살펴보았으나 여기 「다리다」와 관계 있는 말은 없다. 「煎」의 뜻은 앞에서 보인 바와 같이 「줄다」 또는 「애태우다」이다. 어느 뜻으로 보아야 할까 망설여지나, 「애태우다」로 풀기로 한다. 「皆理米」를 「그리워하다」로 볼 수 없는 것은 노래 제목에 「慕」가 있는데 왜 「皆理米」로 표기하였겠는지 이해가 되지 않기 때문이다.

(2) 毛冬居叱沙哭屋尸以憂音: 모둘 잇사 울올로 시름=못 있어서(못 견디어서) 울음으로 시름하네.

毛冬: 「毛」는 독음이 「모」 冬은 「둘」로 읽는다. 「毛冬」은 「모둘」로서 부정사이다(장세경, 『이두자료 읽기 사전』).

居叱沙: 居의 훈은 「살」(훈문자회 下) 또는 「잇다」이다. 「叱」은 받침 「ㅅ」이다. 「沙」는 독음이 「사」로서 강조어미이다. 오늘날의 「-아서-/-어서-」이다.

哭屋尸: 哭은 독음은 「곡」이나 뜻은 「울다」인데 여기서는 어간 「울」로 본다. 「屋」은 독음이 「옥」이나 향가에서는 명사형을 만들 때 들어가는 삽입모음 「오」이다. 「尸」는 「羅」의 파자인 「罒」를 다시 파자한 것이다. 그러므로 향가에서는 「ㄹ」로 읽는다. 이상으로 「哭屋尸」는 명사로 「울올」이 된다. 이조어에서 「ㄹ」이 명사형 어미를 많이 쓰였다.

○ 流落흥야 돈뇨매 쁘디 다웂업소라(초두해 21: 25).

○ 놀애를 노애야 슬픐없시 브르ᄂᆞ니(초두해 25: 53).

以: 양주동 박사는 「이」로 풀었고 김상억 교수도 「이」로 풀어 「哭屋尸以」를 부사어로 보고 있으나 「울다」가 부사가 되는 일은 없다. 여기서는 「으로/으로써」로 읽어야 한다. 고로 「哭屋尸以」는 「울올로=울음으로」 또는 「우는 것으로」가 된다. 이와 같이 푸는 것은 「울올」이 동명사이기 때문이다.

憂音: 憂는 음이 「우」이나 뜻은 「근심하다. 걱정하다. 시름하다」(월석2권 22장). 여기서는 「시름」으로 푼다. 音은 「음/ㅁ」인데 「시름」의 받침 「ㅁ」을 표기한 것이다. 전체는 「실음→시름」이다.

(3) 阿冬音乃叱好支賜烏隱: 아름ᄃᆞᆯ음 낟호히샨=아름다움을 나타내셨던

阿冬音: 「阿」의 훈은 「아름다움」이다. 「冬音」은 「ᄃᆞᆯ음」으로 전체는 「아름ᄃᆞᆯ음」으로 현대어 「아름다움」이다. 고어에서는 「아름답다」가 「아름답다」이므로 오늘날 「아름」을 「아름」으로 풀이하였으니 오해 없기를 바란다.

乃叱好支: 「乃」는 독음은 「내」이나 향가에서는 「나」음을 표기하는데 쓰였다. 「叱」은 「ㅅ」임은 이미 앞에서 설명하였다. 「好」는 독음이 「호」이고 「支」는 이두에서 「히」로 읽는다. 전체는 「낟호히」이다.

賜烏隱: 「賜烏隱」은 「샤」로 주체존대어 「시」에 삽입모유 「烏=오/우」가 합하여 된 것이요, 「隱」은 현재관형사형 어미 「ㄴ」으로 전체는 다음 말을 꾸미는 관형어이다. 전체의 뜻은 「낟호히샨」이다. 현대어로는 「나타내셨던」이다.

(3)의 전체 뜻은 「아름다움을 나타내셨던」으로 된다.

(4) 兒史年數就音墮支行齊: 즈시年數 나숌 디히녀져

兒史: 「兒」는 훈몽자회에서 「즛(훈몽초상 12-13) 즌(월곡 129) 史: 「즛」
의 받침 「ㅅ」이 주격조사 「이」와 합하여 나는 표음적 표기로서 「즛
+이→즈시」의 음차표기이다.

年數: 年은 뜻이 「히」이고 「살」로 읽을 수 없다. 왜냐하면 「살」의 이조어
는 「설」이기 때문이다. 「數」는 「헤아리다」로 읽을 수 없고 음과 뜻대
로 「수」로 풀어야 한다. 고로 「年數」는 「히수」이나 그대로 「年數」로
둔다.

就音: 「就」는 뜻이 「나사가다」이고 「音」은 명사형어미 「음/ㅁ」이다. 고
로 「就音」은 옛말 「나숌」이다.

墮支行齊: 「墮」는 「디다」의 「디」요 「支」는 음차 「히」이며 行은 「녀다/
니다」이다. 그리고 「齊」는 「져」로 감탄종결어미이다. 전체풀이는
「디히녀져」이다.

(4)의 전체풀이는 「모습이 햇수가 나아감에 떨어져(없어져) 가는구나」
로 된다. 여기의 「떨어지다」는 「값이 떨어지다」의 뜻인 「떨어지다」이므
로 「없어지다」의 뜻이 된다.

(5) 目煙廻於尸七史伊衣: 눈 돌얼칠 ㅅ식의=눈 돌릴 사이에(잠깐 사이에)

目煙: 「目」은 뜻이 「눈」이고 「煙」은 독음이 「연」이나 뜻은 「먼지, 구름,
안개 등이 자욱이 끼어 오르는 기운」(한한대자전)으로 되어 있다.
이 「煙」은 「연」의 「ㄴ」을 취하여 「눈」의 받침 「ㄴ」을 표기하기 위
한 말음첨기이다. 「은/ㄴ」은 이두에서 「隱」이 있는데 왜 굳이 「煙」
을 취하였는지 이해가 되지 않는다. 앞의 자전에 보면 「煙」은 그
앞에 여러 글자를 취하여 많은 말을 만들고 있는데 그 중에 「風煙」

이란 말이 있다. 뜻을 「세상 일」이라 풀이하고 있다. 따라서 「目煙」
도 단순한 눈이 아니라 「침침한 눈」 또는 「안목이 있는 눈」 등의
「눈」이 아닌지 확실치 않다.

廻於尸七: 「廻」는 음은 「회」이나 뜻은 「돌」이다. 「於」는 「어」이고 「尸」는
「ㄹ」이다. 「七」은 음 그대로 「칠」이다. 전체는 「돌얼칠」이다.

史伊衣: 「史」는 독음이 「사」, 「伊」는 「이」이고 「衣」는 처소격조사로서
「의」이다. 「衣」는 「矣→衣」로 되었는데 「矣」는 본래 3인칭대명사
의 소유형이었는데 처소격조사와 음이 비슷했던 데서 전용된 것이
다. 이두의 풀이는 「사이의」이다. 전체풀이는 「눈 돌얼칠 ᄉᆡ의＝
눈 돌릴 사이에」, 즉 「잠깐 사이에」이다.

(6) **逢烏支惡知作乎下是**: 맛보기 앗디 지소아리

逢烏支惡知: 逢의 옛말은 「마조보다」인데, 현대어로는 「만나보다」, 「맛
보다」이다.

　　　○ 여희엿다가 다시 서르 맛보니(離別重相逢)(두해초 22-22)

　　　○ 나그네 모미 옛 버들 맛보니(客身逢故舊)(두시언해 10권1장)

「烏」는 삽입모음 「오」로서 「맛보」에서 「보」의 「오」 표기를 위해서
쓰였다. 「支」는 음차자 「기」로 명사형어미이다. 「惡知」를 최남희
교수는 「아」, 「知」는 「디」를 합하여 「아디」를 「앗디」로 읽고 중세어
「엇디」의 고대형으로 읽었다. 전체는 「맛보기 앗디」로 현대말로는
「만나보기를 어찌」로 된다.

作乎下是: 「作乎」의 「作」은 「짓다」이고 「乎」는 「乎旀」, 「乎矣」, 「乎乃」
（오며, 오되, 오나） 등 「오」에만 음차된다(양주동 168쪽).

　　∴ 「짓오→지소」가 된다.

「下是」: 「下」는 훈차자 「알」, 「是」는 훈차자 「이」 합하여 「알이→아리」로

의문형어미이다.

전체의 현대말로는 「만나기 어찌 이루릿까?」

(7) 郎也慕理尸心未行乎尸道尸: 랑이여 그릴 ᄆᆞᄉᆞ미 녀올 길=랑이여 그리워할 마음에 갈 길인데(살아갈 길인데)

郎: 여기 「郎」은 「죽지랑」을 가리킨다.

也: 감탄호격조사(남풍현 255쪽) 「이여」임.

慕理: 「慕」는 「그리다」의 「그리」, 「理」는 「그리」의 「리」를 나타내기 위한 표기이다.

尸: 관형사형 어미 「ㄹ」로 전체는 「그릴=그리워할」이 된다.

心未: 「心」은 「ᄆᆞᄉᆞᆷ」. 「未」는 처격조사 「이」로 「ᄆᆞᄆᆡ」의 받침이 「ㅁ」인 까닭에 「未」를 쓴 것이다. 「心未」는 「ᄆᆞᄉᆞ미」로 된다.

行乎尸: 「行」은 「녀다」. 「乎」는 삽입모음 「오」로 약음차한 것. 「尸」는 관형사형어미로 「行乎尸」는 「녀올」이 된다. 옛말에서는 관형사형 어미 앞에는 삽입모음 「오/우」를 항상 사용하였다. 그것은 옛말의 문법이다.

道尸: 「道」는 「길」인데 「尸」는 「길」의 받침 「ㄹ」의 표기이다. 「道尸」는 「길」.

(7)의 풀이는 「그리워하는 마음에 갈 길인데(살아갈 길인데)」

(8) 蓬次叱巷中 宿尸夜音有叱下是: 다봇 ᄆᆞ 술히 잘 밤 이시아리=다봇 우거진 마을에 잘 밤인들 있으리까.

蓬次叱: 「蓬」: 뜻은 「다봇」.

○ 다봇門을 오늘 비르서 그듸롤 爲ᄒᆞ야 여노라(蓬門今始爲君開)(두시
22-6)

○ 다보존 둘엣는 다몰 그리왓도라(蓬蒿翳環堵)(두시9-9)(이상 양주동
179쪽)

次: 이것은 약음차 「ㅈ」, 「다봇」의 말음첨기. 栢史叱枝次高支好(향
가4·9·3) 여기서 「枝次」가 「가지」임은 분명하다. 고로 「次」는 「다
봇」의 받침 「ㅈ」을 포기한 것이다(양주동 180쪽).

叱: 약음차 「ㅅ」, 「사이시옷」이다.

「蓬次叱」의 전체는 「다봇ㅅ」이다.

巷中: 「巷」은 뜻이 「굴헝=마을」이다.

○ 글허에 ᄆᆞᄅᆞᆯ 디내사(深巷過馬)(용비 48장)

○ 오래 녀 뷘 굴헝을 보니(久行見空巷)(두시 4-11)

中: 처격조사로 「희」이다. 고로 「巷中」은 「굴헝희」이다.

宿尸夜音: 「宿」은 「자」. 「尸」는 관형사형어미 「ㄹ」이다. 「夜音」은 「밤」,
「音」은 「밤」의 받침 「ㅁ」표기.

○ ᄀᆞᄅᆞᆷᄀᆞᅀᅢ 자거늘(宿于江沙)(용비 67장)

고로 「宿尸夜音」은 「잘 밤」이 된다.

有叱下是: 「有叱」은 「잇」인데 「有」가 「잇」, 「叱」은 「잇」의 받침 「ㅅ」을
위한 표기.

下是: 「下」는 훈차자 「알」로 훈차자 「是」의 「이」와 합하여 「아리」
가 되어 의문법의 어미가 된다.

여기서의 「有叱下是」는 「잇아리→이시리」는 「있으리오」로 의문법
이다.

〈옛말 전체풀이〉

간 봄 다리매 / 모듈 잇사 울올로 시름

아름들음 낟호히샨 / 즈시히수 나솜 디히녀져

눈 돌얼칠 ᄉᆡ의 / 맛보기 앗지 지소아리

랑이여, 그릴 ᄆᆞᄉᆞ미 녀올 길 / 다봊ᄆᆞ슬히 잘 밤 이시아리

〈현대말 전체풀이〉

간 봄이 애태우매 못 견디어서 울음으로(우는 마음으로) 시름하네

아름다움을 나타내셨던 모습이 햇수가 나아가매 허물어지는구려(사라

져가는구려).

눈을 돌이킬(돌릴) 사이에(잠깐 사이에) 어찌 만나보기 이루리잇가?

낭이여, 그리워하는 마음에 세상을 살아갈 길인데 다봊이 우거진 마을

에 잘 밤인들 있으리까?

第二篇 獻花歌

1. 유사의 기록

水路夫人

聖德王代 純貞公赴江陵太守, 今溟州 行次海汀, 晝饍. 傍有
石嶂如屏臨海, 高千丈, 上有躑躅花盛開. 公之夫人, 水路見
之, 謂左右曰:「折花獻者其誰?」從者曰:「非人跡所到.」皆
辭不能. 傍有老翁牽牸牛而過者, 聞夫人言, 折其花, 亦作歌
詞獻之. 其翁不知何許人也. 便行二日程, 又有臨海亭, 晝饍
次, 海龍忽攬夫人入海. 公顚倒躄地, 計無所出. 又有一老人
告曰:「故人有言, 衆口金樂金. 今海中傍生 何不畏衆口乎?
宜進界內民作歌唱之, 以杖打岸, 則可見夫人矣.」公從之,
龍奉夫人出海獻之. 公問夫人海中事, 曰:「七寶宮殿, 所饍
甘滑香潔, 非人間煙火.」此夫人衣襲異香, 非世所聞. 水路
姿容絶代, 每經過深山大澤, 屢被神物掠攬. 衆人唱海歌, 詞
曰: 龜乎龜乎出水路. 掠人婦女罪何極? 汝若悖逆不出獻,
入網捕掠燔之喫. 老人獻花歌曰: (노래 다음)

2. 원문의 번역

수로 부인(水路 夫人)

성덕왕대(聖德王代)에 순정공(純貞公)이 강릉 태수(江陵太守)로 지금의 명주(溟州)로 가다가 바닷가에 당도해서 점심을 먹고 있었다. 옆에는 돌산이 병풍처럼 바다를 둘러서 그 높이 천 길이나 되는데 맨 꼭대기에 진달래꽃이 흠뻑 피었다. 공의 부인 수로(水路)가 꽃을 보고서 좌우에 있는 사람들더러 이르기를:

"꽃을 꺾어다가 날 줄 사람이 그래 아무도 없나?"

여러 사람들이 말하기를:

"사람이 올라 갈 데가 못 됩니다."

모두들 못 하겠다고 하는데 새끼 밴 암소를 끌고 지나가던 늙은이가 옆에 있다가 부인의 말을 듣고서 그 꽃을 꺾어 오고 또 노래를 드리었다. 그 늙은이는 어떤 사람인지 모른다.

다시 이틀 길을 간즉 또 바닷가에 정자가 있었다. 거기서 점심을 먹는 판에 바닷속의 용이 졸지에 부인을 훔쳐 가지고 바닷속으로 들어가니 공이 엎드러지고 자빠지고 땅을 치면서 어쩔 줄을 몰랐다. 또 한 늙은이가 나서서 고하기를:

"옛사람이 말하기를 뭇사람이 떠들면 쇠도 녹인다고 합니다. 이제 바닷속에 사는 그까짓 것이 어째 뭇사람이 떠드는 것을 두려워하지 않겠습니까? 이 경내의 백성들을 불러다가 노래를 지어 부르고 막대기로 언덕을 두들기면 부인을 보실 수 있을 겁니다."

공이 그 말대로 했더니 용이 부인을 바다 밖으로 모셔내다가 도로 바치었다. 공이 부인에게 바닷속 일을 물었더니 그가 말하기를

"여러 가지의 보석으로 궁전을 만들었습니다. 먹는 것도 달고

연하고 향기롭고 깨끗해서 이 세상에서 먹는 것 같은 음식이 아닙니다."

이 부인의 옷에서 이상한 향기가 풍기는 데 이 세상에서 맡아 보지 못한 그런 향기였다. 수로의 맵시와 얼굴이 그 당대에 둘도 없기 때문에 깊은 산골이나 큰 물을 지나다가 여러 번 귀신들에게 붙들리어 갔다. 여러 사람이 부른 바다노래의 사연에는 이르기를:

"거북아 거북아 수로를 내 놔라. 남의 아내 훔쳐 간 그 죄가 얼마냐? 네 만일 거역코 내놓지 않으면 그물로 잡아 내 구워서 먹겠다." 라고 하였다.

늙은이가 꽃을 드린 노래에는 이르기를:

(노래는 다음에 따로 들어 보인다.)

3. 노래의 원문

紫布岩乎寸希執音乎手母牛放教遺　吾肹不喩慚肹伊賜等 花肹折叱可獻乎理音如

4. 노래의 해독

(1) 紫布岩乎邊希: 딛배 바회 ᄀᆞᇂ히=붉은 바위 가에

紫布:

　紫: 뜻은 「붉」, 「ᄌᆞ디」이나 여기서는 「붉」으로 보아야 한다.

　　○ 돌히 더운딕 고사릿 어미 붉고(石暄蕨芽紫)(두시 6-51)

○ 紫 ᄌ딜ᄌ(훈몽자회 중-30)

○ 紫曰質背(계림유사)

布: 뜻은 「베」. 布曰質背(계림유사). 布: 뵈(훈몽자회 중-30).

紫布: 딜배. 뜻은 「붉은」이다.

岩乎: 뜻 「바회」.

○ 孔巖: 구무바회(용가 3-13주)

○ 즈믄 바회 스싀로 옵두로 드러 오놋디(千巖自崩奔)(두시 1-27)

○ 巖: 바회(훈몽자회 상-3)

○ 乎: 본래 음은 「호」이나 「바회」의 「회」음을 포기하기 위하여 차자된 것.

○ 文峴縣 一云斤尸波兮(삼국사 37-지리4)

○ 三峴縣 一云 密波衣(삼국사 37-지리4)

위의 「波兮」「波衣」는 「바의」「바오」이다.

寸希: 「邊」은 「寸」로 썼다. 뜻은 「ᄀᆞᆺ」이다.

○ 邊城郡 一云加阿忽(삼국사기 37-지리4)

○ 邊, ᄀᆞᆺ변(훈몽자회 혜산본 中四V)

希: 처소격조사로 「희」이다.

邊希: ᄀᆞᆺ희

(2) **執音乎手母牛放教遺**: 잡온 손 암쇼놓이시고

執音乎: 執의 뜻은 「잡」.

○ 두소내 자ᄇᆞ시며(兩手執之)(용비 87장)

「執」은 자볼씨오(월인석보서).

音乎: 「乎」는 관령사형에 쓰이는 삽입모음 「오」이고 「音」은 전하여 받침 「ㄴ」이 되어 전체는 「온」이 된다.

執音乎의 풀이는 「자브온→자본」이 된다.

手: 이 자의 뜻은 「손」이다.

母牛: 「암쇼」, 자전에서 「母」를 보면 「아컷모, 금수의 암놈」으로 설명
되어 있으므로 「암」으로 푼다. 고어에서 「암쇼」를 보면 한자는 「牝
牛/牯牛 또는 牝牛」로 되어 있어 「牝牛」는 암소이다.

> ○ 즁놈이 졈은 샤당 년을 엇어…암쇼 등에 언치 노하 새 삿갓 모시 長衫
> 곳갈에 念珠 밧쳐어울트고 갈이라(고시조)

放教遺: 「放」은 「놓다」 「教」는 「이시」인데 오늘날의 존대어 「으시」에
해당된다. 사동의 뜻이 아니다(이두사전).

遺: 「고」 「전률통보」 「유서필지」에서 모두 「고」를 읽고 있는데 이
것은 연결형어미이다.

전체풀이는 「잡은 손 암소 놓으시고」로 된다.

(3) 吾肹不喻慚肹伊賜等 花肹折叱可獻乎理音如: 나흘아니 붓그리히
시든

吾肹: 「吾」는 「나」이다. 「肹」은 「힐」인데 이두에서 「흘」로 읽히어 목적
격조사로 쓰였다. 「吾肹」은 「나를」이다.

不喻: 이것은 본래 이두어로서 고금석림 어록변증. 유서필지 등에서
모두 「아닌지」라 하였고 전률통보에서 「兮叱不喻」를 「아닌지」라
하였다. 그러나 전률통보에서 다시 「不喻乃」는 「이샨디나」 「喻乃」
는 「디나」로 읽었다. 「不喻」는 부정을 나타내는 말인데 그런 부정사
로는 「不冬」은 전률통보, 어록변증, 유서필지 등에서 모두 「안들」이
라고 하였다. 그래서 「안들 →아니」로 바뀌어 왔다(홍기문 114쪽).
이두사전에서도 「아닌디/아닌지」로 설명되어 있는데 「아닌디→안
디→안지→아니」로 설명되어 있어 「아닌디→안디→안지→아니」로

바뀌었다고 보아진다.

慚伊賜: 「慚」은 독음이 「참」 뜻은 「부끄러워하다」이다. 옛말은 「붓그리다」이다.

　　○ 莫主 알퓌 내내 붓그리리(曷勝其羞)(용비어천가 16)

　　○ 님금恩私 닙ᄉ오몰 도로혀 붓그리노니(顯慙恩私被)(두시언해 1-1)

肹伊: 「肹」은 독음이 「힐」인데 이두에서 「홀」로 읽혔다. 여기서는 「ㅎ」을 취하여 「伊(이)」와 합하여 「히」로 되어 전체적으로는 「붓글히」이다.

賜等: 「賜」는 주체존대어 「시」로 「시+오/우」나 「시+아/어」의 경우는 「샤」로 되는데 여기서는 그대로 「시」이다. 「等」은 이두에서 「든/돈」등의 가정형어미로 읽었다.

　　○ 有爲去等 ─ 유ᄒ거든(대명률직해 1-33)

　　○ 父母親去爲白等沙 ─ 부모친고ᄒ습돈사(대명률직해 4-9)

　그러므로 「賜等」은 「시든」이 된다.

전체 풀이는 현대말로 「나를 아니 부그러워하시면」이다.

(4) 花肹折叱可獻乎理音如: 곶흘 것거 받툐림다

花肹: 花는 「곶」 「肹」은 「흘」 고로 「花肹」은 「곶흘」이 된다.

折叱可: 「折」의 독음은 「절」. 이조어로 「것다」 「叱」은 「져다」의 「받침」 「ㅅ」의 표기이다. 이조초기어를 보면 「것거디다」는 현대어 「꺾어지다」이다. 고로 「꺾다」의 신라어는 「것다」이다. 「可」는 독음이 「가」이나 여기서는 모음조화에 의하여 「거」로 읽는다. 「折叱可」는 「것거」이다.

獻乎理音如: 「獻」은 훈몽자회에서는 「받ᄌ올 현」으로 되어 있다.

○ 慶爵을 받ᄌᆞᆸ니이다(共獻慶爵)(용비어천가 63)

○ 이 말ᄊᆞ믈 받ᄌᆞᆸ고져 ᄒᆞ노라(吾欲獻此辭)(두시언해 25-38)

현대어 「바치다」는 이조어 「받티다/바티다」이다.

乎: 앞에서 속음 「온」 또는 「호」 또는 「회」로 읽었다. 여기서는 삽입모음으로 「오」로 1인칭어미이다.

理音如: 「理」는 「리」. 「음」은 「이」로 읽는 것이 옳은가 문제이다. 왜냐하면 「音」도 「음/ㅁ」으로 음차되었는데 현대어의 처지에서 보면 「리이다」로 봄이 마땅하다. 여기서는 「ㅁ」 표기로 본다. 「如」는 「답다」「다호다」의 「다」임은 재론할 필요가 없다. 고로 「理音如」는 「림다」이다. 전체풀이는 「곶홀 것거 받됴림다」이다.

〈옛말 전체풀이〉

딛베 바회 ᄀᆞᆺ싀 자브온 손 암쇼

노히시고 나홀아니 붓그리히시든

곶홀 것거 받됴림다.

〈현대말 전체풀이〉

붉은 바위 곁에 잡은 손

암소 놓으시고 나를 부끄러워하지 않으시면

꽃을 꺾어 바치리이다.

第三篇 安民歌

1. 유사의 기록

景德王 忠談師 表訓大德

三月三日, 王御歸正門樓上, 謂左右曰:「誰能途中得一員
榮服僧來?」於是適有一大德, 威儀鮮潔, 徜徉而行. 左右望
而引見之. 王曰:「非吾所謂榮僧也.」退之. 便有一僧 被衲
衣負櫻筒 一作荷簣. 從南而來. 王喜見之, 邀致樓上. 視其
筒中 盛茶具已. 曰:「汝爲誰耶?」僧曰:「忠談」曰:「何所
歸來?」僧曰:「僧每重三重九之日, 烹茶饗南山三花嶺彌
勒世尊, 今玆旣獻而還矣」王曰:「寡人亦一甌茶有分乎?」
僧乃煎茶獻之. 茶之氣味異常, 甌中異香郁烈. 王曰:「朕嘗
聞師讚耆婆郎詞腦歌 其意甚高, 是其果乎?」對曰:「然.」
王曰:「然則爲朕作理安民歌」僧應時奉勅歌呈之, 王佳之,
封王師焉. 僧再拜固辭不受. 安民歌曰(歌別載於下)
君隱父也 臣隱愛賜尸母史也 民隱狂尸恨阿孩古爲賜尸知
民是愛尸知古如 窟理叱大盻生以支所音物生 此盻喰惡支

治良羅 此地肹捨遺只於冬是去於丁 爲尸知國惡支持以 支
知古如 後句 君如臣多支民隱如 爲內尸等焉國惡太平恨音
叱如

2. 원문의 번역

경덕왕(景德王) 충담사(忠談師) 표훈 대덕(表訓 大德)

三月 삼짇날 왕이 귀정문(歸正門) 문루(門樓)에 나와 앉아서 좌우에
있는 사람더러 이르기를

"누가 길에 나가서 훌륭하게 차린 중 하나를 데려 올 수 있겠느
냐?"

그때 마침 상당한 지위에 있는 한 중이 점잖고 깨끗하게 차리고
슬렁슬렁 오는 것을 좌우에 있던 사람이 바라보고 곧 데려 왔다.
왕이 말하기를

"내가 훌륭하게 차렸다고 말한 것은 이런 것이 아니다."

그리하여 고만 돌려보냈다. 또 한 중이 옷을 기워 입고 벗나무로
만든 통을 (한편으로는 궤라고도 한다) 지고 남쪽으로부터 오고 있었
다. 왕이 기쁘게 대하면서 문루 우로 맞아 들이였다. 그 통 속을 들여
다보니 차 다리는 제구가 들어 있을 뿐이다. 왕이 묻기를

"그대는 누구인가?"

중이 말하기를

"충담(忠談)입니다."

또 묻기를

"어디서 오는 길인가?"

중이 말하기를

"소승이 매년 3월 삼짇날과 九월 九일 날은 차를 달이여 남산(南山) 삼화령(三花嶺)에 계신 부처님께 올립니다. 지금도 차를 올리고 막 돌아 오는 길입니다."

왕이 말하기를

"나도 그 차 한 잔을 얻어 마실 연분이 있겠는가?"

중이 차를 달이여 올리었는데 차 맛이 희한할뿐더러 차종에서 이상한 향기가 무럭무럭 났다.

왕이 말하기를

"내가 일찍이 든건대 대사(大師)의 찬기파랑사뇌가는 그 뜻이 심히 높다고 하는데 과연 그런가?"

대답하여 말하되

"그러하옵니다."

왕이 말하기를

"그러면 나를 위해서 백성을 편안히 살도록 다스리는 노래를 지으라."

중이 그 당장 임금의 명령에 의해서 노래를 지어 바치었더니 왕이 잘 지었다고 칭찬하고 왕사(王師)를 봉하였다. 중은 두 번 절한 다음 그 벼슬을 굳이 사양해서 받지 않았다. 백성을 편안히 하는 노래(安民歌)에 이르기를.

(노래는 다음 3에서)

3. 노래의 원문

君隱父也 臣隱愛賜尸母史也 民隱狂尸恨阿孩古爲賜尸知
民是愛尸知古如 窟理叱大肹生以支所音物生 此肹喰惡支
治良羅 此地肹捨遺只於冬是去於丁 爲尸知國惡支持以 支
知古如 後句 君如臣多支民隱如 爲內尸等焉國惡太平恨音
叱如

4. 노래의 해독

(1) 君隱父也: 「君은 아비요」

君隱: 「君」은 「임금」, 「임」 등의 뜻이다.

여기서는 음독하여 「君」으로 푼다(「임금」으로 풀이어도 좋다. 왜냐
하면 다음 구절에 臣이 나오기 때문이다).

隱: 이미 아는 바와 같이 지정도움토씨 「은/는/ㄴ」으로 여기서는 「은」
이다.

父: 자전에 따르면 「아비」 또는 「연장자」이다. 고어에도 「아비」이요,
「어비」는 「어버이」이다. 전체는 「君은 아비」.

也: 감탄접속조사로 여기서는 「요」로 읽어야 한다. 왜냐하면 다음 구와
대가 되어 있기 때문이다. 전체풀이는 「군은 아비요」이다.

(2) 臣隱愛賜尸母史也: 「신은 ᄃᆞᄉᆞ실 어싀라」

臣隱: 「臣」은 「신하」 또는 음독하여 「신」으로 풀어도 좋다. 왜냐하면 「臣」
의 뜻은 「백성」을 뜻하기도 하기 때문이다. 고로 풀이는 「신은」이다.

愛賜尸: 「愛」는 고어로 「ᄃᆞᆺ다」이다. 「賜」는 주체존대어 「시」이다. 「尸」(ㄹ)와 합하여 「실」이 되어 「母史」를 꾸미는 관형어가 된다.

○ 션ᄇᆡᄅᆞᆯ ᄃᆞᅀᆞ실씨(且愛儒生)(용비 80장)

○ 愛心은 ᄃᆞᆺ온 ᄆᆞᅀᆞ미오(월인 2의 22-1)

母史也: 母는 고어에서 「어ᅀᅵ」이다.

○ 눈먼 어ᅀᅵᄂᆞᆫ 淨飯王과 摩耶夫人이시니라(월석 2-13)

○ 아바님도 어ᅀᅵ언마ᄅᆞᄂᆞᆫ 위 뎡더둥실 어마님 ᄀᆞ티 괴시리 어뻬라(악장가사 사모곡)

史: 이 글자는 「어ᅀᅵ」의 「ᅀᅵ」를 표기하기 위한 음차자이다. 「召史(조ᅀᅵ)」 「旡史(업시)」 등에서 보는 바와 같다(『고가연구』 255쪽).

也: 이 자는 위에서와 같이 감탄종미사로 「(이)라」이다.

전체풀이는「신은 ᄃᆞᅀᆞ샬 어ᅀᅵ라」

현대어로는「신은 사랑하실 어머니(시)라」

(3) 民隱狂尸恨阿孩古爲賜尸知: 「民ᄋᆞᆫ 어러울ᄒᆞᆫ 아ᄒᆡ고 ᄒᆞ실디」

民隱: 앞 (2)에서 풀이하였으므로 별 설명이 필요 없다. 「民은」

狂尸恨: 「狂」은 고어로 「어렵다」인데 ㅂ변칙을 하여 「어러이/어러우」로 된다. 뜻은 「어리광스럽다」(유창돈, 『이조어사전』, 543쪽)이다. 그 뜻은 「어리석다」이다. 여기서는 「어리다/어리석다」로 풀기로 한다.

○ 盜賊ᄋᆞᆫ 어러운 놀앳 밧긔 잇ᄂᆞ니(寇盜狂歌外)(두시 14-12)

○ 어러이 놀애블러 聖朝애 브텟노라(狂歌託聖朝)(두시 3-22)

尸: 관형사형어미 「ㄹ」이다.

恨: 독음이 「ᄒᆞᆫ」이니 달리 읽을 길이 없다. 「狂尸恨」은 「어럴ᄒᆞᆫ⇒어리광스럽다=어리다/어리석다」로 보아야지 어간이 「어러우/이」

인데 여기에 「ㄹ」을 붙이면 「어려울흔」이 되지 「얼흔」으로 되기는 힘들 것 같다. 여기서는 「어려울흔」을 현대어 「어리다/어리석다」로 풀기로 한다.

阿孩古: 「阿孩」는 「아히」 「兒 童 孩: 「아히」(훈몽자회 상 32, 양주동 261 쪽).

　古: 이것은 「이고」의 「고」이다.

　　○ 부람이야 물결이야 어둥령된뎌이고(송강가사 속미인곡)

　　○ 오ᄂᆞᆲ 나조흔 ᄯᅩ 엇던 나조코(今夕復何夕)(두시 19-42)(이상 양주동 264 쪽)

爲賜尸知: 「爲」는 「ᄒ」 「賜尸→시+ㄹ→실」 「知」는 「디/지」인데 여기서는 가정법어미로 보아진다. 즉 「ᄒ실디면」 또는 현대어로 「하실 것 같으면」으로 보아진다.

전체 현대말 뜻은 「民은 어린/어리석은 아이라고 할 것 같으면」으로 될 것이다.

(4) **民是 愛尸知古如**: 民이 ᄃᆞ슬 알고다.

民是: 民은 음독하여 「민」이요. 「是」는 본래 3인칭 사물대명사였는데 주격조사로 쓰였다. 「이」이다.

愛尸: 「ᄃᆞ슬」인데 고어에서 관형사형이 그대로 명사로 쓰인 일이 있다. 뜻은 「사랑함을」이다.

　　○ 德이여 複이라 호늘 나ᄋᆞ라 오소이다(악학궤범 動動)

　　○ 사ᄉᆞ미 ? 대예 올아서 히금을 혀겨를 드르라(청산별곡)

위에서 「호늘」은 「혼을」로 「혼」은 동명사요 「을」은 목적격조사이다. 「혀겨를」도 「혀결을」로서 「혀결」은 동명사요 「을」은 목적격조사임과 같다.

知古如: 「知」는 「알다」의 「알」, 「古」는 독음으로 읽어야 하므로 「고」. 「如」는 「다호다」의 「다」이다. 뜻은 「알고다」로 현대어로 고치면 「알 것이다」로 될 듯하다.

(5) 窟理叱大肹生以支所音物生: 굴리ㅅ대홀 살이히슴物生

窟理叱: 「窟」의 옛말은 「굴」 또는 「구무」인데 이조어 「굴다, 굴이다」는 뜻이 「저주하다=呪」이다. 「呪」의 뜻은 「소원을 빌다」이다.

　　○ 孔: 구무 공, 窟: 구무 굴(훈몽초 하-8)

　　○ 여듧차힌 모딘 藥을 먹거나 ㄴ오룰 굴이거나 邪曲흔 귓거시 들어나 흐야 橫死홀씨오(석 九. 37)

　　＊…「굴다」, 「굴이다」 「呪」, 「咀…」와 같은 말이며…(『이조어사전』 89쪽)

로 설명되어 있는데 여기서는 「呪」의 뜻을 취하기로 한다.

이 「窟理叱」은 「叱」 때문에 다음의 「大肹」을 꾸미는 관형어이다.

大肹: 「大」는 음이 「대」로서 뜻은 「큼」이다. 「肹」은 「홀」로 목적격조사이다.

전체의 뜻은 「소원을 비는 것이 큼을」이 된다.

生以: 「生」은 「살다」 「以」는 「이」로 풀어 「生以」는 「살이」로 푼다.

　　○ 둘 찬 나래 아기 나히던 어미 와 아기를 소랏 므레 노하둔(滿月日老娘來着孩兒 盆 子水裏放着)(박번 상-56)

　　○ 산모룰 히여곰 졋바누이고 나히는 사룸이 ？만？만 아기를 미러 티왇고(令産母仰臥 收生者輕輕推兒近上)(언태 24) ※「나히다」는 「낳다」와 뜻이 같다.

支: 이 자는 음차로 「히/기」이다.

所音: 「소(所)+ㅁ음(音)=슴/솜」으로 서재극 교수는 읽었다. 이 뜻은 「~

ㄹ손」이다.

전체의 뜻은 「소원을 비는 것이 큼을 살게 할손 중생」이 된다.

物生: 「物」은 뜻이 「무리」요 「生」은 뜻이 「생명」, 「백성, 인민」을 나타 낸다. 고로 「物生」은 「중생」을 뜻한다.

(6) 此肹喰惡支治良羅: 이흘 자시게 다스려라

此肹: 「此」는 3인칭 근칭대명사 「이」 「肹」은 목적격조사로 「흘」이다. 「此肹」은 「이를」 또는 「이들(중생)을」로 풀이된다.

喰惡支: 「喰」은 「飧」과 같은 자이다. 독음은 「손」이나 뜻은 「자시다」이 다(「飧」과 「飡」은 「飧」의 속자이다).

惡: 이 자의 풀이를 최남희 교수는 「喰」의 훈 「자—」의 말음첨기 「아」로 보았다.

支: 이는 상고음 ki→hi로 변한 것으로 보고 「히」로 읽었다(최남희 434쪽). 그래서 「喰惡支」를 「자히」로 읽었다. 이는 그 다음에 오는 「治良羅」를 꾸미는 부사구로 보아 「자시게」로 뜻매김한 듯하다.

治良羅: 「治」는 훈이 「다스리」이고 「良」는 모음조화에 따라 「어」로 보 아야 하고 「羅」는 음차로서 「라」이다. 양주동 교수는 「다슬+아+라 →다스라」로 보아 연결형으로 보았다. 이에 대하여 홍기문은 「다 스라라」니 일종의 감탄적인 어감을 주는 종결형으로 본 듯하다. 옛 말에 「두스리다」와 「다슬다」는 뜻이 다르다. 「다스리다」는 현대어 로 「다스리다」이고 「다슬다」는 현대어로 「다스려지다」이다. 다음 예를 보자.

　　○ 大王이 四百 小國 거느려 겨샤 王혼 法으로 다스리더시니(8월8: 90)

　　○ 임긊 허튼 시룰 어더 님금과 다믓 <u>다스리고져</u> ᄒ놋다(得君亂絲與君理) 　　(두시초 16-55)

○ 내 이 世界는 本來 제 묽고 平흥야 다솔며 어즈러우미 다 업거니 므스글 슬흐며 므스글 깃그리오(我此世界는 本自淸平흥야 理亂이 俱亡흥거니 何傷何喜리오)(금삼 2-6)

○ 나암 나암 다스라 간악애 니르디 아니케 흥시니라(烝烝 乂흥야 不格姦 흥시니라)(소학 4-7)

여기에서 「乂(예)」는 「다스리다」는 뜻도 있고 「다스려지다」라는 뜻이 있는데, 굳이 「乂」를 「다슬다」로 번역하여 나타낸 것을 보면 「다슬다」는 피동임이 확실하다.

따라서 글쓴이는 「治良羅」를 「治=ㄷ스리」로 보고 「良羅」를 「어라」로 보아 전체를 「다스리어라」에서 「-리어-」로 보아 전체를 「다스리어라」에서 「-리어」를 줄여서 「려」로 보고 전체를 「다스려라」로 읽기로 한다. 그러면, 이 씨끝이 연결형이냐 종지형이냐 문제인데 표기 그대로에 따라 명령어미로 보아야 할 것 같다.

전체의 현대어 뜻은 「이들을 자시게(먹게) 다스려라.

(7) 此地肹捨遺只於冬是去於丁 爲尸知: 이싸흘 부리곡 어듸 갈뎌흘디

此地肹: 「此」: 관형사 「이」 「地」는 「싸」. 「肹」은 목적격조사 「흘」. 고로 전체는 「이 싸흘」.

捨遺只: 「捨」는 「부리」. 「遺」는 「고」. 「只」는 다음 예에서 보이는 바와 같이 통음자 「기」의 약음에 의하여 「ㄱ」을 표시한다.

十方叱佛體闕遣只賜立(참회업장가)

淨戒叱主留卜以支乃遣只(참회업장가)

○ 날 부리곡 머리 가디 말라(석 11-37)

○ 구 피 시곡 쏘 펴시며(능 1-108)

여기서 「-곡」은 「-고」의 강조형이다. 그러므로 「捨遺只」는 「브리곡」으로 풀어야 한다.

於冬是: 「於」는 음차로 「어」. 「冬」과 「等」은 다 상통하여 「들, 든」에 쓰이나 여기서는 다음 보기에 따라 「드」로 푼다.

> 放冬矣用屋尸慈悲也根古(도천수관음가)
>
> 仰頓隱面矣改衣賜乎隱冬矣也(원가)

是: 이는 훈차 「이」인데 「冬是」와 합하여 하나의 낱말을 이루므로 「ㅣ」로 되며 「冬」와 합하여 「듸」가 된다. 고로 「於冬是」는 「어듸」가 된다.

去於丁: 「去」는 뜻이 「가」. 「於」는 다음 예로 미루어 「ㄹ」로 보아야 한다.

於淵: 늘못(강원 금성).

於田里: 늘앗골(황해 안악).

於里: 늘으며(충남 서천) (이상 『고가연구』 299쪽).

於: 늘어(石峯千字), 於: 를어(類合 武 橋 刊)(『고가연구』 300쪽).

丁: 독음이 「뎡」이나 여기서는 「뎌」로 감탄의 뜻을 나타낸다. 다음 예를 보자.

> ○ 슬흘ᄉ라온뎌 고우님 스싀움 녈셔(악학궤범 동동)
>
> ○ 몰힛마러신뎌 술읏브뎌(정과정)

爲尸知: 「爲」는 훈이 「ᄒ」 「尸」는 받침 「ㄹ」 「知」는 「디」: 고로 전체는 「홀디」가 된다. 현대말의 뜻은 「이 땅을 버리고 어디로 갈려 하꾀」가 된다.

(8) 國惡支持以支知古如: 나라히 지니기 알고다

國惡支: 「國」은 「나라ㅎ」이고, 「惡」은 「나라」의 말음첨기이며 「支」는 음이 「히」로서 「나라」가 「ㅎ종성체언」이므로 「히」로 풀이하였다(최남희 103쪽). 그래서 전체는 「나라히」로서 「持以支」의 목적어이다.

持以支: 「持」는 훈이 「디니」요 「以」는 「이」로 「디니」의 말음첨기이며 「支」는 「持以」를 명사형으로 하는, 즉 명사형어미 「기」이다. 이는 고구려 한자음이라고 최남희 교수는 보고 있다(273쪽). 고로 전체는 「지니기」로 되어 현대말로는 「지님」이 된다. 그런데 「持」의 뜻을 보면 「지니다」 이외에 「보존하다」라는 뜻도 있으므로 여기서의 뜻은 「보존하다」로 푸는 것이 좋을 듯하다.

知古如: 「知」의 훈은 「알」. 「古」의 음은 「고」 「如」는 훈차로 「답다」 「다ㅎ다」의 어간 첫음절 「다」이다. 고로 「知古如」는 「알고다」로 되는데, 뜻은 양주동 교수에 따르면 「장연, 당연」의 뜻을 나타냄에 불가하다 하였다(271쪽). 따라서 「알리라」 또는 「알겠다」로 풀이된다.

전체 뜻은 「나라를 보존함을 알리라」로 된다.

(9) 後句 君如臣多支民隱如 爲內尸等焉: 아아, 君다이 臣다이 民다이 ᄒ늘든

君如: 「君」은 독음으로 「군」. 「如」는 부사형 「다이」(양주동 311쪽). 고로 「君如」는 「君다이」로 된다.

臣多支: 「臣」은 한자대로 「臣」. 「多」는 독음으로 「다」. 「支」는 향가에서 「히」로 읽혔으며 또 「多支」가 부사형이므로 「다호→다히」로 되므로 「히」로 읽는다. 고로 「臣多支」는 「臣다히」이다.

民隱如: 「民」은 「일반 서민 즉 백성을 뜻한다. 「隱」은 「民」의 받침 「ㄴ」이고 「如」는 「다이」로 부사형이다. 신라시대에는 「臣」은 임금을 모시는 「신하」를 나타내고 「民」은 「백성」을 나타내어 「臣」과 「民」을

구분하였다.

爲內尸等焉: 「爲」는 훈차 「ᄒ」이고 「內」는 현재시제어 「ᄂ」이며 「尸」
는 받침 「ㄹ」이다. 「等焉」은 「ᄃᆞᆫ」으로 읽어야 한다.

　○ 生界盡尸等隱: 生界ᄃᆞ올ᄃᆞᆫ

　○ 吾良遺知賜尸等焉: 「나애 기티샬ᄃᆞᆫ」 등에서 「等焉」은 「ᄃᆞᆫ」으로 읽어야
　　한다. 이것은 구속형어미로 조건을 나타낸다. 전체는 「ᄒᆞᄂᆞᆯᄃᆞᆫ」이 된다.

전체의 현대 뜻은 「君답게, 臣답게, 民답게 하면」이 된다.

(10) 國惡太平恨音叱如: 나라안이太平ᄒᆞ니잇다.

國惡: 「國」은 훈이 「나라」. 「惡」은 「아」로 「國」의 말음첨기이다. 고로
　「國惡」은 「나라」이다.

太平恨音叱如: 「太平」은 「태평」. 「恨」은 「한」 「音」은 「음」이다. 「叱如」
　는 「싸」이다. 따라서 「音叱如」는 「음싸」이다. 전체는 「太平ᄒᆞᆫ음싸」
　이다.

전체의 현대말 뜻은 「나라가 太平함이로다」.

〈옛말 전체풀이〉
君은 아비요 / 신은 ᄃᆞᄉᆞ실 어ᅀᅵ라
民은 얼흔아히고ᄒᆞ실ᄃᆡ / 民이 ᄃᆞᄉᆞᆯ 알고다
굴물ㅅ대홀 살이히ᄉᆞᆷ物生 / 이홀 자시게 다ᄉᆞ려라
이싸홀 ᄇᆞ리곡 어듸 갈려 홀디 / 나라히 지니기 알고다
아아 君다이 臣다이 民다이 ᄒᆞᄂᆞᆯᄃᆞᆫ / 나라안이太平ᄒᆞᆫ음싸

〈현대말 전체풀이〉

임금은 아버지요, 신하는 사랑하실 어머니라 백성은 어린(어리석은) 아이라고 한다면 백성이 사랑함을 알 것이다. 소원을 비는 것이 큼을 살게 할손 중생. 이를 자시게(먹고 살게) 다스려라. 이 땅을 버리고 어디로 갈려 하리.

나라가 보존됨을 알지니라.

아아, 임금답게 신하답게 백성답게 하면 나라가 태평함이로다.

第四篇 讚耆婆郎歌

1. 유사의 기록

(…전략…)

便有一僧, 被衲衣 負櫻筒(一作荷簀) 從南而來 王喜見之
邀致樓上 視其筒中 盛茶具已. 曰 汝爲誰耶. 僧曰. 忠談.
曰. 何所歸來. 僧曰 僧每重三重九之日 烹茶饗南山三花嶺
彌勒世尊 今玆旣獻而還矣. 王曰 朕嘗聞師讚 耆婆郎詞腦
歌 其意甚高 是其果乎. 對曰. 然…

(『三國遺事』卷二 경덕왕)

2. 원문의 번역

　다시 한 중이 있었는데, 검은 승복을 입고 앵통(일작 죽통을 메고)을
지고 남에서 왔다. 왕이 이를 보고 기뻐하며 누상으로 불러서 그
통 안을 보니 차를 담고 있었다. 말씀하시되 너는 누구를 위한 것이

냐 하시니 중이 말하기를 충담입니다. 하매 왕이 말하시되 어디서
돌아왔느냐? 중이 말하되 중은 매 중삼 중구의 날에 차를 삶아(다려)
남산 삼화령 미륵세존께 올립니다. 지금은 이미 다 바치고 돌아오는
길입니다 하였다. 임금이 말씀하시되 내가 일찍이 들으니 스승 기파
랑을 찬양하는 사뇌가가 그 뜻이 심히 높다고 하였는데 과연 그러하
냐 하니 그렇다고 대답하였다.

3. 노래의 원문

咽嗚爾處米 露曉邪隱月羅理 白雲音逐于浮去隱安支下 沙
是八陵隱汀理也中 耆郞矣皃史是史藪邪 逸烏川理叱磧惡
希 郞也持以支如賜烏隱 心未際叱肹逐內良齊 阿耶栢史叱
枝次高支好 雪是毛冬乃乎尸花判也

4. 노래의 해독

(1) 咽嗚爾處米: 목메어 울이티미

咽: 자전에서는 「목멜 열」로 풀이돼 있다. 「嗚咽」이 되면 「목이 메어
옮」의 뜻이다. 여기서는 독음 「열」에 음차되었다.

嗚: 자전에는 「울다」로 풀이되어 있다.

爾: 자전에서는 「같이」, 「그러하다」, 「어조사」 등으로 풀이하고 있다.
음은 「이」이다. 『고가연구』의 320쪽 이하에서는 「리/ㄹ」와 「니」에
음차되었다고 하며 다음과 같은 예를 들었다.

○ 戌城縣 本高句麗首爾忽 (三國史記三十五 地理二)

○ 峯城縣 本高句麗首爾忽 (上冬)

○ 秋察尸秋察尸不冬爾屋支墮米 (怨歌)

○ 手乙寶非鳴良爾 (請佛住世歌)

등으로 보고 있으나 최남희 교수는 「咽嗚爾處米」를 「목몌 외지매」 (181쪽)로 풀이하고 있다. 「열다」로 보면 왜 「開」를 쓰지 않았을까? 「우러르다」로 보면 이조 때 「仰=울월씨라」(월석서문 16장)가 있는데 굳이 「咽嗚爾」를 썼을까? 그래서 글쓴이는 「咽」의 훈에 치중하여 「목메다」의 뜻을 중시하여 풀고자 한다. 따라서 「咽嗚爾」는 「목몌어 울이」로 본다. 「嗚」은 훈이 「울다. 울리다. 부르다」이며 「處米」는 「치매」로 읽고 「소리를 냅다 지르다」 또는 「소리치다」의 뜻으로 보고자 한다. 따라서 「咽嗚爾處米」는 「목몌어 울이티믹」로 보고자 한다. 「爾」는 어조사로서 부사형어미로 보고자 하기 때문이다. 현대말로는 「목매어 울어대매」이다.

(2) 露曉邪隱月羅理: 나다나 볼간 둘리

露曉邪隱: 나다나 볼간

　露: 훈은 「드러나다」 「나타나다」 「드러내다」이다. 이조어는 「나다나다」이다.

　曉: 자전의 뜻은 「밝다」이다. 독음은 「효」이다. 이조어는 「붉다」이다.

　邪隱: 「邪」는 「아」로 현대어와 같이 완료의 뜻의 어미이다. 「隱」는 「ㄴ」으로 「안」이 된다.

　전체의 뜻은 「나다나 볼간(은)」이 된다.

　최남희 교수는 「나다나 볼갼」으로 풀이하였다(83쪽).

月羅理: 「月」의 훈은 「돌」, 「羅」는 「돌」의 말음첨기법이요, 「理」는 음차

「리」이다.

전체는 「돌리」이다. 최남희 교수도 「돌리」로 풀이하였다(163쪽).

현대어 풀이는 「나타나 밝은 달이」로 된다.

(3) 白雲音逐干浮去隱安攴下: 힌구름 조추 뻐가는 안디하

白雲音: 「白」은 「힌」, 「雲音」의 「雲」은 「구름」 「音」은 「ㅁ」으로 「구름」
의 말음첨기이다. 고로 전체는 「힌 구름」이 된다.

逐干: 「逐」의 훈은 「좇」이고 「干」의 훈은 「어조사」 「가(향하여 가다)」인
데 독음은 「우」이다. 고로 「逐干」는 「좇우=조추」가 된다. 이두편람
에서는 「조추」로 읽고 있다.

> ○ 寺代內應爲處進于立是白乎味了在乎等用良 (淨兜寺石塔記)

> ○ 官員任官日隨于聞見得候遺 (明律卷 ? 入. 一八)

浮去隱: 「浮」는 훈어 「뜨다」요 「去」는 훈이 「가」이다. 「隱」는 현재 관
형사형어미 「는」이다. 전체는 「뻐 가는」이 된다.

安攴下: 「安」은 음을 따서 「안」이다. 「攴」는 「디」로 「安攴」는 「안디」
로 「아니」의 고형태이다. 「下」는 음을 따서 「하」로 읽는다. 이것은
존칭 의문형어미이다(이상『고가연구』 333~335쪽). 왜냐하면 「달」
에 대한 물음이기 때문이다. 고로 전체는 「뻐가는 안디하」로 현대
어로는 「떠가는 것은 아니잇가?」로 된다.

(4) 沙是八陵隱汀理也中: 모리 파란(프른) 믈시브리여히

沙是: 「沙」를 자전에서 보면 「모래사」, 「물가사」 등이나 「모래」의 고
어는 「모리」이다. 「是」는 「이시」인데 여기서는 「이」를 「ㅣ」로서 「
모리」의 말음첨기로 본다. 「沙是」는 「모리」로 된다.

八陵隱: 「八」은『고가연구』에 따르면 고음은 「밝」이나 「볼」로 음차되었으나 신라시대의 속음에서는 「ㅊ, ㅌ, ㅍ」등 유기음을 썼으므로 여기서는 「팔」로 사용되었다 한다.

　　陵: 본래 음이 「룽」이나 여기서는 「른」에 음차되었다 한다(『고가연구』337쪽).

　　隱: 약음차 「ㄴ」이다. 관형사형어미이다. 고로 「沙是八陵隱」은 「모리파른」으로 읽혀진다.

汀理: 『고가연구』339쪽에서는 「나리」로 풀고 있으나 같은 노래에서 「川理」가 나오므로 이것을 「나리」로 볼 수 없고 「汀」의 뜻에 따라, 「믈시브리」인데 「理」는 「믈시브리」의 끝 「리」의 표기이다. 뜻은 「물가」이다. 「믈시브리」는 경북지방의 사투리다.

也中: 이것이 처소격조사임은 이미 다 알려진 사실이다. 「여희」이다.

전체의 현대뜻은 「모래가 푸른 물가에」로 된다.

(5) 耆郎矣皃史是史藪邪: 耆郎의 즈싀 잇수라

耆郎矣: 「耆郎」은 「耆婆郎」을 말함이요 「矣」가 관형격조사 「의」임은 널리 알려진 바이다. 「矣」은 본래 3인칭대명사의 소유격(영어의 his)이었는데, 후대로 오면서 음이 비슷하므로 관형격, 처소격 등에 쓰였다. 전체는 「耆郎의」가 된다.

皃史: 「皃史」는 「즈싀」곧 「즛」의 주격 「모습이」가 된다. 「皃」의 정자는 「貌」이다. 뜻은 「모양/모습」이다.

是史藪邪: 「是史」는 「이시」로도 볼 수 있으나 「잇」으로 보고자 한다. 「藪邪」의 「藪」의 훈은 「숲/늪」이고 음은 「수」이다. 「邪」는 종결어미로서 「-라」이다(최남희 83쪽;『고가연구』345~350쪽). 고로 전체

는 「잇수라」인데 「-수라」를 명령형어미로 보느냐 서술형어미로
보느냐 감탄형어미로 보느냐 문제이나 감탄형어미로 보아야 할 것
이다.

　　○ 나조히 靑泥ㅅ가온디 이쇼라(暮在靑泥中)(두시 권1-24)
　　○ 涪江ㅅ ᄀᆞ애 다시 이슈라(重涪江濱)(두시 권11-32)

현대어로는 「기랑의 모습(얼굴)이 있도다」로 된다.

(6) 逸烏川理叱磧惡希: 일로 나리ㅅ 지역아히

逸烏: 음차로 「일오→이로」 고유명사로 지명이다. 즉 「川理」는 「逸烏
　　지방의 나리」를 뜻한다. 「지금부터」라면 왜 「至今」으로 적지 않았
　　을까 의문이기 때문이다.

川理叱: 「川理」는 「나리」요 「叱」은 「ㅅ」으로 전체는 「나릿」이 된다.
　　○ 正月ㅅ 나릿 므른 아으 어져 녹져 ᄒᆞ논디 누릿 가온디 나곤 몸하 ᄒᆞ올로
　　널셔 아으 動動다리(악학-초 5: 8 동동)

磧惡希: 「磧」의 훈을 자전에서 보면 「자갈밭/모래벌판」으로 되어 있고
　　독음은 「적」이다. 고어로는 「지벽/지역」이다. 「惡」은 「아」 「希」는
　　처소격조사임은 널리 알려진 바이다. 음은 「히」이다. 전체는 「지역
　　아히」이다.

현대말로는 「일오지방 시내의 조약돌에」로 된다.

(7) 郎也持以支如賜烏隱: 郎여 디니히다샨

郎也: 『고가연구』 355쪽에서는 「也」를 관형격조사로 보고 있으나 많은
　　연구서를 조사하여도 그런 보기는 없다. 문맥으로 보면 관형격조

사로 보아야 할 것 같으나 이두에 충실하여 「郞여」로 푼다.

持以攴: 「持以」는 「디니」요 「攴」는 동사 기본형 밑에 첨용 되는 허자라
하나(『고가연구』 355쪽) 여기서 「히」로 읽는다. 따라서 전체는 「디
니히」이다.

如賜烏隱: 「如」는 안맺음의 회상법씨끝이므로 「더」로 읽어야 한다고
한다(최남희 288쪽). 「賜烏」의 「賜」는 존칭보조어간 「시」요, 「烏」는
삽입모음이므로 이 둘이 합하면 「샤」가 된다. 여기에 「隱」은 관형
사형어미 「ㄴ」이다. 전체는 「디니히다샨」으로 된다. 현대어로는 「
지니셨던」이 된다.

(8) 心未際叱肹逐內良齊: ᄆᅀᄆ ᄀᆞᆺᄒᆞᆯ 좇노아져

心未: ᄆᅀᄆ(현대어 "마음의")

際叱肹: 「際」는 훈이 「ᄀᆞᆺ」, 「叱」은 「ㅅ」 「肹」은 「ᄒᆞᆯ」. 전체는 「ᄀᆞᆺᄒᆞᆯ」

逐內良齊: 「逐」은 훈이 「좇」이요 「內」의 독음은 「노」로 현재시제보조
어간이다. 「良」는 「아」 「齊」는 「져」로 원망을 나타낸다. 전체는 「좇
노아져」이다.

전체의 현대말은 「마음의 가를 좇고지라」가 된다.

(9) 阿耶栢史叱枝次高支好: 아아, 자싯 가지 놉히 아름답아

阿耶: 「아아」로 감탄사로 다음 월까지에 걸린다.

栢史叱: 「栢史」는 「자시」로 풀어야 하고 「叱」은 「ㅅ」이다. 여기 사이시
옷 「叱」가 있는데 「史」를 또 「栢」의 받침 「ㅅ」으로 보기는 어렵다.
고로 「栢史叱」은 「자싯」으로 「잣의」로 이해된다.

枝次: 「枝」의 중세어는 「가지」로 두 음절이 명사이니까 「次」는 「지」를

표기한 것으로 보인다. 「次」의 중고음 기층의 신라 한자음은 당연히 「지(cci)」로 반영되어야 한다(최남희 42쪽)는 주장에 따라 「지」로 봄이 옳다.

高攴好: 「高」는 「놉」. 「攴」는 「히」로 「놉히→노피」로 되고 「好」는 『고가연구』 366쪽에서는 「허」로 읽었는데 전체는 「놉히」로 읽고 오늘날의 「높아」에 해당되게 풀었다. 이에 대하여 최남희 교수는 「好」를 「아ᄃ롬」으로 읽고 「아름다움」으로 풀었다. 「好」의 훈은 「아름답다/좋아하다/기뻐하다」 등의 뜻이 있다. 이두에서 「好」가 「허/하」로 읽힌 예가 없다. 글쓴이는 최교수에 따라 「高攴」는 「놉히」로 되는데 「-히」는 부사형어미(최남희 289~290쪽에서 관형사형어미로 본다)로 보고 「好」를 「아름답다」로 보아 「잦가지 높아 아름다워」로 푼다.

(10) 雪是毛冬乃乎尸花判也: 누니 모돈 ᄂ올 花判여

雪是: 「雪」은 훈을 따고 「是」는 뜻을 따서 주격조사의 구실도 겸하고 있다. 「눈이→누니」로 된다.

毛冬乃乎尸: 「毛冬」은 「모돈」으로 이조어의 「모돈」이다. 이는 향가의 다음 예에서 알 수 있다.

　○ 吉奴隱處毛冬乎丁 (祭亡妹歌)

그러면 「모돈」은 어떤 뜻이냐 문제이나, 두 가지 뜻이 있다고 본다. 하나는 「모르다」이요, 다른 하나는 「모자라다」이다. 「모돈」이 「모자라다」의 뜻으로 쓰인 예가 있는가? 다음 예를 보자.

　○ 모돈 아들(서자)를 뜻하는데

　○ 뎍당아달과 모돈 아들이 대종아돌과 대종며느리를 공경ᄒ야 셤겨=適子
　　庶子ㅣ 祗事宗子宗婦(소학 인2-20)

여기서 「서자」는 「적자」에 「못 미치는 아들」이란 뜻이다. 「모죽지
랑가」에서 「毛冬」은 「모든」으로 읽었다. 또 최남희 교수는 「不能」
의 뜻도 있었다고 보고 있다(415쪽).

乃乎尸: 「乃」는 「ᄂ」로 현재시제 형태소, 「乎」는 「오」로 약음차. 삽입
모음으로 관혀사형에 쓰였다. 「尸」는 관형사형어미 「ㄹ」. 전체는
「ᄂ오ㄹ→ᄂ올」이다. 따라서 「모든ᄂ올」은 「모자라는」으로 현재형
으로 풀이가 된다.

花判也: 「花判」은 「花郎」의 뜻인데 여기서는 「耆郎」을 가리킨다.

也: 감탄호격조사 「여」이다.

현대말로는 「모자랄 화판이여!」로 된다.

이 노래의 현대의 뜻은 「눈이 모자랄 화랑장이여」로 되는데 좀 더 의역
하면 「눈의 깨끗한 모습도 미칠 수 없는, 깨끗한 모습을 지닌 화랑이여」
로 될 것이다.

〈옛말 전체풀이〉

목메어 울이 티미 / 나다나 밝간 들리

흰구름 조추 뼈가는 안디하 / 모릭파란(프른) 믈시브리여히

耆郎의 즈싀잇수라 / 일로 나릿 지역아히

郎여 디니히더샨 / ᄆᅀᆞ미 ᄀᆞᆺ홀 좇ᄂᆞ아져

아아, 자싯 가지 높히 아름답아 / 누니 모든ᄂᆞ올 花判여

〈현대말 전체풀이〉

목매어 울어대매 / 나타나 밝은 달이

흰구름 좇아 떠가 숨어버렸구나 / 새파란 시내에(물가에)

耆郎의 모습이 있을까 / 逸鳥물갓 자갈밭에

郞이여 지니시던 / 마음의 가를 좇고지라

아아, 잣가지 높아 아름다워 / 누니 모자랄 花判여

第五篇 處容歌

1. 유사의 기록

處容郎 望海寺

第四十九憲康大王之代, 自京師至於海內, 比屋連墻, 無一
草屋, 笙歌不絶道路, 風雨調於四時. 於是大王遊開雲浦.
(在鶴城西南今蔚州) 王將還駕, 晝歇於汀邊, 忽雲霧冥曀,
迷失道路. 怪問左右, 日官奏云:「此東海龍所變也, 宜行勝
事以解之.」於是, 勅有司爲龍刱佛寺近境. 施令已出, 雲開
霧散, 因名開雲浦. 東海龍喜, 乃率七子現於駕前, 讚德獻
舞奏樂. 基一子隨駕入京, 輔佐王政, 名曰處容, 王以美女
妻之. 欲留其意, 又賜級干職. 其妻甚美, 疫神欽慕之, 變爲
人, 夜至其家, 竊與之宿. 處容自外至其家, 見寢有二人, 乃
唱歌作舞而退. 歌曰: (歌別載於下) 時神現形, 跪於前曰:
「吾羨公之妻, 今犯之矣. 公不見怒, 感而美之, 誓今已後,
見畫公之形容, 不入其門矣.」因此國人門帖處容之形, 以
僻邪進慶. 王旣還, 乃卜靈鷲山東麓勝地置寺, 曰望海寺,

亦名新房寺, 乃爲龍而置也. 又幸鮑石亭, 南山神現舞於御前. 左右不見. 王獨見之. 有人現舞於前, 王自作舞以像示之. 神之名或曰祥審, 故至今國人傳此舞, 曰御舞祥審, 或曰御舞山神. 或云:「旣神出舞, 審象其貌, 命工摹刻, 以示後代, 故云象審.」 或云霜髥舞, 此乃以其形稱之. 又幸於金剛嶺時, 北岳神呈舞, 名玉刀鈐; 又同禮殿宴時, 地神出舞, 名地伯級干. 語法集云.「于時, 山神獻舞唱歌云, 智理多都波都波等者. 盖言以智理國者知而多逃, 都邑將破云謂也.」 乃地神山神知國將亡, 故作舞以警之, 國人不悟, 謂爲現瑞, 耽樂滋甚, 故國終亡.

2. 원문의 번역

처용랑(處容郞) 망해사(望海寺)

제四九대인 헌강왕(憲康王) 때 서울서 바다 어구까지 집들이 총총 들어 선 가운데 초가가 한 채도 없으며 길에는 피리 소리, 노래 소리 가 끊어지지 않고 비바람도 철을 따라 순조로웠다. 이에 대왕(大王) 이 개운포(開雲浦) 학성(鶴城)쪽에 있으니 서남(지금의 蔚州)에 나가서 놀았는데 돌아오는 길에 점심나절 바닷가에서 쉬고 있는 중 갑자기 구름과 안개가 자욱해서 길을 찾을 수 없었다. 왕이 야릇하게 생각하 여 좌우에 있는 사람더러 물었더니 천문 맡은 관리가 고하기를

"이건 동해 바다의 용이 장난을 하는 것입니다. 좋은 일을 행해서 풀어 버려야 하겠습니다."

이에 소관 관리에게 분부해서 용을 위해 그 근처에다가 절을 지으

라고 하였더니 그 명령이 내림과 함께 구름이 흩어지고 안개가 걷히였다. 그래서 개운포(開雲浦)라고 이름 지은 것이다.

동해 바다의 용이 기뻐해서 아들 일곱을 데리고 임금 앞에 나타났으며 임금의 덕을 찬양하는 의미로서 춤을 추고 음악을 연주하였다. 그의 아들 하나가 임금을 따라 서울로 들어 와서 임금의 정치를 도왔는데 이름을 처용(處容)이라고 하였다. 왕이 아름다운 여자에게 장가를 들이고 그의 마음을 안착시키려고 또한 급한(級干) 벼슬을 시키었다.

그의 아내가 하도 아름다우니까 전염병 귀신도 탐을 내어 사람으로 변해서 밤에 그 집에 가서 몰래 데리고 갔다. 처용이 밖에 나갔다가 집에 들어 와서 자리 속에 두 사람이 누운 것을 보더니 노래를 부르고 춤을 추면서 물러났다.

노래에 이르기를,

(노래는 다음에 따로 들어 본다.)

그때 귀신이 제 원 모양을 내놓고 앞에 꿇어 엎드리면서 말하기를 "내가 공(公)의 아내를 탐내서 이제 죄를 지었습니다. 그런데 공이 성을 내지 않으니 감복되고 찬양하는 마음에서 맹세코 이제부터는 공의 얼굴을 그려 붙인 것만 보아도 그 문안에 들어가지 않겠습니다."

이런 까닭에 우리나라 사람들이 문간에 처용의 형상을 그려 붙여서 나쁜 귀신을 쫓고 경사스러운 일을 맞아들이는 것이다.

왕이 돌아 온 뒤 영추산(靈鷲山) 동쪽 기슭의 좋은 자리를 골라서 절을 지었는데 망해사(望海寺)라고도 하고 또는 신방사라고도 부르니 용을 위해서 만든 것이다. 또 포석정(鮑石亭)에 나갔는데 남산(南山)의 산신(山神)이 임금 앞에 나타나서 춤을 추었다. 좌우에 있는 사람들은 보지 못하고 오직 왕만이 보았다. 그것이 앞에 나타나서 춤을 추는 대로 왕이 춤으로써 시늉을 내였다. 그 귀신의 이름을 혹 상심(祥審)이라고 하기 때문에 지금까지 우리나라 사람이 이 춤을 전해 오면서 어무상심(御舞祥審)이라고도 한다. 혹은 이르기를 그 귀신이 나와서 춤을 춘 후 그 모양을 생각해서(審象) 조각장이로 하여금 조각케 해서 후대에 보이기 때문에 상심(象審)이라고 한다는 것이다. 혹은 상염무(霜髥舞)라고도 하니 이것은 그 형상에 따라서 이름 지은 것이다.

또 왕이 금강령(金剛嶺)에 갔을 때 북악(北岳) 귀신이 나와서 춤을 추었는데 그 이름이 옥도검(玉刀鈐)이요 또 동례전(同禮殿)에서 연회를 할 때 토지신(土地神)이 나와서 춤을 추었으니 그 이름이 지백급한(地伯級干)이다. 어법집(語法集)에 이르기를 그 때 사신이 춤을 추면서 노래를 불렀는데 그 노래에는 "지리다도파도파등자(智理多都波都波等者)"라고 하였으니 대개 지혜로 나라를 다스리는 자가 알고서 많이 내빼기 때문에 도읍(都邑)이 장차 결단 난다는 말이라고 하였다. 그는 곧 토지신, 산신 등은 나라가 장차 망할 것을 알고 춤으로써 경계한 것인데 그 당시의 사람들은 그를 깨닫지 못하고 상서(祥瑞)가 나타나는 것이라고 해서 유흥에만 더욱 빠지었기 때문에 나라가 종당 망하고 만 것이다.

3. 處容歌

前腔 新羅聖代昭聖代 天下大平羅侯德
處容아바 以是人生애 相不語ㅎ시란듸 以是人生애 相不語ㅎ시란듸

附葉 三災八難이 一時消滅ᄒ샷다

中葉 어와 아븨 즈시여 處容아븨 즈이여

附葉 滿頭揷花 계오샤 기울어신 머리에

小葉 아으 壽命長願ᄒ샤 넙거신 니마에

後腔 山象이슷 깅어신 눈섭에 愛人相見ᄒ샤 오슬어신 누네

附葉 風入盈庭ᄒ샤 우글어신 귀예

中葉 紅桃花ㄱ티 븕거신 모야해

附葉 五香마트샤 웅긔어신 고해

小葉 아으 千金머그샤 어위어신 이베

大葉 白玉琉璃ㄱ티 히어신 닛바래 人讚福盛ᄒ샤 미나거신 특애 七寶계
　　우샤 숙거신 엇게예 吉慶계우샤 늘의어신 ᄉ맷길헤

附葉 셜믜 모도와 有德ᄒ신 가ᄉ매

中葉 福智俱足ᄒ샤 브르거신 빈예 紅鞓계우샤 굽거신 허리예

附葉 同樂大平ᄒ샤 길어신 허튀예

小葉 아으 界面 도르샤 넙거신 바래

前腔 누고 지어셰니오 누고 지어셰니오 바늘도 실도 어씨 바늘도 실도
　　어씨

附葉 處容아비를 누고 지어셰니요

中葉 마아만 마아마ᄒ니여

附葉 十二諸國이 모다 지어 셰온

小葉 아으 處容아비를 마아마ᄒ니여

後腔 머자 오야자 綠李야 ᄲᆯ리나 내 신고흘 미야라

附葉 아니옷 미시면 나리어다 머즌말

中葉 東京 ᄇᆞᆯᄀᆫ ᄃᆞ래 새도록 노니다가

附葉 드러 내자리를 보니 가ᄅᆞ리 네히로새라

小葉 아으 둘흔 내해어니와 둘흔 뉘해어니오

大葉 이런저긔 處容아비옷 보시면 熱病神이사 膾ㅅ가시로다 千金을 주
    리여 處容아바 七寶를 주리여 處容아바

附葉 千金七寶도 말오 熱病神를 날자바 주쇼셔

中葉 山이여 민히여 千里外예

附葉 處容아비를 어여려거져

小葉 아으 熱病大神의 發願이샷다

4. 노래의 원문

東京明期月良 夜入伊遊行如可 入良沙寢矣見昆 脚烏伊四
是良羅 二肹隱吾下於叱古 二肹隱誰支下焉古 本矣吾下是
如馬於隱 奪叱良乙何如爲理古.

5. 노래의 해독

(1) 東京明期月良: 시볼 불기 도래

東京: 處容歌의 끝에서 두 번째의 中葉에서는 그대로 「東京」으로 되어
    있으나 이것을 우리 옛말로 「시볼」로 풀이한 분은 양주동 박사가
    처음이다. 6세기 이후 신라가 국토를 개척하면서 각지에 중원경(中
    原京), 북원경(北原京), 서원경(西原京), 남원경(南原京) 등 소경(小
    京) 즉 작은 서울을 두었는데 이 둘 작은 서울에 대하여 원 서울의
    경주를 동경(東京)이라고 부른 것이다(이상 홍기문 180쪽). 그런데,

홍기문은 「악학궤범」에서도 「동경(東京)」이라고 나오니 굳이 「스
볼」로 풀이할 필요가 없다고 한다. 그러나 글쓴이는 오늘의 「서울」
은 「스볼」에서 유래되었다고 보고 『고가연구』에 따르기로 한다.

明期: 「明」은 훈을 따서 「붉」이다. 「期」는 음차로 「기」이다. 「明期」는
「붉기」로서 다음 말을 꾸미는 관형어이다. 「期」는 관형어를 만들
수 있다.

　　○ 귀밝이 술(현대어)

　　○ 노루마기 고개(獐項)(『고가연구』 394쪽)

　　○ 잓기 버릇. 놀기 버릇(현대어)

「-기」 명사형이 다음에 오는 명사를 얼마든지 꾸밀 수 있다.

月良: 「月」은 후를 따서 「돌」이요, 「良」은 처소격조사 「애」임은 널리
알려진 바이다. 고로 「月良」은 「돌애→드래」이다(앞 處容歌 참조).

(2) 夜入伊遊行如可: 밤드리 노니다가

夜入伊: 「夜」의 훈은 「밤」, 「入」의 훈은 「들」, 「伊」는 어조사 「이」이다.
여기서는 부사구를 만드는 어미이다. 「夜入伊」는 「밤드리」인데 뜻
은 「새도록」이다.

遊行如可: 「遊」의 훈은 「놀다/노니다/노닐다」이다. 「行」은 훈이 「녀다」
이나 여기서는 「노니」의 「니」를 표기하기 위하여 쓰여 있다. 「如」
는 「다호다」의 「다」이요 「可」는 음차로 「가」이다. 「如可=다가」는 중
단형 연결어미이다. 전체는 「노니다가」이다.

(3) 入良沙寢矣見昆: 드러사 자리이 보곤

入良沙: 「入」은 「들」이요 「良」는 「아/어」로 「아/어」 중 모음조화에 따라
「어」, 「沙」는 「사/싸」이다. 여기서는 「사」로 보아 「드러사」로 푼다.

寢矣: 「寢」은 훈이 「방/침실」인데 처용가에서 보면 「자리」로 되어 있
다. 오늘날 「자리←잘이(명사의 접미사)」는 「잘곳」 곧 「침소」를 뜻
한다. 「矣」는 관형격조사이나 처소격조사로도 쓰이었다. 곧 「의/이」
인데 여기서는 「이」로 보아 「자리이」로 푼다.

見昆: 「見」의 훈은 「보다」요 「昆」은 음차로 「곤」이다. 이 어미는 오늘
날의 「고는」의 준 것으로 완료결과씨끝이다. 뜻은 「보니까」이다.

(4) 脚烏伊四是良羅: 가롤이(가로리) 네히어라

脚烏伊: 「脚」은 이조어로 「가롤」인데 오늘날의 「가랑이」이다. 「烏」는
「오」로 「脚烏」의 신라시대어는 「갈올」이었던 것 같다. 「伊」는 본래
3인칭대명사의 주격형(he)이었는데 후대로 오면서 허사화되어 주
격조사나 명사 뒤에 쓰이는 조음소적 구실의 접미사이다. 여기서
는 주격조사이다. 「가롤+오+이→가롤이」이다.

四是良羅: 「四」는 ㅎ종성수사인데 「是」는 「이다」의 어간이다. 「良羅」
는 서술형어미 「어라」. 고로 이것은 「네히어라」로 된다.

(5) 二肹隱吾下於叱古: 둘흔 내 해엇고

二肹隱: 「二」는 ㅎ종성수사로 「둟」이다. 여기에 지정보조조사 「은(隱)」
을 사용하니까 「둟+은→둘흔」이 되는데 여기의 「ㅎ」을 표기하기
위하여 「肹」을 사용하여 전체는 「둘흔」이 된 것이다.

吾下於叱古: 「吾」는 「내」이다. 「下」는 불완전명사로 「것」 또는 소유물
의 뜻을 나타낸다. 「於」는 「어」 「叱」는 「ㅅ」 「古」는 연결형어미 「고」
이다. 전체는 「내 해엇고」이다. 「엇고」는 강조의 뜻이 있다.

(6) 二肹隱誰支下焉古: 둘흔 뉘 해언고

二肹隱: 이것은 (5)에서 풀이한 것과 같이 「둘흔」이다.

誰支下焉古: 「誰」는 「누」이고 「支」는 「ㅣ」이다(최남희 210쪽; 『고가연구』 418쪽). 고로 「誰支」는 「뉘」이다. 즉 「누구의」이다. 「下」는 (5)에서 풀이하였다. 「焉古」는 의문형어미로 음차대로 「언고」이다. 전체는 현대어로 「누구의 것인고」이다.

(7) 本矣吾下是如馬於隱: 본디 내해이다마러는

本矣: 「本」은 음독으로 「본」, 「矣」는 이두에서 「딕/되」로 읽혔다. 고로 「本矣」는 「본딕」이다.

馬於隱: 「馬」는 훈차로 「말」, 「於隱」은 음차로 「어는」이다. 고로 「말어는→마러는」이 된다. 현대말로는 「본대 내해이다마는」이 된다.

(8) 奪叱良乙何如爲理古: 앗아늘 엇다흐리고

奪叱良乙: 「奪」은 「앗(다)」이다. 「叱」는 「ㅅ」으로 「앗」의 받침이며 「良乙」은 「어늘」로 읽는데(『고가연구』 428쪽) 다시 쓰면 「안을」로 보아 「앗안을」로 되어 「앗안」이 관형사형인데 옛말에서 「ㄱ관형사형」과 「ㄴ관형사형」은 체언의 구실을 함은 이미 설명한 바이다(안민가). (4. 참조) 그러므로 「앗안+을」은 「앗는것을」로 풀이된다.

何如爲理古: 「何如爲」는 「엇다흐」 또는 「엇디흐다」이다. 「如」가 「디」로 읽힌 예를 보기 어려우나 이조어 「엇다」는 「엇더」와 뜻이 같다. 고로 「엇다」로 읽는다. 음차로 「리」, 「古」는 음차로 「고」로 의문형어미이다. 전체는 「엇다흐리고」이다. 「-리고」는 존칭의문형어미이다. 현대말로는 「앗는 것을 어찌하(어떠하)리오」가 된다. 여가서 현대국어의 「어떠하다」는 「무슨 의견, 성질, 형편 상태 따위가 어찌되어 있다」로 풀이되어 있다(우리말사전). 따라서 「어떠하다=어찌하다」
로 이해된다.

〈옛말 전체풀이〉

싀봃 불기 ᄃᆞ래 / 밤드리 노니다가

드러사 자리이 보곤 / 가ᄅᆞ리 네히어라

둘흔 내해엇고 / 둘흔 뉘해언고

본ᄃᆡ 내해이다 마러ᄂᆞᆫ / 앗아ᄂᆞᆯ 엇다ᄒᆞ리고

〈현대말 전체풀이〉

서울 밝은 달에 / 밤드리(밤새도록) 노니다가

들어서 자리에 보니 / 가랄이 넷이어라

둘은 내 것이고 / 둘은 누구의 것인고?

본디 내 것이다마는 / 앗는 것을 어찌하리오

第六篇 薯童謠

1. 유사의 기록

第三十武王名璋. 母寡居, 築室於京師南池邊, 池龍交通而
生. 小名薯童, 器量難測, 常掘薯蕷, 賣爲活業, 國人因以爲
名. 聞新羅眞平王第三公主善花 一作善化 美艷無雙, 剃髮
來京師, 以薯蕷餉閭里羣童, 羣童親附之. 乃作謠, 誘羣童
而唱之云: (謠別載於下) 童謠滿京, 達於宮禁, 百官極諫,
竄流公主於遠方, 將行, 王后以純金一斗贈行. 公主將至竄
所, 薯童出拜途中, 將欲侍衛而行. 公主雖不識其從來, 偶
爾信悅, 因此隨行, 潛通焉. 然後知薯童名, 乃信童謠之驗.
同至百濟, 出母后所贈金, 將謀計活, 薯童大笑曰:「此何物
也?」主曰:「此是黃金. 可致百年之富.」薯童曰:「吾自小
掘薯之地委積如泥.」主聞大驚曰:「此是天下至寶君今知
金之所在, 則此寶輸送父母宮殿何如?」薯童曰:「可.」於
是, 聚金積如丘陵. 詣龍華山師子寺知命法師所, 問輸金之
計. 師曰:「吾以神力可輸, 將金來矣.」主作書, 幷金置於師

子前. 師以神力一夜輪置新羅宮中. 眞平王異其神變, 尊敬
尤甚, 常馳書問平安. 薯童由此得人心, 卽王位. 一日, 王與
夫人欲幸師子寺, 至龍華山下大池前, 彌勒三尊出現池中,
留駕致敬. 夫人謂王曰:「須創大伽籃於此地, 固所願也.」
王許之. 詣知命所, 問塡池事, 以神力一夜頹山塡池爲平地.
乃法像彌勒三會. 殿塔廊廡各三所創之. 額曰彌勒寺. 國事
云王興寺 眞平王遣百工助之. 至今存其寺(三國史云法王
之子, 而此傳之獨女之子未詳).

2. 원문의 번역

무왕(武王) 옛 문헌에는 무강(武康)이라 하였으나 잘못이다. 백제에는 무
강이란 임금이 없다.

　제三十대 무왕의 이름은 장(璋)이다. 그 어머니가 서울 남지(南池)
가에 집을 짓고 사는데 남지의 용이 관계해서 낳았다. 아명은 서동
(薯童)이다. 속이 깊어서 남들이 헤아리기 어려운데 언제나 마를 캐
어 팔아서 생활을 하였기 때문에 그렇게 이름 지은 것이다. 신라
진평왕(眞平王)의 셋째 공주(公主)가 아름답기 짝이 없다는 말을 들은
후 머리를 깎고 서울로 왔다. 거리에 있는 아이들에게 마를 주니
아이들이 따르게 되었다. 그제는 동요를 지어 가지고 그 아이들을
꾀여서 부르기를,

　(동요는 다음에 따로 들어 보인다.)

　동요가 서울 안에 퍼져서 대궐에까지 들어갔다. 모든 관리들이

떠들고 나서는 바람에 먼 지방으로 공주를 귀양 보냈는데, 떠날 때 왕후(王后)가 순금 한 말을 주었다. 공주가 귀양 가는 도중에 서동이 나와서 인사를 드리고 호위해 가겠다고 하니 공주가 비록 어떤 사람 인지는 알지 못하나 우연히 마음에 들어서 따라 오게 하였다. 그러다 가 서로 좋아진 이후 서동이란 이름을 알고서 동요가 맞는다고 믿게 된 것이다. 함께 백제로 와서 왕후가 준 금을 내놓고 살림을 차릴 것을 의논하는데 서동이 웃으면서 하는 말이

"이게 무어요?"

공주가 말하기를

"이게 황금이요. 이만해도 한 평생 잘 살 수 있소."

서동이 말하기를

"내가 어려서부터 마를 캐던 데는 내버려서 쌓인 것이 흙더미 같 소."

공주가 듣고 크게 놀라서 하는 말이

"이것이 천하에 다시없는 보물이요. 만일 당신이 금이 있는 데를 알거든 그 보물을 우리 부모가 계신 궁전으로 보내 드리는 것이 어떻 겠소?"

서동이 말하기를

"좋소."

그래서 금을 모아서 산더미처럼 쌓아 놓고 용화산(龍華山) 사자사 (師子寺) 지명법사(知命法師)에게 가서 금을 수송할 방법을 물었더니 법사의 말이,

"내가 신비스러운 힘으로 보낼 수 있소. 금만 가져 오오."

공주가 편지를 써서 금과 함께 사자사 앞에 가져다가 놓았더니 법사가 신비스러운 힘으로서 하룻밤 동안 신라 궁전까지 수송하였

다. 진평왕이 이런 신비스러운 일을 이상히 여겨서 몹시 존경하게 되고 늘 편지를 보내 안부를 물으니 서동이 이로써 인심을 얻어서 왕위에 올랐다.

하루는 왕이 부인을 데리고 사자사로 나가는 길에 용화산 아래 큰 못가에 이른즉 미륵불(彌勒佛) 셋이 못 속으로부터 나타나서 가던 길을 멈추고 존경하는 예를 행하였다. 부인이 왕에게 말하기를,

"여기다가 큰 절을 짓도록 하십시오. 그게 내 소원입니다."

왕이 허락했다. 지명법사에게 가서 못을 메울 일을 물었더니 신비스러운 힘으로써 하룻밤 동안에 산을 무너뜨리고 못을 메워 평지로 만들어 버렸다. 그래서 위해 놓은 불상은 삼회(三會)의 미륵불이요 전각, 탑, 바깥채도 따로따로 지어서 미륵사(彌勒寺)라는 패를 붙이었다(우리나라 역사에는 왕흥사(王興寺)라고 하였다). 그때 진평왕이 각색 장인들을 보태서 도와주었다. 지금까지 그 절이 보존되어 있다(삼국사(三國史)에는 법왕(法王)의 아들이라는데 여기서 전하기를 혼자된 여자의 아들이라니 알 수 없다).

3. 노래의 원문

善化公主主隱 他密只嫁良置古 薯童房乙 夜矣卯乙抱遣去如

4. 노래의 해독

(1) 善化公主主隱: 善化公主님은

善化公主: 「善化」는 삼국유사에 일운(一云)「善花」「化・花」는 신라사
람 이름에 흔히 붙는 「히/희」의 차자인즉 「善化」는 「일희」(善의 훈
이 일임), 혹은 「셋희」(제 3녀)의 차자에 지나지 않는다. 다음에 인
명에 「히/희」가 붙는 예를 몇 개 보기로 한다.

　　　○ 第七吹希王 一云 金喜(遺事王曆)

　　　○ 訥祇麻立干 母內禮希夫人(遺事王曆)(이상『고가연구』433~434쪽)

「公主」는 「공주」. 고로 「善化공주」이다.

主隱: 「主」는 「님」. 다음 예를 보자.

　　　○ 主谷里(경북 영동): 님실(字會中・一)

　　　○ 長堤郡 本高句麗主夫吐郡(三國史記35・地理二)(『고가연구』434쪽에
　　　　　의지함). 「隱」은 음차자로 「은」으로 지정보조조사임. 전체는 「善化공주
　　　　　님은」.

(2) 他密只嫁良置古: 놈 그슥기 어려두고

他: 「놈」.

　　　○ ᄂᆞᆷ 쁜 다ᄅᆞ거늘(他則意異)(龍歌24章)

　　　○ 三韓ᄋᆞᆯ ᄂᆞ믈 주리여(肯他人任)(龍歌20章)(『고가연구』439~440쪽)

密只: 「密」의 옛말은 「그슥다/그슥ᄒᆞ다」.

　　여기서는 어간 「그슥」을 훈차한 것이요 「只」는 이두에서 「기」로만
　　나타나므로 「기」로 읽어 전체는 「그슥기」로서 부사이다. 다음 예를
　　보자.

　　　○ 變化ㅣ 그슥기 올모몰 내 眞實로 알디 몯ᄒᆞ니(變化密移 我誠不覺)(능엄

경 2-6)

○ 眞實人覺을 <u>그윽기</u> 나토샤미링(? 顯眞覺)(원각경 상2의 1-46)

위의 밑줄 부분의 「그윽기」는 모두 부사로 쓰이고 있다.

嫁良: 「嫁」는 옛말이 「얼리다」이다. 여기서는 훈차하였으므로 「얼리」로 보아야 한다. 「良」은 모음조화를 「어」로 읽어야 한다. 따라서 「嫁良」는 「얼리어→얼려」로 읽어야 한다.

置古: 「置」는 모든 이두에서 훈차하여 「두」로 읽기 때문에 「두」로 읽어야 하고 「古」는 음차하여 「고」로 읽는다. 이것은 연결형어미이다. 모두는 「얼려 두고」이다.

(3) 薯童房乙: 마둥방을

薯童: 「薯」의 훈은 「마」이다. 「童」은 음차로 「둥」이다. 따라서 「마둥」이다.

房乙: 「房」은 『고가연구』 448~449쪽에 따르면 인칭에 존칭. 비칭에 해학적으로 사용된 것이라 하고 「안즌방이, 주정방이, 거정방이, 장돌방이…」 등 그 예가 많다 하고 「書房」은 「夫」의 속어로 인칭에 「某姓書房」으로 흔히 쓰이는데 그 원의는 「書室」의 뜻이 아니고 고유어 「싀방이」(新人)의 차자로 보고자 한다 하였다. 즉 인칭에 쓰인 접미사로 보고자 한다 하였다. 「乙」은 목적격조 「을」을 음차한 것이다. 즉 「마둥방을」이 된다.

(4) 夜矣卯乙抱遣去如: 밤이 몰 안고 가다

夜矣: 「夜」은 훈차로 「밤」, 「矣」는 음차로 위치격조사로 모음조화에 따라 「이」이다. 「夜矣」는 「밤이」이다.

卯乙: 「卯」는 현재음은 「묘」이나 고음은 「모」라고 한다(『고가연구』 451쪽). 「乙」은 「을」의 약음차 「ㄹ」이다(최남희 182쪽; 『고가연구』 451~

452쪽). 「卯乙」은 「몰」이 된다. 고어는 「모로대 모ᄅ다」인데 이의
부사형은 「몰릭」이다.

抱遣: 「抱」은 그 훈이 「안다·품다」인데, 여기서는 「안다」로 푼다. 「遣」
은 이두에서 연결형어미 「고」이다. 고로 「抱遣」는 「안고」이다.

去如: 「去」는 훈차로 「가」, 「如」는 「다호다」의 「다」. 전체는 「가다」이다.

〈옛말 전체풀이〉

善花公主님은 / 눕 그윽기 어려두고
마둥방을 / 밤이 몰 안고가다

〈현대말 전체풀이〉

善花公主님은 / 남몰래 시집가 놓고
막둥방을 / 밤에 몰래 안고 가다
※ "막둥이"는 어린 심부름꾼

第七篇 禱千手觀音歌

1. 유사의 기록

芬皇寺千手大悲 盲兒得眼

景德王代, 漢岐里女, 希明之兒, 生五稔而忽盲. 一日, 其母抱兒 詣芬皇寺左殿北壁, 畫千手大悲前, 令兒作歌禱之, 遂得明. 其詞曰.

膝肹古召旀. 二尸掌音毛乎攴內良 千手觀音叱前良中祈以攴白屋尸置內乎多 千隱手叱千隱目肹 一等下叱放一等肹除惡攴 二于萬隱吾羅 一等沙隱賜以古只內乎叱等邪阿邪也吾良遺知攴賜尸等焉, 放冬矣用屋尸慈悲也根古. 讚曰: 竹馬葱笙戲陌塵, 一朝雙碧失瞳人. 不因大士廻慈眼, 虛度楊花幾社春.

2. 원문의 번역

분황사 천수대비(芬皇寺 千手大悲)

맹아 득안(盲兒 得眼)

경덕옹 때 한기리(漢岐里)의 여자 희명(希明)의 아기가 태어난 지 다섯 살만에 갑자기 눈이 멀었다. 하루는 그 어머니가 아이를 안고 분황사에 가서 왼쪽에 잇는 불전(佛殿) 가운데 북쪽 벽에 그려 붙인 관음보살 앞에 이르러 그 아이 더러 노래를 지어서 빌라고 하였더니 고만 눈이 떠졌다. 그 노래의 사연에 이르기를,

(노래는 다음에 따로 들어 보인다).

그를 예찬하여 시를 지었으니: "막대로 말을 삼고 파로 피리 불어 골목에서 뛰놀다가 하루아침 앞이 캄캄, 반짝이는 두 눈동자 어느덧 잃었고나. 만일에 관음보살 인자한 눈을 떠서 돌보지 않았다면 버들개지 휘날리는 몇몇 해 봄빛을 헷되이 지냈으리!"

"千手大悲"란 것은 불교의 관세음보살(觀世音 菩薩)을 가리키는 말이다. 능엄경(楞嚴經)이란 불경에서 이야기하기를 관세음은 자기의 머리를 둘, 셋, 넷 그렇게 몇 천까지로 나타낸다고 한다. 거기 따라서 천수천안관음(千手千眼觀音)이라고도 말하고 또 천수관음이라고도 말하는 것이다.

3. 노래의 원문

膝肹古召旀 二尸掌音毛乎支內良 千手觀音叱前良中 祈以

支白屋尸置內乎多 千隱手叱千隱目肹 一等下叱放一等肹
除惡支 二于萬隱吾羅 一等沙隱賜以古只內乎叱等邪阿邪
也. 吾良遣知支賜尸等焉 放冬矣用屋尸慈悲也根古

4. 노래의 해독

(1) 膝肹古召旀: 무릅흘 고조며

膝肹: 「膝」의 훈은 「무릅」인데 「ㅎ종성체언」이었다. 그래서 이조로 오
　　면서 「무릅→무릎」으로 바뀌었다. 「膝」 다음에 「肹」이 온 것을 보
　　아도 알 수 있다. 이것은 「흘」이다. 고로 전체는 「무릅흘」이다.

古召旀: 「古」는 음차로 「고」. 「召」는 음이 「소」와 「조」의 둘이나 여기
　　서는 「조」를 취한다. 「召」는 옛 지명에 「죠/조」로 음차되었다. 현대
　　어로는 「꿇다」이다.

　　　○ 德積島 左南洋府海中召忽島죠콜섬南六十里？(용가 권6-58)

　　　○ 召史 조이

　　　○ 閭巷女人之稱稍號 (吏讀便覽)

　　　○ 女兒曰寶姐 亦曰古召曹兒(三國史記 37-지리지)(이상『고가연구』57쪽)
　　「古召」는 곧 「拱」의 훈(두 팔을 굽혀 마주 낌)이다. 즉 「拱膝」의 뜻이
　　다. 「旀」는 「彌」의 속자로 이두에서 「며」로 읽혔다(이두편람). 고로
　　전체는 「고조며」이다.

(2) 二尸掌音毛乎支內良: 두블 손바당 모호히ᄂᆞ아

二尸: 「二」는 계림유사에서 「二曰途孛」로 읽었으므로 여기서도 「두블」
　　로 읽는다. 「尸」는 「둘」의 받침 「ㄹ」이다. 전체는 「두블」이다. 이조

어에서는 다음과 같이 쓰이었다. 「둟」이었으나 「둘」로도 쓰이었다.

○ 녜 婆羅門이…벌 셜흔 둘 사롬과 福德을 닷더니…(월석 10: 32)

○ 흔 큰 이룬 一乘妙法이니 妙法이 둘 아니며 세 아닐씨 흐나이라 흐고(석 보 13-48)

掌音: 「掌」의 이조어는 「손바당/솑바당」인데 「音」은 일부가 민동화(閩 東話)[ig]의 차용 가능성이 있으므로 「掌音」을 「손바당」으로 읽는 다 하였다(최남희 290쪽).

毛乎: 「毛」는 음차로 「모」이고 「乎」는 이두에서 「오/호」의 두 음으로 읽히는데 여기서는 「호」로 푼다. 이조어의 「모으다」는 「모호다/뫼 호다」이므로 「毛乎」는 「모호」 또는 「뫼호」의 표기인 듯하다.

支內良: 이것은 「毛乎」의 어미로서 「支」는 「모호→뫃」의 사동접미사 「히」로 보고(최남희 290쪽) 「良」은 「아」로 보아 전체는 「히ᄂ아」가 된다. 여기 「內良=ᄂ아」는 현대어 「하여서」이다. 그러므로 「毛乎支 內良」는 「모호히ᄂ아」이다. 「모호히=모으게 하」요 「ᄂ아」는 「~여 서」로서 현대어 「모으게 하여서」로 읽었다.

(3) 千手觀音叱前良中: 千手觀音ㅅ 알파히

千手觀音叱: 千手觀音ㅅ

前良中: 「前」은 이조어가 「앒」이다. 「良中」는 『고가연구』에서는 「아히」 로 읽었으나 이두편람에서는 「아해」로 읽었다. 전체는 「알파히」이 다. 현대어로는 「千手觀音의 앞에」가 된다.

(4) 祈以支白屋尸置內乎多: 비히숣볼두ᄂ오다.

祈以支: 「祈」은 뜻이 「빌」인데 「以支」는 음차로 「이히」로서 전체는 「빌 이히→비리히」이다.

白屋: 「白」은 객채존대 보조어간 「솗」이요, 「屋」은 약음차 삽입모음 「
오」로서 대상어가 있음을 나타낸다. 「尸」는 받침 「ㄹ」로서 전체는
「솔볼」이 된다. 이것은 ㄹ명사형이다. 따라서 「祈以支白屋尸」는 「
비사올」이 된다. 이 밑에 「소원」이 생략되어 있다.

置內乎多: 「置」는 훈이 「두」이고 「內」는 음차 「ᄂ」로 현실법어미, 「乎」
는 「오」로 일인칭법의 보조어간, 「多」는 음차 「다」로 서술법의 종지
형어미이다. 고로 전체는 「두ᄂ오다」가 되는데, 현대어로는 「두노
이다→두나이다」가 된다. (4)를 현대어로 고치면 직역은 「비사옴을
두나이다」로 되나 의역하면 「비옵는 소원이 있나이다」로 된다.

(5) 千隱手叱千隱目肹: 즈믄손에 즈믄눈흘

千隱手叱: 「千」은 「즈믄」, 「隱」은 「ㄴ」으로 「즈믄」의 말음첨기. 「叱」은
『고가연구』467쪽에 따르면 접속조사 「에」의 대용으로 쓰인 것이
라 한다. 이에 대하여 최남희 교수는 「目肹」의 「肹」 대응으로 목적
격조사의 생략기능이 반영된다 하였다(251쪽).

千隱目肹: 「千隱」은 「즈믄」으로 위에서 풀이하였다. 「目肹」은 「目(눈)」
이 ㅎ종성체언이므로 목적격조사 「乙」을 안 쓰고 「肹=흘」을 사용
하였다. 전체는 「즈믄 눈흘」이 된다.

(6) 一等下叱放一等肹除惡支: ᄒ든흘 쁘고 ᄒ든흘 닷곡

一等: 「一」은 계림유사에서 보면 「一曰河屯」이라 되어 있으므로 「ᄒ든」
인데 「等」은 「든」으로 말음첨기한 것이다. 수사 「一」은 ㅎ종성수사
이다.

　　○ ᄒ나히 萬馬룰 對敵ᄒ더니(一敵萬)(두시 권16-39)

　　○ ᄒ나ᄒ 坐로서 니루미오(一者從生而起)(금강경 7)

下叱: 「下」는『고가연구』에서는 「ㅎ」로 읽는데 대하여 최남희 교수는 「알」로 「눈동자」를 의미한다 하였다. 「叱」은 그 다음의 목적격조사 「肹」과의 대응으로 목적격조사의 생략 기능이 반응된 것으로 보았다. 현대국어에서 「사이시옷」은 주격, 목적격, 방편격조사를 대신할 수 있으니(김승곤,『관형격조사「의」의 분석』) 이 구절의 뜻으로 보아 「肹」의 대응으로 쓰였다고 볼 수 있겠다. 고로 「下叱」는 「홀」로 보기로 한다. 고로 전체는 「ㅎ돈홀」로 읽는다. 현대어로는 「하나를」이 된다.

放: 이 자는 훈독자 「쁘(開)」의 줄기로 읽는다(모로바시 5권 478쪽의 五). 이다음에 나열형어미가 생략되었다고 본다.

除: 이 자는 「닦」의 줄기로 읽는 것은 「潔好也」란 의미에 근거를 둔 것이다(모로바시 11권 835쪽의 六).

惡支: 음차로 「오」 「支」는 약음차 「ㄱ」으로 전체는 「닦옥 →닷곡」이 된다. 「곡」은 나열형어미 「고」의 강조형이다. 또 「除」는 모로바시 위의 책에 따르면 「修除」의 뜻도 있다. (6)의 전체의 현대말은 「하나를 뜨고(開) 하나를 닦고(깨끗이 하고)」가 된다.

(7) 二于萬隱吾羅: 두블우 먼 내라

二于: 「二」는 「두블」이오 「于」는 이두에서 「우」인데 「두블+우 →두블우」로 되어 현대어 「둘이」로 된다. 「于」는 어조사이기 때문이다.

萬隱: 「萬」의 음은 「먼」으로 여기서도 「멀다」로 보고 「隱」은 「은」으로 어미로서 「멀은 →먼」으로 된다. 유사의 기록에 의지하여 그렇게 보기로 하였다.

吾羅: 「吾」는 「나/내」 「羅」는 음차 「라」이다. 전체의 현대어는 「둘이(두 눈이) 먼 내이라」가 된다.

(8) 一等沙隱賜以古只內乎叱等邪: ᄒᆞᆮ사 그ᅀᅳᆨ시 고지ᄂᆞᆺᄃᆞ라

一等沙: 「一等」은 「ᄒᆞᆮ」임은 앞에서 풀이하였다. 「沙」는 강세보조조
　　사 「사」이다. 전체는 「ᄒᆞᆮ사」로 현대어로는 「하나만」이 된다.

隱賜以: 「隱」의 옛말은 「그ᅀᅳᆨ다」이고 「賜」는 주체존대어 「시」이며 「以」는
　　음차 「이」로 앞말을 부사어로 만드는 부사형어미이다. 전체는 「그
　　ᅀᅳᆨ시이→그ᅀᅳᆨ시」로 현대어로는 「은근히」 또는 「남몰래」로 된다.

古只內乎叱等邪: 古只의 원형은 「곶다」이다. 훈몽자회에서 「拱: 고즐
　　공」으로 풀고 「兩手合持爲禮曰一手」로 설명되어 있다. 고로 「고지
　　ᄂᆞᆺᄃᆞ라」의 현대말은 「공수하여 비옵니다」이다.

內乎叱: 「內」는 「ᄂᆞ」, 「乎」는 「오」, 「叱」은 「ㅅ」으로 전체는 「ᄂᆞ+오+ㅅ」
　　→「ᄂᆞᆺ」이 된다.

等邪: 「等」는 「들」(『고가연구』) 이두편람에는 「들」로 되어 있다. 「邪」
　　(耶)는 통음차 「라」이다. 전체는 「ᄃᆞ라」인데 현대어로는 「더라」이
　　다. 전체는 현대말로 「나만이라도 은근히 (남몰래) 공수하여 빌고
　　있나이다」이다.

(9) 阿邪也吾良遺知支賜尸等焉: 아아야, 나애 기디히실ᄃᆞᆫ

阿邪也: 「阿」는 음차 「아」, 「邪」도 음차 「아」, 「也」는 음차 「야」이다.
　　이들은 「아아야」로 감탄사이다.

吾良: 「吾」는 「나」, 「良」는 처소격으로 「애」로 전체는 「나애→나에게」
　　로 된다.

遺知支: 「遺」는 「기디」로 어간. 「知」는 「디」로 「기디」의 말음첨기. 「支」
　　는 「히」로서 「디+히→티」로 된 듯하여 전체는 「기티」로 된다.

賜尸等焉: 「賜尸」는 「시+ㄹ」로 「실」이 된다. 전체는 「실」이요, 「等」은
　　「ᄃᆞᆫ」인데 「焉」는 약음차자로 「ㄴ」 차자로 말음첨기이다. 고로 「等

焉」는 「돈」인데 전체는 조건어미이다. 고로 「遺知支賜尸等焉」은 현대어로 「끼치신다면」이 된다. (9)전체는 「아아, 나에게 끼치신다면」이 된다.

(10) 放冬矣用屋尸慈悲也根古: 브리되 쓰올 慈悲야 큰고

放冬矣: 「放」은 훈이 「본받다」이다. 「冬」은 『고가연구』에서 「ㅎ」으로 읽었으나 너무 무리다. 여기서는 「冬矣」로 보고 「冬」은 약음차 「둘/들」이요. 「矣」는 「이」로 「冬矣」는 「드릭」로 읽는다. 「放」의 뜻은 「본받다/모방하다」이므로 현대어로는 「본받아」로 된다.

用屋尸: 「用」은 훈이 「쓰」고 「屋」는 삽입모음 「오」로 그 뒤에 「ㄹ=尸」를 취하여 다음 말을 꾸민다. 이조어에서 관형사형어미 「ㄴ・ㄹ」이 그 다음 체언을 꾸밀 때는 반드시 삽입모음 「오+ㄴ/ㄹ」로 된다. 따라서 「用屋尸」는 「쓰올」로서 다음 말 「慈悲」를 꾸민다. 「也」는 「감탄조사」로서 「여/야」이다.

根古: 「根」은 『고가연구』대로 「大」의 뜻으로 풀었는데 여기서는 「근본/근원」으로 풀기로 한다. 왜냐하면 자전에 볼 때 「根」은 「大」의 뜻이 없기 때문이다. 「根」을 명사로 보아서는 안 된다고 한다(홍기문). 「古」는 음차 「고」로서 서술감탄형어미 「~이도다」이다. 전체는 「근본이오이다」이다. 현대말로는 「본받아 쓰실 자비심이야말로 근본이 되오이다」이다.

〈옛말 전체풀이〉

무룹홀 고조며 / 두블 손바당 모호히ᄂ아
千手觀音알파히 / 비히슬볼두ᄂ오다
즈믄손에즈믄눈흘 / ᄒ든홀 쓰고 ᄒ든흘 닷곡

두블우 먼 내라 / 흐든사 그슥시 고지누옷드라
아아야 나애 기디히실든 / 본받아 쓰올 慈悲야 큰고

〈현대말 전체풀이〉
무릎을 꿇으며 / 두 손바닥을 모아서
千手觀音 부처님 앞에 / 비올 소원이 있나이다
천의 손과 천의 눈에서 / 하나를 뜨게 하고. 하나를 닦으시어
둘이(두 눈이) 많은 내입니다 / 하나라도 남몰래 공수하여 비옵니다 아
아! 나에게 은혜를 베푸신다면 /
본받아 쓰올 자비야말로 근본이오이다

第八篇 風謠

1. 유사의 기록

良志使錫

釋良志 未詳祖考鄉邑, 唯現迹於善德王朝. 錫杖頭掛一布
帒, 錫自飛至檀越家. 振拂而鳴, 戶知之納齋費, 帒滿則飛
還, 故名其所住曰錫杖寺. 其神異莫測皆類此. 旁通雜譽,
神妙絶比, 又善筆札. 靈廟丈六三尊 天王像幷殿塔之瓦, 天
王寺塔下八部神將, 法林寺主佛三尊, 左右金剛神等皆所
塑也. 書靈廟, 法林二寺額, 又嘗彫磚造一小塔, 並造三千
佛安其塔, 置於寺中, 致敬焉. 其塑靈廟之丈六也, 自入定,
以正受所對爲揉式, 故傾城士女爭運泥土. 風謠云(謠別載
於下). 至今土人舂相役作皆用之, 蓋始于此. 像(初)成之費
入穀二萬三千七百碩, (或云金時租★) 議曰: 師可謂才全德
充, 而以大方隱於末技者也. 讚曰: 齋罷堂前錫杖閑, 靜裝
爐鴨自焚檀, 殘經讀了無餘事, 聊塑圓容合掌看.

2. 원문의 번역

양지가 지팡이를 부리다(良志使錫)

양지란 중은 집안과 고향을 아지 못하나 선덕왕(宣德王) 때에 그 행적이 유명해졌다. 지팡이 대가리에 베자루를 달면 지팡이가 제 혼자 날아서 단골집으로 찾아 가는 것이다. 그 지팡이가 흔들어 소리를 내면 그 집에서 알고 나와서 재(齋)에 쓸 비용을 집어넣는다. 마침내 자루가 차면 날라서 돌아오는 것이다. 그렇기 때문에 그가 있는 절을 석장사(錫杖寺)라고 불렀으니 그의 신기하고 야릇한 행적은 혜아릴 수 없었다. 그와 함께 여러 가지의 재주를 배워서 교묘하기 짝이 없었으며 글씨를 쓰거나 새기는 데 또한 능하여 영묘사(靈廟寺)의 세 부처, 천왕(天王)의 상(像)과 전각, 탑의 기와, 천왕사(天王寺) 탑 아래의 팔부(八部) 신장(神將), 법림사(法林寺)의 주장되는 부처 셋과 좌우 쪽의 금강신(金剛神) 등 모두 그가 조각한 것이다. 영묘사, 법림사 두 절 이름도 그가 써 붙이었다. 또 일찍이 벽돌로 적은 탑 하나를 만들고 그 속에 부처 삼천을 앉힌 후 그 절에 모시고 불공을 드리게 하였다. 그가 영묘사의 부처를 조각할 때 스스로 선정(禪定)에 들어가고 정수소대(正受所對)로 유식(揉式)을 삼기 때문에 성 안의 남자 여자 할 것 없이 다투어 가면서 흙을 져서 날랐다. 풍요(風謠)에 이르기를,

(노래는 따로 들어 보인다)

지금까지 일꾼들이 방아를 찧거나 힘든 일을 할 때 모두 그 노래를 부르는 바 이는 여기서 시작된 것이다. 불상을 만드는 비용으로 곡식 二만 三천 칠백석이 들었다. 혹은 이르기를 금시조(金時租)라고 한다.

평론하는 사람들의 말이 이 대사(大師)야말로 재주가 구비하고 덕

이 가득한 분이니 큰 인격을 가지고 조그만 기술에 숨어서 지낼 것이라고 하였다. 그를 예찬하여 시를 지었다.

〈재(齋) 끝난 방 앞에 지팽이 한가하니 향로(香爐)에 불 담아 향불을 피는고나. 불경을 읽고 나서 다른 일 더 없으니 부처님 새겨 놓고 합장(合掌)해 뵈리라.〉

※正受所對와 揉式은 무슨 의미인지 모르겠다.
*금시조(金時租)란 금칠을 할 때 든 비용을 이름인 듯하다. 금(金)자 위에 탈락된 자가 있다.

3. 노래의 원문

來如來如來如 來如哀反多羅 哀反多矣徒良 功德修叱如良 來如.

4. 노래의 해독

(1) 來如來如來如: 오다 오다 오다

來如:「來」의 훈은 「오」요 「如」의 훈은 「다오다」의 「다」이다. 고로 전체는 「오다」이다.

(2) 來如哀反多羅: 오다 셔렵다라

來如: 이것은 「오다」임은 위의 풀이.

哀反: 「哀」는 훈이 「섧다」, 「슬퍼하다」 등이다. 이조어로는 「哀」를 「슬
홀이(신합 하-6)」로 풀이돼 있다. 「反」은 음은 「변」이나 모음조화에
따라 「븐」으로 읽으면 「슳븐→슬픈」으로 된다. 또 「哀」를 「셔렵」으
로 보고 「反」을 「븐/브」로 보면 「哀反」은 「셔렵브」로 된다.

多羅: 『고가연구』에서는 「다라」로 읽었는데 최남희 교수는 「많다」로
읽었다. 이조어는 「많다, 만흐다」인데 「多羅」를 굳이 읽는다면 「만
흐라」가 된다. 「셔렵븐」을 명사형으로 보기는 좀 어려울 것 같고
「셔려븐+다라」로 보면 말의 연결이 또 이상하다. 그래서 글쓴이는
「多羅」를 종지형어미로 보고자 한다. 고로 전체는 「셔렵브다라 →
셔렵브더라(현대어)」로 되는 것으로 읽고자 한다.

(3) 哀反多矣徒良: 셔렵다 의내여

哀反多: 전주, 「셔렵다」이다.

矣徒良: 「矣徒」는 이두편람에서 「의내」로 되어 있다. 본래 「矣」는 3인
칭대명사의 소유형이었다. 따라서 여기서도 3인칭대명사의 소유형
인데, 본래 우리 조상들은 「자기의 무리」를 「우리의 무리」라 하지
않고 「이것의 무리」 또는 「이 사람의 무리」식으로 겸손하게 말하였
던 것이다. 「徒」는 「무리」라는 뜻이다. 「良」는 「아, 어, 라, 야, 여」
등 다양하게 쓰이어 여기서는 「여」로 읽는다.

(4) 功德修叱如良來如: 공덕 닦아라 오다

功德: 이 말은 더 설명이 필요 없으나 불교에서는 「닦아서 이룬 공적과
덕을 남에게 미치게 하는 일 또는 착한 일을 많이 한 힘」을 뜻한다.

修叱如良: 「修」는 「닦다/닥다/닷다」 등 다양하게 나타나나 「닦」으로
푼다. 「叱」은 「닦」 또는 「닷」의 말음첨기이다. 「如」는 『고가연구』

에서 「岐如→가르혀」(유서필지), 「가트여」(어록변증설), 「爲如良→ ㅎ여라」(유서필지) 등의 예를 들고 있으나 최남희 교수의 연구에 따르면 「어/여」나 「어」로 반영된다 하였다(183쪽). 그러나, 여기서는 음차로 보아 「과」로 읽는다. 「良」은 이두집성에 따르면 「아/여/라」 등으로 읽힌다고 되어 있는데 여기서는 「라」로 읽는다.

來如: 이 말은 「오다」이다.

전체는 현대어로 「공덕 닦으러 오다」이다.

〈옛말 전체풀이〉

오다 오다 오다 / 오다 서렵다라
서렵다 의내여 / 공덕 닦아라 오다

〈현대말 전체풀이〉

오다 오다 오다 / 오다 서럽더라
서럽다 이들(우리들)의 무리여 / 공덕 닦으러 오다

第九篇 願往生歌

1. 유사의 기록

文武王代, 有沙門名廣德, 嚴莊, 二人友善, 日夕約曰:「先
歸安養者須告之」德隱居芬皇西里. (或云皇龍寺有西去房.
未知孰是) 蒲鞋爲業, 挾妻子而居. 莊庵栖南岳, 大種刀耕.
一日, 日影施紅, 松陰靜暮, 窓外有聲, 報云:「某已西往矣,
惟君好住, 速從我來」莊排闥而出顧之, 雲外有天樂聲, 光
明屬地. 明日歸訪其居, 德果亡矣. 於是, 乃與其婦收骸, 同
營蒿里. 既事, 乃謂婦曰:「夫子逝矣, 偕處何如?」婦曰:「
可」遂留, 夜宿, 將欲通焉. 婦靳之曰:「師求淨土, 可謂求
魚緣木」莊驚怪, 問曰:「德既乃爾, 予又何妨?」婦曰:「夫
子與我同居十餘載, 未嘗一夕同床而枕, 況觸污乎? 但每夜
端身正坐, 一聲念阿彌陀佛號, 或作十六觀. 觀既熟, 明月
入戶, 時昇其光, 加趺於上. 竭誠若此, 雖欲勿西奚往? 夫適
千里者 一步可規. 今師之觀 可云東矣, 西則未可知也. 莊
愧赧而退. 便詣元曉法師處, 懇求津要, 曉作錚觀法誘之.

藏*於是潔己悔責, 一意修觀, 亦得西昇. 錚觀在曉師本傳
與海東僧傳中. 其婦乃芬皇寺之婢, 盖十九應身之一 德嘗
有歌云: (歌別載於下)
*藏은 莊의 오자

2. 원문의 번역

광덕(光德) 엄장(嚴莊)

문무왕(文武王) 시대에 광덕과 엄장이라는 두 중이 서로 친하게
지냈다. 평상시 약속하기를 누구든지 먼저 극락으로 가는 사람은
꼭 알려 주고 가자고 하였다. 광덕은 분황사(芬皇寺) 서쪽 동리에 살
면서(혹은 황룡사(皇龍寺)에 서거방(西去房)이 있다고 하는데 어느 편이
옳은지 아지 못한다.) 짚신을 삼아서 생활을 하였는데 처자를 데리고
있었고, 엄장은 남쪽 산우에 암자를 짓고 살면서 농사를 크게 벌이고
부지런히 일을 하였다. 하루는 저녁노을이 붉게 타고 손무 그림자가
점점 어두워지는데 창 밖에서 부르는 소리가 들리는 것이었다.

"내가 이제 서방(극락의 뜻)으로 가네. 자네는 부디 잘 있다가 속히
날 따라 오게."

엄장이 문을 박차고 좇아 나와 바라보니 구름 우에서 음악 소리가
나고 환한 광채가 땅에 뻗치어 있다. 그 이튿날 엄장이 광덕의 집을
찾아 간즉 그는 과연 죽었다. 그래서 그 아내와 함께 시체를 거두어
장사를 지냈다. 일을 다 끝낸 다음 그 아내에게 이르기를

"그대의 남편이 돌아갔으니 나하고 함께 사는 것이 어떻소?"

그 아내가 말하기를

"좋소."

그대로 그 집에 머물러서 밤에 자다가 여자에게로 가까이 간즉 그 여자가 타박하여 말하기를

"대사가 극락으로 가려고 하는 것은 나무 우에 올라가서 물고기를 잡으려는 것과 같소."

엄장이 놀라고 야릇해서 묻기를

"광덕이와 그렇게 살았는데 나하고는 그렇게 못 살 것이 무엇이란 말이요?"

그 여자가 말하기를

"우리 남편이 나하고 같이 산지 십여 년에 하루 밤도 한 자리에서 잔 적이 없소. 더군다나 내 몸을 건드릴 리야 있소? 그저 매일 밤 몸을 단정히 하고 똑바로 앉아서 "아미타불"의 한 소리만 외우고 있소. 혹은 十六관(觀)을 짓다가 관이 익어지자 밝은 달이 지게 안으로 드려 비치면 때로 그 달빛을 타고 올라가서 그 우에 책상다리를 하고 앉소. 이렇게 정성을 드리니 서천서역국(극락세계)으로 가지 않으려고 한들 어디로 가겠소? 대개 천리 길도 한 걸음에서 알 수 있는 것이요. 이제 대사의 태도는 동쪽으로 가게 된 것이요. 서천서역국이란 당치도 않소."

엄장이 부끄러워서 그 집으로부터 물러 나왔다. 드디어 원효 대사(元曉 大師)에게 가서 도 닦는 묘리를 알려 달라고 간청하였더니 원효가 삽관법(挿觀法)을 가져 인도하였다. 엄장이 이에 잘못을 뉘우치고 생각을 깨끗이 하여 전심전력으로 도를 닦아서 그 또한 서천서역국으로 가기에 성공하였다. 삽관법은 원효전(元曉傳)과 해동승전(海東僧傳) 가운데 실리여 있다. 광덕의 아내는 분황사의 계집종인데 부처와 보살이 다시 태어낸 열아홉 사람 중의 한 분이다. 일찍이 노래를

지으니 그 노래에 이르기를,

   (노래는 다음에 따로 들어 보인다)

3. 노래의 원문

月下伊底亦 西方念丁去賜里遣 無量壽佛前乃 惱叱古音
(鄕言云報言也)多可支白遣賜立　誓音深史隱尊衣希仰支
兩手集刀花乎白良願往生願往生　慕人有如白遣賜立阿邪
此身遺也置遣 四十八大願成遣賜去

4. 노래의 해독

(1) 月下伊底亦: 돌하 이데

月下:「月」은 훈이 「달」.「下」는 음차로 「하」인데 여기서는 존칭호격조
   사이다.

    ○ 世尊下月可今熱尓 (佛遺敎經)

    ○ 임금하 아라쇼셔(용가 125장)(이상『고가연구』499쪽)

伊底亦:「伊」는 음차 「이」.「底」는 음차 「뎌」.「亦」은 본래 음이 「이」였
   는데 이두에서 「여」로 읽히었으나, 다음 예에서 보면 「ㅣ」로 읽혔
   음을 알 수 있다.

    ○ 其嫡妾亦年五十巳上弋只…(大明律卷四-四A)

    ○ 凡各司所在官亦貢稅？粮捧上爲旀…(大明律卷四-六A)

   현대어로는 「달아 이제」이다.

(2) 西方念丁去賜里遣: 西方까장 가시리고

西方: 이의 독음은 「셰방」이다(월석 권1-49A).

念丁: 독음 「까장」이다(이두집성).

去賜里遣: 「去」는 훈이 「가」, 「賜」는 독음이 「시」(최남희 412쪽)로 주체
　　존대어이다. 「里」는 독음이 「리」로 「미래시제보조어간」이다. 「遣」
　　은 독음이 「고」로서 연결형어미이다. 전체는 「가시리고」이며 현대
　　어로도 「가시겠고」이다.

(3) 無量壽佛前乃: 無量壽佛알픠

無量壽佛: 무한량 수명의 阿彌陀佛

前乃: 「前」은 여기서 독음으로 읽고 있으나(『고가연구』 506쪽) 훈은 「앒」
　　이다. 「乃」는 독음이 「이」이다(최남희 412쪽). 고로 전체는 「앒이→
　　알픠」로 된다.

(4) 惱叱古音(鄕言云報言也)多可支白遣賜立: 늿곰 하 올히 숣고시셔

惱叱古音: 늿곰. 이에 대하여는 유사에 「鄕言云報言也」가 있으니 그대
　　로 번역하여 「늿곰」으로 읽고 뜻은 「보고의 말삼」이라고 보아야
　　한다.

多可支: 최남희 교수는 「多」는 「하」로 읽고 「可」는 「옳」로 읽고 「支」는
　　「읽지 아니한 듯하다(293쪽)」. 「支」는 독음이 「히」이니 「올히」로 볼
　　수 있다. 『고가연구』에서는 「支」를 허자(虛字)로 보고 「多可」를 「다
　　가」로 읽었다. 이것은 오늘날의 어미 「-다가」로 수단·방법을 나타
　　내는 것으로 보는 것이 옳겠다고 생각하면 「惱叱古音多可支」는 「늿
　　곰다가→아뢰어다가(현대어)」로 된다. 그러나 여기서는 최교수의
　　풀이에 따라 「보고의 말씀이 많이 옳게(아주 옳게 / 아주 바르게)」로

풀이한다.

白遣賜立: 「白」은 훈이 「숣」이요 「遣」는 독음이 「고」, 「賜」는 주체존대
어의 「시」로 「立」는 훈이 「셔」이다. 전체는 「숣고시셔→삷고쇼셔」
로 된다. 현대어로는 「삷으소서」가 된다. 현대어로는 「보고의 말삼
을 많이 옳게 삷으소서」가 된다.

(5) 誓音深史隱尊衣希仰支: 다딤 깊으샨 尊이희 울월히

誓音: 「誓」의 훈은 「다디」, 「音」의 약음차는 「ㅁ」이다. 고로 전체는 「다
딤」이다. 현대어 「다짐」이다. 「맹서」이다.

深史隱: 「深」의 훈은 「깊」이고 「史」는 주체존대어 「시」(최남희 436쪽).
「隱」은 관형사형어미 「ㄴ」인데 「深史隱」은 「尊」을 꾸미는 관형어
이므로 「史(시)」에 삽입모음이 들어간 「샤」로 보는 것이 고어의 문
법이다. 고로 전체는 「깊으샨」이 된다.

尊衣希: 「尊」은 「無量壽佛」을 뜻한다. 「衣希」는 「衣」는 「이」요, 「希」는
「희」이니 전체는 「이희」로서 처소격조사이다. 이 구의 전체는 「다
딤 깊으샨 존(부처님)이희」로 되고 현대어로는 「다짐 깊으신 부처
님에게」로 된다.

仰支: 「仰」은 훈이 「울월」이다.

    ○ 仰은 울월씨라(월석 씨 p.16B)

    ○ 구부며 울어러보니(俛仰)(두시 권2-60)

    ○ 仰: 울월(훈몽자회 下27)

「支」는 「히」로 부사형어미이다(최남희 294쪽).

「仰支」는 「울월히」가 된다. 오늘날의 「우러러」이다.

이 구절의 현대말은 「맹서 깊으신 부처님 앞에 우러러」이다.

(6) 兩手集刀花乎白良: 두손 모도 고자 숣아

兩手: 두 말할 것 없이 「두손」이다.

集刀花乎: 「集刀」의 훈은 「몯」, 「刀」는 음이 「도」, 고로 「몯+도→모도」
로서 부사로 「모아서」이다. 「花」는 훈차로 「곳」. 「乎」는 「오/온/올」
등으로 읽히는데 이두집성에서는 「온」으로 기록되어 있다. 여기서
는 「오」이다. 「花乎」는 「곳+오→고조」가 된다. 이것은 이조어 「고
초」의 고대형이다. 뜻은 「주의를 기울여」 「집중하다」이다.

  ○ ᄆᆞᅀᆞᄆᆞᆯ 고초아 듣더시니(注意聽之러시니)(내훈 초2하-50)
  ○ 뭀벼리 다 北녁을 고초놋다(衆星이 皆拱北이로디)(금삼 5-44)

白良: 「白」은 훈이 「삷」이요 「良」은 이두집성에 따르면 「여/아/라」 등
다양하게 읽혀지나 여기서는 「아」로 보아야 한다. 「白良」는 「삷아」
이다. 이 구절의 현대말은 「두 손을 모아 주의를 기울여 삷아」이다.

(7) 願往生願往生

「願」은 「원하다」. 「往生」은 「극락정토에서 태어남」이다. 전체의 뜻은
「극락정토에서 태어나기를 원합니다」이다.

(8) 慕人有如白遣賜立: 그릴 사ᄅᆞᆷ 잇다 숣고시셔

慕人有如: 「慕」 훈은 「그리다」. 「人」은 「사ᄅᆞᆷ」 「有如」도 「잇다」

白遣賜立: 「白」은 「숣」. 「遣」는 음차 「고」 「賜」는 「시」, 「立」는 훈이
「셔」이다. 전체는 「숣고시셔」이다.

전체의 현대말은 「그리워할 사람이 있다고 삷으소서」이다.

(9) 阿邪此身遺也置古: 아아, 이 몸 기탸두고

阿邪: 이것은 감탄사 「아아」이다. 두자의 이두에서의 음이 모두 「아아」
　　이다.

此身: 「此」는 관형어 「이」이다. 「身」의 훈은 「몸」고로 전체는 「이몸」
　　이다.

遺也置古: 「遺」의 훈은 「기티」이다.

　　　○ 遺윙는 기틀씨라(월석 서 p.19B)

　　「也」는 이두에서 모두 「야」로 쓰이고 있으나 여기서는 「여」로 보아
　　야 어법상, 문맥상 통하게 된다.

置古: 이것은 앞에서 이미 설명된 대로 「두고」이다.

이 구절의 현대말로는 「아! 이 몸 끼쳐 두고」이다.

(10) 四十八大願成遣賜去: 四十八大願 일고실가

四十八大願: 아미타불(무량수불)이 法藏比丘이었을 때 世自在王佛에게
　　세운 誓願(選擇本願 無量壽佛 上)이나 그 내용은 제설이 구구하다
　　(불교사전 참조).

成遣賜去: 「成」의 훈은 「일」이다. 여기서는 타동사 「이루다」이다. 「遣」
　　는 음차 「고」이다. 「賜」는 주체존대어 「시」이나 「去」와의 연결상
　　「실」로 보아야 한다. 「去」는 훈차로 「가」이다. 여기서 「실가」는
　　「이루실까 이루지 못하실까?」와 같이 일종의 반어형을 나타내는
　　씨끝이다.

현대어로는 「四十八大願을 이루실까(염려됩니다)」이다.

〈옛말 전체풀이〉

들하 이데 / 西方까장 가시리고

無量壽佛알픠 / 늿곰 하 올히 숣고시셔

다딤 깊으샨 尊이희 울월히 / 두 손 모도 고자 숣아

願往生 願往生 / 그릴 사롬 잇다 숣고시셔

아아, 이 몸 기텨 두고 / 四十八大願 일고실가

〈현대말 전체풀이〉

달아(달님이여) 이제 / 서방까지 가시어

무량수불 앞에 / 보고 말씀을 아주 바르게 삷으소서

다짐 깊으신 부처님 앞에 우러러 /

두 손 모아 주의 깊게(집중하여) 삷아

정토 극락에 태어나기를 원한다는 / 그릴 사람 있다고 삷으소서

아! 이 몸 끼쳐 두고(남겨두고) /

四十八大願이 이루어지실까?(염려됩니다)

第十篇 兜率歌

1. 유사의 기록

月明師兜率歌

景德王十九年庚子四月朔, 二日竝現, 挾旬不滅. 日官奏[1]:
「請緣僧, 作散花功 德則可禳.」於是, 潔壇於朝元殿, 駕幸
青陽樓. 望緣僧. 時有月明師 行于阡陌時[2]之南路. 王使召
之, 命開壇作啓, 明奏云:「臣僧但屬於國仙之徒, 只解鄕歌,
不閑聲梵.」王曰:「旣卜緣僧, 雖用鄕歌可也.」明乃作兜率
家賦之. 其詞曰: (歌別載於下) 解曰: (解詩亦別載於下) 今
俗謂此爲散花歌, 誤矣, 宜云兜率歌. 別有散花歌, 文多不
載. 旣而, 日怪卽滅. 王嘉之, 賜品茶一襲, 水精念珠百八箇.
忽有一童子, 儀形鮮潔, 跪奉茶珠, 從殿西小門而出. 明謂
是內宮之使, 王謂師之從者, 及玄[3]徵而俱非. 王甚異之,
使人追之, 童入內院塔中而隱, 茶珠在南壁畫慈氏像前. 知
明之至德與至誠能昭假于至聖也如此. 朝野莫不聞知, 王
益敬之, 更贐絹一百疋, 以表鴻誠. 明又嘗爲亡妹營齋, 作

鄉歌祭之, 忽有驚飇吹紙錢 飛擧向西而沒. 歌曰: (歌別載於下) 明常居四天王寺, 善吹笛, 嘗月夜吹過門前大路, 月馭爲之停輪, 因名其路曰月明里, 師亦以是著名. 師卽能俊大師之門人也. 羅人尙鄉歌者尙矣, 盖詩頌之類歟, 故往往能感動天地鬼神者, 非一. 讚曰:「風送飛錢資逝妹, 笛搖明月住姮娥 莫言兜率連天遠 萬德花迎一曲歌.」

★1 <奏>자 아래 <云>자 또는 <曰>자가 누락되었다.

★2 <時>자는 잘못 덧들어간 자다.

★3 <玄>자는 아마 <互>자의 오자일 것이다.

2. 원문의 번역

월명사(月明師) 도솔가(兜率歌)

경덕왕(景德王) 十九년 경자(庚子) 四월 초하룻날 해가 둘이 나타나서 열흘이 되도록 없어지지 않았다. 천문 맡은 관리가 말하기를,

"인연이 닿는 중을 청해다가 산화 공덕(散花功德)을 행하면 이런 변괴를 막을 수 있습니다."

그래서 조원전(朝元殿)에 단(壇)을 만들어 놓고 청양루(靑陽樓)로 나가서 인연이 닿는 중을 바라고 있었다. 그때 월명사(月明師)가 언덕 남쪽 길로 지나가는 것을 불러들이라고 해서 단에 올라 의식(儀式)을 시작하게 하였다. 월명사가 말하기를.

"소승(小僧)은 단지 화랑의 무리에 속해 있기 때문에 오직 향가만 알 뿐이요 범패(梵唄)에는 익숙지 못합니다."

임금이 말하기를,

"이미 인연이 닿는 중으로 맞아들이었은즉 비록 향가를 사용하더라도 좋다."

월명사는 이에 도솔가를 지었다. 그 노래에는 이르기를,

(노래는 다음에 따로 들어 보인다)

해석하기를,

(해석하는 시도 다음에 따로 들어 보인다)

지금 세상에서 이것을 산화가(散花歌)라고 하나 잘못이다. 마땅히 도솔가라고 해야 옳다. 산화가는 따로 있는데 글이 길어서 싣지 않는다.

얼마 안 지나서 해의 괴변이 없어지고 말았다. 임금이 가상하게 여겨서 차 한 봉과 수정(水精) 염주(念珠) 백여덟 개를 주었다. 그때 어디선지 아이 하나가 깨끗하게 차리고 나타나더니 꿇어앉아서 차와 염주를 받아 가지고 왕궁 서쪽의 적은 문을 향하여 나갔다. 월명사는 왕궁 안의 심부름하는 아이거니 하고 임금은 월명사의 상제거니 하였으나 나중에 알아본즉 다 아니다. 임금이 야릇하게 생각해서 사람을 시키어 쫓아 가 보라고 하였더니 그 아이는 왕궁 안 탑 속으로 들어가서 숨고, 차와 염주는 남쪽 벽에 붙은 부처 화상 앞에 놓이어 있었다. 월명사의 지극한 덕과 지극한 정성으로 부처를 감동시킨 것이 이러하였다. 서울과 시골에 이 소문이 퍼지었으며 임금은 더욱 존경해서 다시 비단 백 필을 주어 그 큰 정성을 표창하였다.

월명사가 또 일찍이 죽은 누이를 위해서 재(齋)를 올리면서 향가를 지어서 제사를 지냈는데 홀지에 광풍이 종이돈을 불어 날려서 서쪽으로 가지고 가 버리었다. 그 노래에 이르기를,

(노래는 다음에 따로 들어 보인다)

월명사가 늘 사천왕사(四天王寺)에 머물고 있었다. 피리를 잘 불어서 일찍이 달 밝은 밤에 문 앞 큰 길로 피리를 불고 지나가는데 달이 또한 가던 길을 멈추었다. 그래서 그 길을 월명리(月明里)라고 불렀으며 월명사는 이로써 더욱 유명해졌다. 월명사는 능준(能俊) 대사의 제자다.

신라 사람이 향가를 숭상한 것은 말할 것이 없거니와 이는 대개 시와 송가의 종류인 것이다. 그렇기 때문에 이따금 천지(天地)와 귀신(鬼神)을 감동시킨 일도 드물지 않다.

그를 예찬하여 시를 지었다.

"바람에 날리는 종이돈 돌아간 누이에게 보내고 피리소리 저 달을 흔들어 항아(姮娥)도 발걸음 멈춘다. 이 세상과 도솔천(兜率天) 까마득 멀다고 이르지 말라 도솔가 한 곡조로 흩는 꽃 송이송이 미륵보살 맞이한다."

3. 노래 원문과 한시로의 번역

(원문)
今日此矣散花唱良 巴寶白乎隱花良汝隱 直等隱心音矣命叱使以惡只 彌勒座主陪立羅良

(한시로의 번역)
龍樓此日散花唱 挑送靑雲一片花 殷重直心之所使 遠邀兜率大僊家

4. 노래의 해독

(1) 今日此矣散花唱良: 오늘(今日) 이이 散花불어

今日: 「오늘」임은 재론이 필요 없다.

此矣: 「此」의 훈은 「이」, 「矣」는 처소격조사로 「이」이다(최남희 차자
   33~34쪽). 「此矣」는 「이이」이다.

散花: 이는 「散花歌」의 약칭인데 이로써 이 노래가 본래 「散花歌」로
   되어졌음을 알 수 있다.

唱良: 「唱」의 이조어는 「부르다」이다(염불본권문부편). 「良」는 「아/어」
   이나 여기서는 모음조화상 「어」이다. 고로 「唱良」는 「불어→불러」
   이다. 이 말은 「ㄹ」변칙동사이기 때문이다.

(2) 巴寶白乎隱花良汝隱: 바보슬본 곶아 너는

巴寶: 최남희 교수에 따르면 「巴」는 음이 「바」, 「寶」는 「보」, 전체는
   「바보」로 읽는데 「巴寶」는 「*바보(挑)」의 어간. 이는 번역시 「挑送
   靑雲一片花」의 「挑送」에 대용된다.

   「挑」의 자전에서의 뜻은 다음과 같다.

   ① 가릴 조(선택함), 뽑을 조

   ② 멜 조(擔挑雙草履)

   ③ 후빌 조(도려파냄)

   ④ 칠 조(준실학)(민중서림『한한대자전』)

   위에서 이 시에 해당되는 것은

   「가리다」, 「선택하다」, 「뽑다」이다.

   ○ 뽑다(拔)(同文下2) 곳굼긋 터리 뽑고(朴초上44)

   ○ 方便으로 싸혀(方便拔)(法華=62)

○ 拔은 쌔혈씨니(月釋序10)

위에서 보면 「뽑다」도 「쌔혀」도 모두 한자 「拔」로 나타나 있다. 그
래서 최 교수는 다음과 같이 가상하였다.

    *바보다 *바다〉쌔다〉쌔히다〉쌔이다〉빼다

    *봅다〉쏩다〉뽑다

이어서 「白乎隱」을 「슬본」으로 보고 「巴寶白乎隱」을 「바보슬본」으
로 읽고 현대어 「가려 뽑은」으로 풀었다(460~461쪽). 「白乎隱」은
「살본」으로 읽되 뜻은 「깨끗한」으로 푼다. 「乎」는 삽입모음. 「隱」
은 「ㄴ」으로 다음 「花」를 꾸미기 때문에 「오+ㄴ」으로 된 것은 옛
우리문법이다.

花良: 「花」는 훈이 「곶」이요 「良」는 「아」이므로 여기서는 호격조사이
    다. 즉 「花良」는 「곶아」로 된다.

汝隱: 「汝」는 훈이 「너」로 「꽃」을 가리키는 2인칭대명사이다. 「隱」은
    지정보조조사로 「는」이다. 즉 「너는」이다.

현대어로는 「가려 뽑은 깨끗한 꽃아 너는」이 된다.

(3) 直等隱心音矣命叱使以惡只: 고돈 ᄆᄉ미 命ᄉ브리옥

直等隱: 「直」의 훈은 「곧」, 「等」은 음차 「든」, 「隱」은 약음차 「ㄴ」이다.
    전체는 「곧든ㄴ→고든ㄴ→고돈」이 된다. 「等」은 「곧은→고돈」의
    말음첨기요, 「隱」은 「돈」의 받침 「ㄴ」의 말음첨기이다.

心音矣: 「心」은 「ᄆᄉᆷ」, 「音」은 「ᄉᆷ」의 약음차로 말음첨기의 「ㅁ」. 「矣」
    는 「이」로 이것은 관형격조사이다. 고로 전체는 「ᄆᄉ미」이다.

命叱: 「叱」은 목적격조사의 구실을 하는 「ᄉ」이다. 관형격조사는 「주
    어/목적어/기구격」의 구실을 대신한다 함은 전술하였다(앞 제7편

의 (6) 참조). 「命을」이 된다.

使以惡只: 「使」는 훈이 「브리」, 「以」는 「이」. 「惡」은 「오」이요(최남희
「한자음」 251쪽) 「只」는 약음자 「ㄱ」이다(최남희 한자음 252쪽).
전체는 「브리옥」으로 연결형어미 「고」의 강세형임.

전체의 현대말은 「곧은 마음의 命을 부리고」이다.

(4) 彌勒座主陪立羅良: 彌勒座主 뫼시셔라

彌勒: 미륵보살

座主: 미륵보살을 도솔천으로부터 단상고좌에 모시기 때문에 「座主」
라 하는 것이다(『고가연구』 538쪽). 뜻으로는 「님」으로 풀이되겠다.

陪立: 「陪」의 훈은 「모시다/뫼시다」이다. 「立」은 훈이 「셔다」의 「셔」이
다. 전체는 「뫼시셔」.

羅良: 「羅」는 약음차 「ㄹ」(최남희 차자 176쪽). 「良」는 「아」임은 앞에서
누누이 말하였다. 고로 전체는 「라」이다. 이 어미는 문맥으로 보아
명령형으로 보아야 한다.

〈옛말 전체풀이〉

오늘 이이 散花 불어 / 바보 슬본 곳아 너는
고든 ᄆᅀᄆᆡ 命ㅅ브리옥 / 彌勒座主 뫼시셔라

〈현대말 전체풀이〉

오늘 이에 散花歌를 불러 / 가려 뽑은 깨끗한 꽃아 너는
곧은 마음의 命을 부리고 / 미륵보살님을 뫼시어라

第十一篇 祭亡妹歌

1. 유사의 기록

云云, 明又嘗爲亡妹營齋 作鄕歌祭之. 忽有驚飆吹紙錢 飛擧向西而沒 歌曰 生死路隱 此矣有阿米次肹伊遣 吾隱去內如辭叱都 毛如云遣去內尼叱古 於內秋察早隱風未 此矣彼矣浮良落尸葉如 一等隱枝良出古 去奴隱處毛冬乎丁 阿也 彌陁刹良逢乎吾 道修良待是古如 明常居四天王寺 善吹笛 嘗月夜吹過門前大路 月馭爲之停輪 因名其路曰月明里 … 羅人尙鄕歌者尙矣 盖詩頌之類歟 故往往能感動天地鬼神者非一. (이 글은 月明師 兜率歌 중의 일부이다.)

2. 원문의 번역

　월명사는 또 죽은 누이동생을 위하여 재를 올리면서 향가를 지어 제사를 지냈는데 문득 회오리바람이 일어나더니 종이돈을 날려

서쪽으로 사라지게 하였다. 그 향가는 다음과 같다(노래는 3의 원문 참조).

월명사는 언제나 사천왕사에 살면서 피리를 잘 불었다. 일찍이 달밤에 피리를 불며 문 앞의 큰길을 지나가자, 달이 그를 위하여 운행을 멈추었다. 이 때문에 이 길을 월명리라 하였으며… 신과 사람들은 향가를 숭상한 지가 오래되었는데, 대개 시가와 농가 같은 것이었다. 그래서 이따금 천지와 귀신을 감동시키는 경우가 한두 번이 아니었다.

3. 노래의 원문

生死路隱 此矣有阿米次肹伊遺 吾隱去內如辭叱都 毛如云
遺去內尼叱古 於內秋察早隱風未 此矣彼矣浮良落尸葉如
一等隱枝良出古 去奴隱處毛冬乎丁 阿也 彌陀刹良逢乎吾
道 修良待是古如
月明師

4. 노래의 해독

(1) 生死路隱: 生死路는 (또는 죽사릿길흔)

生死路:「死生」이 「죽사리」이므로 「生死路」는 「죽사릿길」로 풀이할 수 있다.

　　○ 須彌山 베운이른 <u>죽사리</u>롤 버서날 느지오(월석 1-173)

○ 내 조흔 힝뎌글 닷가 일업슨 道理를 求 ᄒᆞ노니 죽사릿因緣은 듣디 몯호

려다(월석 1-11B)

○ 힝뎌기 조티 몯ᄒᆞ야 輪廻를 벗디 몯ᄒᆞᄂᆞᆫ 根源일씨 죽사릿 因緣이라

하리라(월석 1-12A)

路隱: 「路」는 훈이 「길ㅎ」, 「隱」은 지정도움토씨 「는/은」이다. 전체는

「길흔」이다.

(2) 此矣有阿米次肹伊遺: 이에 이샤미 머물히고

此矣: 이조어는 「잉어긔/이어긔/이어긔」 등이나 여기서는 「이에」로 푼다.

○ 文殊師利여 내 의에 이셔 보며 드루미 이러ᄒᆞ며(석보 13-18)

○ ᄒᆞ다가 이에롤 向ᄒᆞ야 보믈 시러 ᄉᆞ무면(금상 4: 62-63)

有阿米: 「有」는 「잇」 「阿」는 「아」, 「米」는 음이 「미」이다. 『고가연구』

541쪽에서는 「이샤매」로 읽었는데 「잇+오+ㅁ→이샴」에 조사 「애」

가 와서 「次肹伊」를 꾸미는 부사구라 하였다. 옛말에서 명사형

에는 삽입모음 「오/우」가 오는 것이 문법이다. 현대어로 「있음에」

이다.

次肹伊遺: 「次」의 뜻은 「머물(다)」이고 「肹」는 「ㅎ」, 「伊遺」는 「이고」이

다. 전체는 「머물히고」로 현대어로는 「머물거니와」이다.

현대어로는 「여기에 있으매 머물거니와」이다.

(3) 吾隱去內如辭叱都: 나는 가ᄂᆞ다 말ㅅ도

吾隱: 「吾」의 훈은 「나」. 「隱」은 보조조사 「는」으로 전체는 「나는」이

된다.

去內如: 「去」의 훈은 「가」. 「內」의 이두에서의 음독은 「ᄂᆞ」로 현재시제

어미이다. 「如」는 종결형어미로 훈을 따서 「다」이다. 전체는 「가ᄂ
다」이다. 현대어로는 「간다」이다.

辭叱都: 「辭」의 훈은 「말」이요 「叱」은 사잇시옷 「ㅅ」이다. 「말」에 「ㅅ」
을 붙인 이유는 「ㄹ」받침 다음의 조사 「도」는 된소리로 나기 때
문에 표기와 발음을 일치시키기 위해서이다. 실제 발음은 「말쏘」
였다. 「都」는 역시보조조사 「도」이다. 현대어로는 「나는 간다(는)
말도」가 된다.

(4) 毛如云遺去內尼叱古: 모다 니ᄅ고 가ᄂ닛고

毛如: 「毛」는 음이 「모」. 「如」는 훈차 「다」로서 「毛」의 말음첨기이다.
따라서 「毛如」은 이조어로는 「몯」으로 현대어 「못」이다. 「못」은 이
조 중기 이후의 기록이다.

云遺: 「云」은 훈이 「니ᄅ다」이다. 「遺」는 차례연결형어미 「고」이다. 전
체는 「니ᄅ고」이다.

去內尼叱古: 「去」의 훈은 「가」. 「內」는 현제시제어미 「ᄂ」. 「尼」는 어미
「니」. 「叱」은 「尼」의 말음첨기의 「ㅅ」. 「古」는 서술의문형어미이다.
현대어로는 「못 이르고 갑니까」이다.

(5) 於內秋察早隱風未: 어ᄂ ᄀᅀᆞᆶ 이른 ᄇᄅᆷ미

於內: 「於」의 음은 「어」, 「內」의 이두에서의 음은 「ᄂ」 전체는 「어ᄂ」
이다.

秋察: 「秋」는 「ᄀᅀᆞᆶ」(이조초기). 「察」은 훈이 「술피」이다. 「ᄀᅀᆞᆶ」의 「ᇙ」
의 표기이다. 「ᄀᅀᆞᆶ」은 「秋察尸 秋察羅」로 표기되기도 하였다.

　　○ 秋察尸不冬爾屋支墮米(怨歌)

　　○ 覺月明斤秋察羅波處也(請転法輪歌)

早隱風未: 「早」는 훈이 「이른」이다.

○ ᄀ렰 ᄉᆡ 비록 더우나 외 니구믄 ᄯᅩ <u>이르디</u> 아니ᄒᆞ도다(江門雖炎瘴
瓜 熟亦不早)(두시 초15-18)

○ 早: <u>이를</u> 조(천자-석33)

○ 봆빗 나미 <u>이르고</u>(生春早)(두시 초23-33)

隱: 독음 「은」이나 여기서는 「르」의 말음첨기 「ㄴ」이다.

風未: 「風」의 훈은 「ᄇᆞᄅᆞᆷ」. 이조 중기 이후로는 「ᄇᆞ람」으로 나타난
다. 「未」는 음차 「미」(최남희 「차자」 16~19쪽)로 처소격조사이다.

전체 현대어로는 「어느 가을 이른 바람에」이다.

(6) 此矣彼矣浮良落尸葉如: 이이뎌이 ᄠᅥ어질닙다이

此矣彼矣: 「此」의 훈은 「이이」인데 「矣」는 「이」로 처소격조사. 「彼」의
훈은 「뎌」이다. 「矣」는 처격조사 「이」이다.

○ 뎌 衆生이 ᄯᅩ ᄒᆞᆫ 모미 滅ᄒᆞᆯ시(원각형 上 二六二-36)

○ 彼: 뎌피(유합 下6B)

전체는 「이이 뎌이」이다.

浮良落尸: 「浮」의 훈은 「ᄠᅳ」, 「良」는 음차로 모음조화에 따라 「어」. 「落」
의 훈은 「디」이다. 「尸」는 관형사형어미 「ㄹ」이다. 전체는 「ᄠᅥ어딜」
이다.

○ 眼根은 밧긔 ᄠᅥ(眼根外浮)(능-47)

○ 南녁 벼리 故園으로 뎌 가놋디(南星落故園)(두시 초21-23)

여기에서 우리 조상들의 조어법이 얼마나 과학적인가를 알 수 있
다. 「떨어지다」는 「떠서 내리다」이니 참으로 놀랄 만한 일이다.

葉如: 「葉」의 훈은 「닙」. 「如」의 훈은 「답다」인데 여기서는 부사형 「다

이」로 풀어야 한다. 따라서 「닙다이」이다.

전체 현대어로는 「여기 저기 떨어질 나뭇잎 같이」로 된다.

(7) 一等隱枝良出古: ᄒᆞ둔 가지애(가재) 나고

一等: 음이 「ᄒᆞ둔」(계림유사)이다. 「유사」에는 「等焉」으로 되어 있다.

　　○ 白帝 ᄒᆞ 갈해 주그니(용비 22)

　　○ ᄒᆞ 변도 디만ᄒᆞᆫ 일 업수니(석보 6-4)

枝良: 「枝」는 훈이 「가지」, 「良」는 처소격조사 「애」이다. 전체는 「가지애」인데 줄어서 「가재」가 된다.

　　○ 부야미 가칠 므러 즘겟가재 연즈니(용가 7장)

出古: 「出」의 훈은 「나」. 「古」는 음차로 「고」이다. 따라서 풀이는 「나고」이다.

현대어로서는 「한 가지에(서) 나고」이다.

(8) 去奴隱處毛冬乎丁: 가논곧 모ᄃᆞ론뎡

去奴隱處: 「去」의 훈은 「가」. 「奴」는 삽입모음 즉 「ᄂᆞ+오→노」형. 여기에 관형사형 「隱」 즉 「ㄴ」이 합하여 「논」이 되어 「處」를 꾸민다. 여기에 굳이 「好」나 「乎」를 쓰지 않고 「奴」를 사용한 까닭은 「奴」가 여자의 경칭에 쓰는 글자이기 때문이다.

　　○ 訓民正音은 百姓 ᄀᆞ로치시논 正ᄒᆞᆫ소리라(훈민정음)

여기의 「논」은 「ᄂᆞ+오+ㄴ→논」이 되어 다음 말을 꾸미는 관형어가 되었는데, 관형어가 될 때는 삽입모음 「오/우」가 들어가는 것이 옛 우리말의 어법이었다. 「處」의 훈은 「곧」이다.

○ 處는 <u>고디라</u>(월석 서-20)

○ 곧마다 프른 ᄀᆞ른미 힌 말와믈 씌챳ᄂᆞ니(處處靑江帶白蘋)(두시 초
21-3)

毛冬乎丁: 「毛冬」은 「모들오뎡→모ᄃᆞ로뎡」으로 현대어로는 「모를망정」
이다.

(9) 阿也彌陀刹良逢乎吾: 아으 彌陀刹애 마졸 나

阿也: 감탄사 「아으」. 「良」은 처소격조사 「에」이나 모음조화에 따라 「애」
로 푼다.

逢乎吾: 「逢」의 훈은 「만나」. 「맞」 「맛보다」이다. 「乎」는 「오」인데 「逢
乎」가 「吾」를 꾸미니까 「乎」는 삽입모음이다. 「乎」는 「올」로 보아
야 하는데 그래야 「吾」를 꾸밀 수 있기 때문이다.

○ …禁刑日良中決斷爲在乙良笞四十<u>爲乎</u>事(大明律 28-19A)

○ 失者乙良各減三等<u>爲乎</u>事(大明律 28-18B)

○ 依律論罪貼役<u>爲乎</u>事(大明律 28-17B)

위에서 보는 바와 같이 「爲乎」로 쓰고 「ᄒᆞ올」로 읽은 듯하다. 이런
예가 「대명률」에는 많이 나타난다. 「吾」는 「나」이다. 앞에서 「逢」
의 훈이 셋인데 어느 것을 택할 것이냐 문제이나 『고가연구』에서
「마조」로 풀었으므로 여기서도 「마조」로 풀어 전체는 「마졸 내」가
된다. 여기 「吾」를 「내」로 푼 이유는 다음 구절의 주어가 되기 때문
이다. 이 구절의 현대어로는 「아! 미타찰에서 만날 내가」로 된다.

(10) 道修良待是古如: 道 닷가 기드리고다

道修良: 「道」는 「불도」. 「修」의 훈은 「닭」이요 「良」의 음은 「아」이므로
전체는 「닭아→닷가」로 된다.

待是古如:「待」의 훈은 「기두리다(걸대초 하-17), 기들오다(번소 9- 104), 기들우다(번소 9-105), 기다리다(삼략 상10), 기도로다(역어유 하45), 기돌오다(노걸대 하18, 용비 10), 기드리다(석보 상6-11B), 기들오다(두해 초20-24), 기들우다(몽산-5), 기들이다(소학 해2: 41~42)」 등 다양하나, 가장 오래된 말은 「기드리다」이다. 이에 따라 「待」는 「기드리」이고 「是」는 훈이 「이」이다. 고로 「待是」는 전체 「기드리」로 푼다. 「古如」는 「고다」이다. 이 구절의 현대말 풀이는 「도를 닦으며 기다리겠다」이다.

〈옛말 전체풀이〉
生死路는 / 이에 이샤미 머믈히고
나는 가느다 말ㅅ도 / 모다 니르고 가느닛고
어느ᄀ슬 이른 ᄇᄅ미 / 이에뎌에 ᄠ어딜 닙다이
ᄒᄃᆫ 가지애 나고 / 가논 곧 모드론뎌
아으 彌陀利애 마졸 나 / 道닷가 기드리고다

〈현대말 전체풀이〉
죽사릿길은 / 여기에 있으매 머물거니와
나는 간다는 말도 / 못 이르고 갑니까?
어느 가을 이른 바람에 / 여기저기에 떨어지는 잎같이
한 가지에 나고 / 가는 곳 모를망정.
아, 미타찰에서 만날 나는 / 도를 닦으며 기다리겠다

第十二篇 慧星歌

1. 유사의 기록

融天師彗星歌 眞平王代
第五居烈郞, 第六實處郞(一作突處郞) 第七寶同郞等―三
花之徒, 欲遊楓岳, 有彗星犯心大星, 郞徒疑之, 欲罷其行.
時, 天師作歌歌之, 星怪卽滅。 日本兵還國, 反成福慶. 大王
歡喜. 遣郞遊岳焉. 歌曰(歌別載於下)

2. 원문의 번역

융천사(融天師) 혜성가(彗星歌) 진평왕대(眞平王代)

다섯째의 거렬랑(居烈郞), 여섯째의 실처랑(實處郞)(한편으로는 돌처
랑(突處郞)이라고 한다.), 일곱째의 보동랑(寶同郞) 등 세 화랑의 무리가
금강산 유람을 떠나려고 하던 차에 심성(心星)의 큰 별이 있는 근처
에 혜성(彗星)이 나타나니 화랑의 무리는 겁이 나서 유람을 중지하려

고 하였다. 그때 융천사(融天師)가 노래를 지어 불렀더니 혜성도 고만 없어지고 일본 군사도 저의 나라로 돌아가서 도리어 경사를 이루게 되었다. 임금이 기뻐서 화랑들을 보내어 금강산을 유람케 하였다. 그 노래에 이르기를,

(노래는 다음에 따로 들어 보인다)

3. 노래의 원문

舊理東尸汀叱 乾達婆矣 遊烏隱城叱肹良望良古 倭理叱軍 置來叱多 烽燒邪隱邊也藪耶 三花矣岳音見賜烏尸聞古 月 置八切爾數於將來尸波衣 道尸掃尸星利望良古 彗星也白 反也人是有叱多 後句 達阿羅浮去伊叱等邪 此也友物比所 音叱彗叱只有叱故

4 노래의 해독

(1) 舊理東尸汀叱乾達婆矣: 녀리싯믉ᄀᆞᆺ 乾達婆의

舊理:「舊」의 훈은 「녜」.「理」는 「리」 전체는 「녜리」

　　○ 녜 디나건 녜닛 時節에 盟誓發願혼 이룰 혜논다(석 상6-8A)

　　○ 軍客이 녜와 다ᄅᆞ샤(軍客異昔)(용비 51장)

　　舊理를『고가연구』에서 「녜」로 읽었다.「理」를 「ㅣ」로 풀었는데 「理」
는 「거느리다」「꾸미다」 하는 뜻이 있으므로 「東尸-乾達婆」까지를 총
괄하여 「舊」가 꾸민다는 뜻으로 쓰인 것으로 본다. 전체는 「녜리」임.

東尸: 「東」의 훈은 「식」. 「尸」는 「ㅅ」으로 전체는 「싟」이다.

汀叱: 「汀」의 훈은 「믌ㄱ」이다.

　　○ 沙苑은 홧돈 믌ㄱㅅㅣ 섯것도다(沙苑交廻汀)(두시 권6-18)

　　○ 汀, 洲, 渚, 沚: 믓ㄱ(훈몽 4)

乾達婆矣: 「乾達婆」를 『고가연구』에 따르면 梵 「간달바」로 그 본뜻은 「嗅香(후향)」 八部衆의 하나인 天樂神의 이름이나 「尋香」의 뜻으로 西域에서 「배우」의 일컬음이 되었다. 대개 서역 풍속에 배우가 흔히 남의 집 음식 냄새를 맡아가며 작업, 구걸하기 때문이다. 현대어의 「건달」 역시 「不作生業 只尋飮食之氣」하는 유의 사람의 범칭이다.

　　○ 什曰, 乾達婆, 天樂之神也 處地十寶山中 天欲作樂時 此神體上有相出 然後上天也(注維摩經一)

이로써 「乾達婆」를 「신기루」라 한다.

矣: 음차 「의」. 「소유격조사」로 문맥에 따라 주격으로 풀이할 수 있다.

이상 현대어로는 「옛날(의) 동쪽(의) 물가의 건달파의(신기루의)」.

(2) 遊烏隱城叱肹良望良古: 놀온 잣흘란 브라고

遊烏隱: 「遊」의 훈은 「놀」. 「烏」는 삽입모음 「오」. 「隱」은 관형사형어미 「ㄴ」이다. 「遊烏隱」이 다음 말 「城」을 꾸미기 때문에 반드시 「삽입모음+ㄴ」의 형식을 취해야 함은 옛 우리의 문법이다.

　　○ ᄒᆞ마 道胎에 노라 親히 覺胤을 바도미(旣游道胎ᄒᆞ야 親奉覺胤호미)(능엄 8-24)

　　○ 先主人廟애 다시 놀오 少城闉으로 ᄯᅩ 디나가라(重游先主廟 更歷少城闉)(두시 초20-29)

城叱肹良: 「城」은 「잣」. 「叱」은 「잣」의 말음첨기. 「肹」은 목적격조사

「홀」「良」은 「란」이다(최남희 한자음 208쪽, 363쪽). 전체는 「잣흘란」이 된다.

望良古: 「望」의 훈은 「ᄇ라다」이고 「良」는 「라」로 「ᄇ라」의 말음첨기이다. 「古」는 음차 「고」인데 「古」는 본래 종결형어미이나 여기서는 연결형어미로 쓰였다. 향가에서 「古」가 연결형어미로 쓰인 예가 다섯 개 정도가 된다.

현대어로는 「노니던 잣을 바라보고」로 된다.

(3) 倭理叱軍置來叱多: 예릿 군두 옷다

倭理叱: 「倭」의 훈은 「예」. 「理」는 「리」, 「叱」은 사이시옷 「ㅅ」이다.

  ○ 請으로 온 <u>예</u>와 싸호샤(見請之倭與之戰鬪)(용가 7-16)

  ○ 마초와 녀름 사오나와 釜山 개 <u>예</u>돌히 흐터 나와 도죽ᄒ다가(値年飢 釜山浦倭奴 四散剽掠)(속삼 효-24)

軍置: 「軍」은 「군사」. 「置」는 훈을 취하여 「두」이다. 전체는 「군두」이다.

來叱多: 「來」의 훈은 「오다」의 「오」. 「叱」은 과거를 나타내는 시제표시 형태소 「ㅅ」. 「多」는 종결형어미 「다」이다. 전체는 「옷다」이다. 「如」와 「多」가 어떻게 종결형어미로 쓰이는가 문제이나 다음 예를 보자.

  ○ 古如, 叱如, 去如, 來如, 去遣者如

  ○ 置內乎多 「來叱多 都乎隱以多 有叱多」

위 통계에서 보면 「如」는 어간 밑에 바로 쓰이거나 소원의 어미 끝에 쓰였는데 대하여 「多」는 그 앞에 「叱」이 오거나 어미가 많을 때 쓰임을 알 수 있다.

「來叱多」는 현대어로는 「왔다」이다.

전체의 현대어로는 「왜의 군도 왔다」이다.

(4) 烽燒邪隱邊也藪耶: 烽ᄉ란 ᄀᅀᅣ수라.

烽: 이의 훈은 「봉화」이다.

　　○ 烽火ᄉ브리 오ᄋ로 긋디 아니ᄒᆞ도다(두시 24-8)

　　○ 烽火ㅣ 바미 비취여시니(두시 2-62)

燒邪隱: 「燒」의 훈은 「슬」이다.

　　○ 燒ᄂᆞᆫ 슬씨요(월석 21-76)

　　○ 두 남ᄀᆞᆯ 스ᄂᆞ니(燒)(원상 2의1-48)

　　○ 슬 쇼(燒)(훈몽자 下35)

邪隱: 「邪」의 음은 「아」(최남희 차자 83쪽)로 과거시제 어미 「隱」은 관
　　형사형어미 「ㄴ」. 전체는 「안」이고 「烽燒邪隱」은 「烽슬안→烽ᄉ란」
　　이 된다.

邊也藪耶: 「邊」의 훈은 「ᄀᆞᆺ/ᄀᆞᆽ」이다.

　　○ 녜 ᄀᆞᆽ 버흰텄 길혜 金銀琉璃玻瓈로 뫼호아 밍ᄀᆞᆯ오(월석 7-64)

　　○ 큰 智慧 通達ᄒᆞ샤 뎌 녁 ᄀᆞᅀᅢ 걷나 가샤 일후미 너비 들여(석보 상13-4B)

也藪耶: 「也」의 음은 「야」, 「藪」는 「수/슈」「耶」는 종결어미로서 「라」
　　이다(최남희 차자 83쪽). 전체는 「야수라」로 된다.

　　○ 소ᄂᆞᆫ ᄒᆞ미 醉커ᄂᆞᆯ 내 ᄒᆞ오ᅀᅡ 씨야소라(두시 초8-31)

위의 「야소라」는 감탄형어미로 보아진다. 「邊也藪耶」는 「ᄀᆞᆽ야수라
→ᄀᆞᅀᅣ슈라」로 볼 수도 있는데, 전체는 「烽ᄉ란 ᄀᆞᆽ야수라」로 본다.
현대어로는 「봉화를 피운 변새로구나」가 된다. 즉 「성을 바라 왜군
이 왔다고 봉화를 피운 그 성이 바로 내가 바라본 그 변새의 성이로
구나」의 뜻이다.

(5) 三花矣岳音見賜烏尸聞古: 三花의 오름 보샬듣고

三花矣: 「三花」는 「세 화랑」의 뜻이다. 「花」는 「花郞」의 본뜻이라 한다 (『고가연구』 584쪽). 「矣」는 소유격조사 「의」. 전체는 「三花의」가 된다.

岳音見賜烏尸: 「岳音」은 「오름」, 「岳」의 훈은 「오릭」이다. 「音」은 「ㅁ」 으로 「오름」의 말음첨기이다.

○ 以岳爲兀音(耽羅志)(『고가연구』 584쪽)

見賜烏尸: 「見」의 훈은 「보」, 「賜」의 음은 「시」, 「烏」는 삽입모음 「오」 로 「尸」를 취하여 ㄹ명사형을 만들었다. 전체는 「보시+오+ㄹ→보 샬」이 된다. 「시+오」는 「샤」가 된다. 이 전체는 명사형으로 「오름 보샴을」이 된다. 현대어로는 「오른 것을 보셨음을」이 된다.

聞古: 「聞」의 훈은 「듣」. 「古」는 연결어미 「고」. 모두 「듣고」이다.

전체의 현대어로는 「세 화랑이 산에 올랐음을 보셨다는 말을 듣고」이다.

(6) 月置八切爾數於將來尸波衣: 돌두 바지러이 디녀올 바이

月置: 「月」은 「돌」, 「置」의 훈은 「두」 이것은 역시보조조사 「도」의 고 형이다.

八切爾: 「八」의 음은 「밣」이다.

○ 비록 알오져 ᄒ리라도 亦역不붏過광八밣相샹而싱止징ᄒᄂ니라(석보상 절 서3A)

○ 또 八밣相샹을 넘디 아니 ᄒ야서 마ᄂ니라

○ 三삼乘씽을 크게 여릭시며 八밣敎골롤 너애 부르샤(월석 서7A)

切: 음차 「질」이다.

○ 臨皐고郡 本切也火郡 今永州(三國史記34地理一)

○ 노푼 디 디러 보미 空흔 想이어늘 二臨高ㅣ 空想이어늘(능엄 10: 80)

○ ᄀᆞᄅᆞ몰 지러 볼 자뱃던 이를 다시 어도미 어렵도다(臨江把臂難再得)(두
시 권4-32)

爾: 음은 「이」.

위의 「八切爾」는 「바잘이→바지리」로 된다. 그런데 「바지로이=솜
씨 좋게, 교묘하게」가 있다.

○ 새뱃 곳고리는 내 눉믈 흐르게 호믈 바지러이 ᄒᆞ고 ᄀᆞᄒᆞᆳ ᄃᆞ 룬 내ᄆᆞ숨
슬케호믈 아라 ᄒᆞᄂᆞ다(曉鶯工迸淚 秋月解傷神)(두시 초20-27)

○ 가ᅀᆞ멸며 貴호ᄆᆞᆫ 반드기 브즈런ᄒᆞ며 辛苦호ᄆᆞᆯ 브터 얻ᄂᆞ니 男兒ㅣ 모로
매 다ᄉᆞᆺ 슬윗 글워를 닐굴 디니라(富貴必從勤苦得 男兒須讀五車書)(두
시 초7-31)

○ 부톄 세 번 付囑ᄒᆞ샤 以示勤ᄒᆞ야시ᄂᆞᆯ(범화 6-125)

○ 勤 브즈런 근(신합 하-9)

위의 「바지러이」와 「브즈런」하고를 비교하면 「八」의 음이 「밣」이
므로 「바지러이」에 가깝다고 보아진다. 「브즐브즐」의 뜻은 「자질
구레하다」이니 「달」에 대한 수식어로도 맞지 않다. 고로 여기서는
「八切爾」를 「바지러이」로 푼다.

數於: 「數」는 훈이 「혜」이다.

○ ᄇᆞᄅᆞ맷 빗돗ᄀᆞ란 驛亭을 혜다라(風帆數驛亭)(두해 초8-39)

於: 음차 「어」로서 「혜」의 말음첨기이다. 고로 뜻은 「혜다」는 「밝
히다」의 뜻이다.

將來尸: 「將」은 「가지다」, 「지니다」의 뜻이 있다. 고로 「디녀」로 풀고
「來」는 「오」이고, 「尸」는 「ㄹ」로 전체는 「디녀올」이다. 이 구절의
현대어로는 「달도 바지러이(교묘하게) 밝힐 바에」로 된다. 여기서
「혜다」는 훈만 따서 「밝히다」의 뜻으로 쓰였다.

波衣: 「波」는 음 「바」, 「衣」는 처소격조사로 「이/의」이다. 전체는 「바이」

이다. 전체 현대어로는 「달도 교묘히 헤아릴(밝힐) 바에」가 된다.

(7) 道尸掃尸星利: 望良古 길쁠 벼리 브라고

道尸: 「道」는 「길」, 「尸」는 「길」의 말음첨기.

掃尸: 「掃」는 「쁠」, 「尸」는 「쁠」의 말음첨기.

星利: 「星」은 「별」, 「利」는 「별」의 말음첨기.

    즉 「별리→벼리」로 된다.

        ○ 조흔 싸흘 믈 쓰려 쁠오 노픈 참 밍글오(월석 9-39)

        ○ 별 爲星(해려 26)

여기의 「길 쓸 별」은 혜성의 별칭이다. 즉 가스 상태의 빛나는 긴 꼬리를 끌고 해의 둘레를 긴 타원형이나 포물선을 그리며 운동하는 별, 해에 가까이 오면 몸이 작아지고 빛이 밝아진다. 여러 해를 두고 한 번씩 나타나는데, 옛날에는 요성(妖星)이라 하여 이 별이 나타나는 것을 언짢게 생각하였다. 〈비슷〉 꼬리별, 미성, 살별.

望良古: 「望」은 「브라」, 「良」은 「브라」의 「라」을 위한 표기 즉 말음첨기. 「古」는 연결형어미 「고」이다.

현대말로는 「꼬리별(혜성)을 바라보고」이다.

(8) 慧星也白反也人是有叱多: 慧星여 슬븐 년기잇다

慧星: 「慧」는 「혜성」 앞에 말한 「꼬리별」. 「也」는 감탄호격조사 「여」

白反: 「白」은 「솗」

    ○ 白是: 「솗이」(유서필지: 이두휘편)

    ○ 白等: 「솗등」(羅麗吏讀 話繹)

    反: 음이 「반」이나 여기서는 「븐」으로 읽어야 한다.

○ 部曲: 廣反岩(세종실록 지리지 충주목)

이 部曲의 옛 이름은 「廣反岩」으로 「너븐바회」로 읽힌다(『고가연구』

594쪽).

也人是: 「也」는 「他」와 통하는 자이므로 (모로바시 권1 391쪽의 十四)

최남희 교수는 전체는 「년기」로 풀고 「也人是」가 주어요 「有叱多」

는 서술어라 풀었다. 여기서 이에 따른다. 뜻은 「여느 사람」이다.

有叱多: 「有」는 「잇」, 「叱」은 「잇」의 말음첨기. 「多」는 「叱」 다음에는

반드시 쓰였던 종결형어미 「다」이다. 전체는 「잇다」이다. 이구의 풀

이는 「혜성이여, 슬븐 년기 잇다」이다.

(9) 後句達阿羅浮去伊叱等邪: 아아, 돌아라 뻐가잇ᄃ라

後句: 「後句」는 그대로 두는 것이 좋겠으나, 향가이므로 감탄사로 보아

「後句」로 보고 음은 「아아」이다(최남희: 차자 83쪽).

達阿羅: 「達」은 「돌」로 「달(月)」을 나타낸다(『고가연구』 56쪽). 「阿」는

「아」, 「羅」는 『고가연구』(596쪽)에서는 「래」로 읽고 있다(차자 113

쪽). 글쓴이는 「라」로 읽는다. 따라서 「阿羅」는 「아라」이다.

  ○ 이 총이ᄆ리 나히 언멘고 네 니자바 보라 내 보과라 <u>아라웃</u> 고리 다

  업다 ᄀ장 늙도다(這箇靑馬多少歲數 你只拿着牙齒看 我看了也上下衢

  都沒有 十分老了)(노번 하-8)

  ○ 거미를 입 가온디 브ᄅ고 <u>아라웃</u> 니를 두드려 보디 바르거든 말라(蜘蛛

  摩其偏急處 叩齒 侯正則止)(구간 1-22)

  ○ 믌 골 <u>아라우히</u> 썬디 아니ᄒ샤 ᄒ 가지로 充實ᄒ시며(월석 2-41)

  ○ ᄯ 몰애를 봇가 주근 사ᄅ믈 두푸디 <u>아라우히</u> 몰애잇고(又方熬 沙覆死

  人 上下有沙)(구방 상-72)

浮去伊叱等邪: 「浮」는 「ᄠ」, 「去」는 「가」. 「伊」는 「이」. 「叱」「ㅅ」「等邪」

는 「ᄃ라」이다.

고로 「浮去→ᄠ가」, 「伊叱–잇」 「等邪→ᄃ라」 전체는 「ᄠ가잇ᄃ라」
이다. 현대어로는 「떠갔더라」이다. 즉 「사라졌도다」이다.

현대어로 전체는 「아아, 달 아래 떠갔더라」인데 다시 정리하면 「아아,
달 아래로 사라졌도다」가 된다.

(10) 此也友物北所音叱彗叱只有叱故: 이에 벋물 배ᄉᆞᆷ彗ᄉ다ᄆᆞ니실고
此也: 「이에」이다. 「友物叱」은 「버믈ᄉ」 「所音叱」 「바의」
友物北所音叱: 「友」는 「벗」이나 여기서는 「벋」으로 읽고 「物」은 「무리」
로, 전체는 「벋물」로 현대어로 「벗의 무리」인데 의역하면 「뭇별들」
이다. 「北所音叱」의 「北」은 현대어 뜻이 「나누다/달아나다」이고
이때의 음은 「배」이다. 「所音」은 「ᄉᆞᆷ」. 「叱」은 사이시옷이다. 전체
는 「배ᄉᆞᆷ」으로 현대어로 「달아난」인데 의역을 하면 「사라진」이다.
즉 「사라졌는데」이다.
彗叱: 이는 「彗ᄉ」=「헷별」이다(『고가연구』 607쪽). 「只」는 뜻이 「다만/
그대로」이다.
有叱故: 「有」는 「잇」, 「叱」은 「ᄉ」으로 「잇」의 말음첨기. 「故」는 「古」와
뜻이 같으므로 「古」로 보아도 좋다. 「故=古」는 의문종결어미이다.
즉 현대말로 「있을까?」이다.

현대말로는 「이에 뭇별들이 사라졌는데 혜성이 그대로 있을까?」이다.

　〈옛말 전체풀이〉
녜리싯믌ᄀᆞᆶ 乾達婆의 / 노론 잣흐란 ᄇ라고

예릿 군두 옷다 / 烽ㅅ란 ㄱ샤수라

三花의 오름 보샬 듣고 / 돌두 바지러이 디녀올 바이

길쓸 벼리 ᄇ라고/ 彗星여 솔본녀기 잇다

아아, 돌아라 ᄠ더가잇ᄃ라 / 이에 벋믈 배슴ㅅ 彗ㅅ 다믄 이실고

<현대말 전체풀이>

물가(동해가) 건달파의 / 노닐던 성을 바라보니 그 성이 바로

왜군도 왔다고 / 봉화를 피운 변방이로구나.

세 화랑이 산에 오름을 보았다는 말을 듣고 / 달도 교묘히 밝히는데

혜성을 바라보고 / 혜성이여 아뢸 사람이 있다.

아아, 달 아래로 사라졌구나. /

이에 뭇별들이 사라졌는데 혜성이 그대로 있을까?

第十三篇 怨歌

1. 유사의 기록

信忠掛冠

孝成王潛邸時, 與賢士信忠圍碁於宮庭柏樹下, 嘗謂曰:「他日若忘卿, 有如柏樹.」信忠興拜. 隔數月, 王卽位, 賞功臣, 忘忠而不第之. 忠怨而作歌, 帖於柏樹, 樹忽黃悴. 王怪, 使審之, 得歌獻之, 大驚曰:「萬機鞅掌, 幾忘乎角弓.」乃召之, 賜爵祿, 柏樹乃蘇. 歌曰: (歌別載於下) 由是, 寵現於兩朝, 景德王(王卽孝成之弟也) 二十二年癸卯 忠與二友相約, 掛冠入南岳, 再徵不就. 落髮爲僧, 爲王創斷俗寺居焉. 願終身立壑, 以奉福大王, 王許之. 留眞在金堂後壁是也. 南有村名俗休, 今訛云小花里 (按三和尙傳: 有信忠奉聖寺, 與此相混. 然計其神文之世, 距景德已百餘年, 況神文與信忠乃宿世之事, 則非此信忠明矣. 宜詳之). 又別記云: 景德王代, 有直長李俊(高僧傳作李純) 早曾發願, 年至知命, 須出家創佛寺. 天寶七年戊子, 年登五十矣, 改創槽淵小寺爲大

刹, 名斷俗寺. 身亦削髮, 法名孔宏長老, 住寺二十年乃卒.
與前三國史所載不同, 兩存之闕疑. 讚曰: 功名未已鬢先霜
君寵雖多百歲忙 隔岸有山頻入夢 逝將香火祝吾皇.

2. 원문의 번역

신충 괘관(信忠 掛冠)

효성왕(孝成王)이 왕위에 오르기 이전 신충(信忠)이라는 어진 선비
와 더불어 대궐 뜰에 선 잣나무 아래에서 바둑을 두다가 한 번 이렇
게 말한 일이 있다.

"이담에 내가 만약 그대를 잊어버린다면 저 잣나무를 두고 맹
세한다."

신충이 그 말을 듣고 일어나서 절까지 하였다. 두어 달이 지나서
왕이 왕위에 오른 뒤 공로 있는 신하들을 모두 표창하면서 신충만은
잊어버리고 한몫 끼워 주지 못하였다. 신충이 원망스러워서 노래를
지어 잣나무에 붙이었더니 그 나무가 갑자기 누렇게 시들어 버리었
다. 왕이 야릇하게 생각하고 사람을 보내 본 결과 노래를 가져온지라
왕이 크게 놀래서 이렇게 말하였다.

"정무가 복잡해서 가깝게 지내던 사람을 잊어버릴 뻔 하였고나."

곧 불러다가 벼슬을 시키었더니 잣나무가 살아났다. 노래에 이르
기를,

(노래는 다음에 따로 들어 보인다)

이로부터 두 왕대에 걸치어 임금에게 총애를 받고 등용되었다.

경덕왕(景德王)(왕은 곧 효성(孝成)의 아우다) 二二년 계묘(癸卯)에 신

충이 두 벗과 약속하고 벼슬을 내던지고 남악(南岳)에 들어간 후 임금이 두 번씩이나 불러도 나오지 않았다. 머리를 깎고 중이 된 후임금을 위해서 단속사(斷俗寺)라는 절을 창건하고 거기서 살면서 종생 산속에 들어 앉아 왕의 복을 축원하겠다고 하니 왕도 허락하였다. 법당(法堂) 뒷벽에 화상이 걸려 있는 이가 바로 그다. 남쪽에 있는 마을 이름이 속휴(俗休)인데 지금 음이 변해서 소화리(小花里)라고 한다(삼화상전(三和尙傳)에 의하면 신충의 봉성사(奉聖寺)란 것이 기록되어 있어서 이 이야기와 혼동되나 그러나 신문왕(神文王)의 시대를 계산하면 경덕과는 이미 백여 년 상거다. 하물며 신문과 신충은 딴 세상 일이니 이 신충이 아닌 것이 분명하다. 마땅히 주의할 것이다). 또 다른 기록에는 이르기를 경덕왕대에 직장(直長) 이준(李俊: 고승전(高僧傳)에는 효순(孝純)이라고 적었다)이 일찍부터 나이 五〇만 되거든 절을 창건하고 중이 되겠다고 발원하였다. 천보(天寶) 七년 무자(戊子)에 나이 꼭 五〇이라 조연(槽淵)의 작은 절을 고치어 큰 절로 만든 다음 단속사(斷俗寺)라고 이름 지었으며 자기도 머리를 깎았다. 중의 이름은 공굉장로(孔宏長老)인 바 절에서 지낸지 二〇년 만에 죽었다고 하였다. 상기 삼국사에서 게재한 이야기와는 다른데 두 편을 함께 적어서 의심나는 바를 그대로 들어둔다. 그를 예찬해서 시를 적었다.

"공명을 못다 누려 살쩍 밑 희여졌다. 왕의 총애 두터워도 백년이 잠간이라 저 넘어 그리운 산 꿈엔들 잊을손가? 그리 가서 향불 피워 왕의 복을 비오리라."

3. 노래의 원문

物叱好支柏史 秋察尸不冬爾屋支墮米 汝於多支行齊教因
隱 仰頓隱面矣改衣賜乎隱冬矣也 月羅理影支古理因淵之
叱 行尸浪 阿叱沙矣以支如支 皃史沙叱望阿乃 世理都 之
叱逸烏隱第也 後句亾

4. 노래의 해독

(1) 物叱好支柏史: 물ㅅ 됴히 자시

物叱: 「物」은 「물」. 「叱」은 「물」의 말음첨기 「ㅅ」. 「물ㅅ」의 뜻은 「물색」
이다.

好支: 「好」의 훈은 「둏」이며 「支」는 음차 「히」이다. 따라서 전체는 「됴
히」이다. 즉 현대어 「좋게」이다.

　　○ 善逝 世間解는 부텻 功夫에 됴히 올아 가샤 世間앳룰 다 아르실 씨라(석
　　　보 9-3)

　　○ 흐다가 안존 中에 微빅흔 定力 도보물 어더든 正히 됴히 잡드롫디니(若
　　　於坐中에 得妙定力資ᄒ야든 正好提撕니(몽산 16-17)

柏史: 「柏」의 훈은 「잣」, 「史」는 「시」

　　○ 솔오 잣과 잇는 뎌山ㅅ 길히여(松柏뎌山路)(두시 초11-10)

전체의 현대말은 「물색 좋게 잣이」로 된다.

(2) 秋察尸不冬爾屋支墮米: ᄀᆞᅀᆞᆶ 안돌 이오히디미

秋察尸: 「秋」는 「ㄱᄉᆞᆶ」. 「察」의 훈은 「슬피」인데 여기서는 「슬」로 「ㄱ
ᄉᆞᆶ」의 말음첨기이다. 「尸」는 「ㄹ」로 역시 말음첨기로서 전체는 「ㄱ
ᄉᆞᆶ」이다.

不冬: 「不」은 훈독으로 「안」, 「冬」은 비슷한 음인 「等」의 훈 「ᄃᆞᆯ」을 표
기한 것으로 부정의 부사 「안ᄃᆞᆯ」로 부정사 「아니」이다(이두집성).

爾屋支: 「爾」는 「이」, 「屋」는 음차 「오」, 「支」는 음차 「히」로 전체는
「이오히」이다. 이 말은 중세어의 「이올다」에서 그 다음의 어미 「히」
앞에서 받침 「ㄹ」이 줄어드는 현상, 곧 「ㄹ」변칙현상에 의하여 「ㄹ」
이 탈락한 형태이다. 현대말로는 「이울어」로 부사형이다. 고로 「不冬
爾屋支」는 현대어로 「아니 이울어」이다. 「不冬」이 부정부사이므
로 「爾屋支」는 동사이어야 한다.

墮米: 「墮」는 「디다」이고 뜻은 「지다/이울다」이다. 「米」는 이유어미 「ᄆᆡ」
이다. 전체는 「디ᄆᆡ」이다. 현대말로는 「떨어지매」 또는 보조동사로
「빠지매」로도 볼 수 있다.

　　○ 江湖애 ᄆᆞᆯ곤 ᄃᆞ리 디거늘(江湖墮淸月)(두시 초15-51)
　　○ 雙鵲이 ᄒᆞᆫ 사래 디니(維彼雙鵲墮於墮於一縱)(용가 4-9. 23)

이 구절의 현대말은 「가을에 아니 이울어 떨어지매」 또는 「가을에 아
니 이울어 빠지매」가 된다. 즉 「가을에 시들어 떨어지지 아니하매」라는
뜻이다.

(3) 汝於多支行齊敎因隱: 너 다히 녀져흥인

汝於: 「汝」는 「너」. 「於」는 「어」로 「汝於」는 「너」이다.

多支: 「多」는 「다」, 「支」는 「히」 고로 전체는 「다히」이다.

行齊: 「行」의 훈은 「녀(다)」이고. 「齊」는 「져」. 전체는 「녀져」로 이 뜻은

현대어 「가고자」이다.

教因隱: 「教」는 「하게 하다」의 뜻이 있다. 「因」을 독음이 「인」인데 「隱」
은 「인」의 닫침 「ㄴ」표기이다. 전체는 「ᄒᆞ인」으로 「ᄒᆞ이다」가 「시
키다/하게하다」이므로 현대어 뜻은 「가고자 하는데」이다.

(4) 仰頓隱面矣改衣賜乎隱冬矣也: 울럴돈 ᄂᆞᆾ이 가시샨 ᄃᆞᆯ이야

仰頓隱: 「仰」은 「우러르다」, 「頓」은 음차로 「돈」이요, 「隱」은 음차 「ㄴ」
으로 전체는 「울럴돈」으로 현대어로는 「우러르던」이다.

面矣: 「面」의 훈은 「ᄂᆞᆾ」, 「矣」는 「읻」로 많이 쓰이나 문맥에 따라 「이」
로도 쓰일 수 있다(최남희 한자음 420쪽).

改衣: 「가싀」로 옛말 「가싀다」는 「가시다」, 「달라지다」이므로 현대어
로는 「달라지」이다.

賜乎隱: 「賜」는 「시」, 「乎」는 삽입모음 「오」, 「隱」은 음차 「ㄴ」으로 전
체는 「시+오+ㄴ→샨」이 된다. 「改衣賜乎隱」은 「달라지신」이다.

冬矣也: 「冬矣也」「ᄃᆞᆯ이야→ᄃᆞ리야」인데 현대어로는 「줄이야」이다.

전체의 현대어는 「우러르던 얼굴이 달라지신 줄이야」이다.

(5) 月羅理影支古理因淵之叱: ᄃᆞᆯ리 빛히고 다ᄉᆞ린 모싯

月羅理: 「月羅」는 「ᄃᆞᆯ」의 표기 「理」는 음차자로 「리」, 전체는 「ᄃᆞᆯ리」이
다(최남희 차자 70쪽).

影支古: 「빛히고」인데 현대말로는 「비치고」이다. 「影」은 「빛」(모로바
시 권4 805쪽)으로 풀이되어 있다.

理因: 「理」는 「다ᄉᆞ리」, 「因」은 음이 「인」, 전체는 「다ᄉᆞ린」인데 현대말
로 「다스린」 또는 「가다듬은」이다.

淵之叱: 「淵」의 훈은 「못」, 「之」는 훈이 「이」, 「叱」은 「ㅅ」. 전체는 「못
잇」이 된다.

현대어로는 「다리 비치고 가다듬은(조용한) 연못에는」이 된다.

(6) 行尸浪阿叱沙矣以支如支: 녈 믌결 기슭ㅅ 믈ㄱ 모릭쌍을 에이돗
行尸: 「行」의 훈은 「녀」, 「尸」는 「ㄹ」. 전체는 「녈」이다.
浪阿叱: 「浪」은 「믌결」(월인천강 107). 「阿」는 「기슭」, 「叱」은 「ㅅ」 즉
「의」. 전체는 「믌결 기슭의」이다.
沙: 「沙」의 훈은 「물가/물가의 모래땅」이다.
矣以支如支: 「이히ᄃ히→어이듯이」 「어이다 →에다 →에우다」로 뜻은
「사방을 죽 두르다」이다.

(6)의 현대말로는 「흘러가는 물결이 산기슭의 물과 모래딸을 에우듯이」
이다.

(7) 皃史沙叱望阿乃: 즈시삿 ᄇ라나
皃史沙叱: 「皃」은 「즁/즛」, 「史」는 음차자 「시」로 「즈시」의 말음첨지.
「沙」는 음차 「사」, 「叱」은 「ㅅ」. 전체는 「즈시삿」이다. 여기 「삿」은
강제보조조사.
望阿乃: 「望」의 훈은 「ᄇ라」, 「阿」는 「ᄇ라」의 「아」 표기를 위한 것,
「乃」는 음차로 「나」, 전체는 「ᄇ라나」이다.

이 구절의 전체는 「모습이야 바라보지마는」이다.

(8) 世理都之叱逸烏隱第也: 누리도 딧달온 데여

世理都: 「世」는 「누리」, 「都」는 보조조사 「도」이다.

之叱: 「之叱」의 「之」는 음이 「지」, 「叱」은 「ㅅ」인데 전체는 「짓」이다.

逸烏隱: 「逸」은 뜻이 「달아나다」, 「烏」는 삽입모음 「오」, 「隱」은 관형사
　　형어미 「ㄴ」으로 전체는 「달아난」이다.

第也: 「第」의 음은 「뎨」인데 뜻은 「때마다」(이두집성). 「也」는 감탄접미
　　사. 전체의 현대말은 「누리도 짓달아난 때마다로구나」이다.

전체의 현대말은 「세상 모두가 이루어진 때여」가 된다.

(9)(10) 後句亡

마지막 두 구는 유사찬성 당시에 이미 없어졌다. 이로써 보면 유사소재
여러 노래가 무릇 전대의 기록에서 인용한 것임을 추상할 수 있다(『고
가연구』 637쪽).

　〈옛말 전체풀이〉

믈ㅅ 됴히 자시 / ㄱ슳 안들 이올히 디미

너 다히 녀져ᄒᆞ인 / 울럴돈 늧이 가시샨 들이야

들리 빛히고 다ᄉᆞ린 모싯 / 녈 믌결 기슭ㅅ 믈ᄀᆞ 모릿쌍을 에이듯

즈시삿 ᄇᆞ라나 / 누리도 짓달온 데여

　〈현대말 전체풀이〉

물색 좋게 잣이 / 가을에 시들어 떨어지지 아니하매

너 같이 가자고 하였는데 / 우러르던 얼굴이 달라지신 줄이야

달이 비치고 조용한 연못에는 /

흘러가는 물결이 산기슭의 물가 모래땅을 에우듯이
모습이야 바라보지마는 / 누리도 짓 달아난 때마다로구나

第十四篇 遇賊歌

1. 유사의 기록

永才遇賊

釋永才性滑稽, 不累於物, 善鄉歌. 暮歲將隱于南岳, 至大
峴嶺, 遇賊六十餘人. 將加害, 才臨刃無懼色, 怡然當之. 賊
怪而問其名, 曰永才. 賊素聞其名, 乃命□□□作歌. 其辭
曰: (歌別載於下) 賊感其意, 贈之綾二端. 才笑而前謝曰:
「知財賄之爲地獄根本, 將避於窮山, 以餞一生. 何敢受焉?」
乃投之地. 賊又感其言, 皆釋釖投戈, 落髮爲徒. 同隱智異,
不復蹈世. 才年僅九十矣, 在元聖大王之世. 讚曰: 策杖歸
山意轉深 綺紈珠玉豈治心 綠林君子休相贈 地獄無根只寸
金.

2. 원문의 번역

영재 우적(永才 遇賊)

영재란 중은 성질이 익살맞고 물욕에 구애되지 않고 향가를 잘하였다. 나이 늙어서 남악(南岳) 속으로 들어가 은거하려고 가던 차 대현(大峴) 고개에 이르러 도적놈 60여 명을 만났다. 장차 죽이려고 하는데 영재는 칼을 보고도 무서운 기색이 없고 태연하게 행동하였다. 도적이 야릇해서 그 이름을 물었더니 영재라고 하는 것이었다. 도적들도 그전부터 들어서 알기 때문에 □□□ 노래를 지으라고 명하였다. 그 노래에 이르기를,

(노래는 다음에 따로 들어 보인다)

도적들이 그 노래의 사연에 감동되어 비단 두 끝을 주었더니 영재가 웃고 나와서 사양하기를,

"재물이 지옥의 근본이라는 것을 알고 장차 깊은 산속으로 피해 가서 일생을 마치려는 길이요. 어떻게 감히 이런 것을 받겠소?"

비단을 고만 땅에 던져 버리었다. 도적들이 또 그 말에 감동되어 칼을 놓고 창을 던지고 머리를 깎고 그의 상제들이 되었다. 함께 지리산(智異山)으로 들어가서 다시 세상에 나오지를 않았다. 영재의 나이 90세까지 살았으니 원성 대왕(元聖大王) 시대였다. 그를 예찬해서 시를 지었다.

"지팡이 뒤던져 산속으로 돌아갈제 비단이랑 보배랑 그 무에 탐이 나랴? 도적질로 사는 분네 그런 것 주지마소! 몇 푼의 쇠천도 지옥갈 장본입네."

3. 노래의 원문

自矣心米 皃史毛達只將來呑隱日 遠鳥逸□□過出知遣 今
呑藪未去遣省如 但非乎隱焉破□主 次弗□史內於都還於
尸朗也 此兵物叱沙過乎 好尸曰沙也內乎呑尼 阿耶 唯只
伊吾音之叱恨隱善陵隱 安支尚宅都乎隱以多

4. 노래의 해독

(1) 自矣心米: 저이 ᄆᆞᅀᅳ미

自矣: 「自」의 훈은 「저」, 「矣」는 관형격조사 「이」. 전체는 「저이」이다.

心米: 「心」은 「ᄆᆞ솜」, 「米」는 처소격조사로 「미」이다. 「心米」는 「ᄆᆞ솜 +
　　미→ᄆᆞᅀᅳ미」로 「ㅁ」이 둘 겹치니까 「ᄆᆞ솜」의 「ㅁ」이 생략되었다.
　　뜻은 「저의 마음에」.

(2) 皃史毛達只將來呑隱日: 즈시 모ᄃᆞ락 디녀오ᄃᆞᆫ날

皃史: 이것은 「원가」에서 다루었다. 「줏시→즈시」이다. 현대말로 「자태
　　/모습」이다. 여기서는 앞의 「心米皃史」은 「마음의 모습」즉 「자기
　　의 심리상태」를 말하다.

毛達只: 독음을 따라 「모ᄃᆞ락→모ᄌᆞ락→모자라게」로 되었다.

將來: 「將」의 훈은 「디니(다)」이다(모로바시 권4 918쪽). 또 자전에 보면
　　「가지다」라는 뜻이 있다고 풀이하고 있다. 「來」는 훈이 「오(다)」이
　　니 전체는 「지여오다」이다.

呑隱日: 「呑」은 음차 「ᄃᆞᆫ」이나 과거회상의 보조어간 「-던」의 고형이

다. 「隱」은 관형사형어미 「ㄴ」, 「日」은 훈이 「날」이다. 현대어로 전체는 「모습이 모자라게 지녀 오던 날」이 된다.

(3) 遠鳥逸□□過出知遣: 먼 새 돈□□ 디나티고

遠鳥: 「遠」의 훈은 「멀」, 「鳥」는 「새」. 전체는 「먼 새」이다.

逸: 뜻이 「달아나다」이다.

過出知遣: 「過」의 훈은 「디나(석보 6-8)」, 「出」의 훈은 「나(금삼 4-54)」, 「知」는 음차로 「티」, 「遣」은 연결형어미 「고」. 전체는 「디나티고」이다.

(4) 今呑藪未去遣省如: 엳쏜 두미 가고싱다

今呑: 「今」의 훈은 「열(훈몽자회 下-1B) 富時」, 呑의 음차 「쏜」, 강세조사 「ㅅ든」에 해당한다(『고가연구』 646쪽).

  ○ 구스리 바회에 다신둘 긴힛쏜 그 츠리잇가(악장가사 서경별곡)

  전체는 「엳쏜→지금은」으로 풀이된다.

藪未: 「藪」의 음차는 「수」, 현대어는 「두메」, 「未」는 음차 「미」로 전체는 「두미」이다.

去遣省如: 「去」는 훈독 「가」, 「遣」는 「고」, 「省」은 음차 「싱」, 「如」는 서술정결어미 「다」이다. 전체는 「가고싱다」이다.

현대말로는 「지금은 두메에 가오이다」이다.

(5) 但非乎隱焉破□主: 다만 외온 破戒主

但: 뜻은 「다만」이다.

  「非」는 「외다」(훈몽자회 東中 下 25a).

乎: 삽입모음 「오」 고로 「非乎」는 「외오」로 뜻은 「벗어나다」임.

隱: 「ㄴ」.

   전체는 「외온」으로 현대말로는 「그릇된」이다

破□主: 『고가연구』653쪽에서 「□」에는 「戒」가 준 것으로 보고, 도적
   을 해학적으로 「破戒主」라 지칭함일 것이다, 라고 하였다.

현대어로는 「다만 그릇된 파계주」가 된다.

(6) 次弗□史內於都還於尸朗也: 차불즈시 ㄴ외쪼 돌랴

次弗: 이것은 「차불」로 읽었는데 「次」의 뜻은 「있다」, 「弗」은 「아니」이
   다. 전체는 「있지 아니홀」이다.

□史: 『고가연구』에서 □은 「兒」자가 아닌가 하고 만일 「兒史」라면 「兒
   史⇒즈시」인데 그 다음 문맥과의 연결 관계로 보면 「즈새」로 보아
   야 한다 하였다(『고가연구』 655쪽). 현대어로는 「태세」로 보고자 한
   다. 전체는 「있지 않을 태세에」이다.

內於: 이것은 「ㄴ어」로 「ㄴ외」의 속음으로 뜻은 「다시」이다.

都: 이것은 음차 「쪼」이다. 보조조사로 뜻은 「다시 또」이다.

還於尸: 「還」은 뜻이 「돌」, 「於」는 「어」, 「尸」를 「ㄹ」로 전체는 「돌어ㄹ
   →돌얼→돌」이다.

朗也: 「朗」는 「라-랴」, 「也」는 음차 「야」. 고로 전체는 「라+야→랴」로
   되어 반문하는 말투로 쓰이었다.

전체 현대말로는 「있지 않을 태세에 다시 또 돌아가려?」이다.

(7) 此兵物叱沙過乎: 이 兵 잠갯사 디나오

此: 훈독 「이」

兵物叱沙: 「兵」은 「병」, 「物叱」은 「잠갯」이다. 즉 「잠개+ㅅ⇒잠갯」이다.

○ 兵은 잠개 자분 사ᄅᆞ미오(월인석 서-6B)

○ 凶흔 兵 잠개로 農器를 디오(두시언해 3권 4장)

「兵잠개」는 「병사들이 쓰는 무기류」를 뜻한다.

전체는 「이 兵잠갯」이 된다.

沙: 강세보조조사 「사」이다.

過乎: 「過」는 훈이 「디나」, 또 「거치어가다」, 「乎」는 「오」. 전체는 「디나오」이다. 현대말로는 「지나고 나면」의 뜻이다.

현대어로는 「이 병기를 거쳐 가고 나면」이 된다.

(8) 好尸曰沙也內乎吞尼: 됴ᄒᆞᆯ 날 새ᄂᆞ옷ᄶᅡ니

好尸: 「好」의 뜻은 「됴ᄒᆞ/둏」, 「尸」는 관형사형어미 「ㄹ」. 전체는 「됴ᄒᆞᆯ」이다.

曰: 이 자는 「曰」로 보는 이도 있고 「日」, 「날」로 보는 이도 있으나 『고가연구』에 따라 「曰」로 본다. 그래야 문맥상 뜻이 통할 것 같기 때문이다.

沙也內乎: 「沙」는 음차 「사」, 「也」는 「야」로 「內乎」는 「ᄂᆞ오」. 「沙也內乎」는 「사야ᄂᆞ오→새ᄂᆞ오」이다.

吞尼: 「吞」은 음차로 「ᄯᅥᆫ」, 「ᄯᅥ」의 「ㅅ」은 「乎」의 받침으로도 풀어야 한다. 「尼」는 음차 「니」, 「吞尼」는 「吞」은 「ᄯᆞᆫ」이니까 「尼」와 합하면 「ᄯᆞᆫ니→ᄯᅡᆫ니」로 전체는 「새ᄂᆞ옷ᄶᅡ니」이다.

현대말로는 「좋을 날이 새리다마는」이다.

(9) 阿耶唯只伊吾音之叱恨隱善陵隱: 아아, 오직 이요밋흔 善은

阿耶: 감탄사로 음이 「아아」이다. 이조시대는 「아으」였다.

唯只: 「唯」의 훈은 「오직」, 「只」는 「ㄱ」으로 말음첨기. 고로 「오직」이다.

伊吾音之叱: 「伊吾⇒이+오」, 「音之叱=ㅁ+이+ㅅ⇒밋」. 전체는 「이오밋」
으로 현대말로는 「요만한」의 뜻이다.

恨隱: 「恨」은 음차 「흔」, 「隱」은 「ㄴ」으로 말음첨기 「흔」이다. 「伊吾音
之叱恨隱」은 「이오밋흔=요만한」이 된다.

善陵隱: 「善」의 훈은 「착하」, 「陵」의 훈은 「가벼이 여김/대수롭지 않게
여김」(한한대자전)이므로 「善陵」은 「선은 선이나 가벼운 선」을 뜻
하는 것으로 푼다. 즉 「가벼운 선」이다. 「隱」은 「은」. 전체는 「善陵
은」이 된다. 「善陵」을 단순한 「善」으로 보는 것은 무리이다.

현대어로는 「아! 오직 요만한(보잘것없는) 선(善)은」이 된다.

(10) 安支尙宅都乎隱以多: 안디 새집 모두외니다.

安支: 「안디」로 부정사로 「아니」의 고형(『고가연구』 669쪽).

尙宅: 「尙」은 홍기문의 317쪽에서 318쪽까지에서 보면 『삼국유사』 1권
「진한」에서 신라 전성시대의 신라 서울에는 35금입택(金入宅)이 있
었다고 하면서 그 이름을 든 가운데 「池上宅, 楊上宅, 非上宅, 寺上
宅, 林上宅, 樓上宅, 里上宅, 寺下宅, 井上宅」이 있으며 「上櫻宅」과
「下櫻宅」이 있다고 하였다 하면서 「尙宅」이 바로 이 「上宅」이라고
추정한다 하였다. 그런데 「尙」은 「높일 상」이며 「上」은 「숭상할 상」
으로 「尙」과 통용(한한대자전)이라고 되어 있으니 뜻이 같다. 그러
므로 여기서는 「尙宅」은 「좋은 집=上宅」으로 풀고자 하는데 특히
「寺上宅」 즉 「절」을 말하는 듯하다. 여기서는 「좋은 집」 즉 「새집」

으로 푼다.

都乎隱以多: 「都乎隱」은 「도온→되온」으로 푼다. 「以多」를 「이다」로
　　전체는 「ᄃ윈이다→ᄃ외니다」로 (10)의 현대어로는 「아니 새집
　　되나이다」인데 의역하면 「새집이 아니 되나이다」.

〈옛말 전체풀이〉

저의ᄆᅀᆞᆷ미 / 즈시 모ᄃᆞ락 디녀오ᄃᆞᆫ 날
먼 새 돈□□ 디나티고 / 열쎤 두미 가고 싱다
다만 외온 破戒主 / 차불즈싀 ᄂᆞ외쏘 돌랴
이 뜟 잠갯사 디나오 / 됴홀 날 새ᄂᆞ옷싸니
아아, 오직 이오밋흔 善은 / 안디 새집 ᄃᆞ외니다

〈현대말 전체풀이〉

저의 마음에 / 모습을 모자라게 지녀오던 날
먼 새 달아나듯□□ 지나가 버리고 / 지금은 두메에 가오이다.
다만 그릇된 파계주에 / 있지 않을 태세에 다시 또 돌아가랴
이 병기(도둑의 무기)를사 거쳐 가고 나면 / 좋을 날이 새리다마는
아! 오직 요만한 보잘것없는 선으로는 / 새집이 아니 되나이다.

참고문헌

金尙憶, 『鄕歌』, 서울: 明文堂, 1988.

김원중 역, 『삼국유사』, 을유문화사, 2004.

南豊鉉, 『口訣研究』, 서울: 太學社, 1999.

檀國大學校出版部, 『訓蒙字會』, 1971.

_____, 『新增類合』, 2002.

梁柱東, 增訂 『古歌研究』, 서울: 一潮閣, 1965.

劉昌惇, 『李朝語辭典』, 연세대학교출판부, 1987.

장세경, 『이두자료읽기사전』, 한양대학교출판부, 2001.

朝鮮總督府中樞院, 『吏讀集成』, 1937.

최남희, 『고려향가의 차자표기법연구』, 서울: 홍문각 출판사, 1986.

_____, 『고대국어표기한자음연구』, 서울: 도서출판 박이정, 1999.

韓國學文獻 研究所, 『吏讀資料選集』, 1975.

한글학회 지음, 『우리말글사전』 4「옛말과 이두」, 서울 어문각, 1992.

한상하, 『大明律直解』, 서울: 京仁文化社, 1974.

허 웅, 『우리옛말본』, 서울: 샘문화사, 1975.

홍기문, 『향가해석』, 과학원, 1956.